Rafael Kiso

UNBOUND MARKETING

UNBOUND MARKETING
COMO CONSTRUIR UMA ESTRATÉGIA EXPONENCIAL USANDO O MARKETING EM AMBIENTE DIGITAL

DVS Editora Ltda. 2021 — Todos os direitos para a língua portuguesa reservados pela Editora.

Nenhuma parte deste livro poderá ser reproduzida, armazenada em sistema de recuperação, ou transmitida por qualquer meio, seja na forma eletrônica, mecânica, fotocopiada, gravada ou qualquer outra, sem a autorização por escrito dos autores e da Editora.

Design de capa, projeto gráfico e diagramação: Bruno Ortega

Revisão: Fábio Fujita

```
Dados Internacionais de Catalogação na Publicação (CIP)
        (Câmara Brasileira do Livro, SP, Brasil)

   Kiso, Rafael
      Unbound marketing : como construir uma estratégia
   exponencial usando o marketing em ambiente digital /
   Rafael Kiso. -- 1. ed. -- São Paulo : DVS Editora,
   2021.

      ISBN 978-65-5695-027-3

      1. Comunicação 2. Internet (Marketing)
   3. Marketing digital 4. Planejamento estratégico
   5. Vendas - Administração I. Título.

   21-66541                                   CDD-658.85
           Índices para catálogo sistemático:

   1. Internet : Vendas : Marketing digital :
         Administração    658.85

   Maria Alice Ferreira - Bibliotecária - CRB-8/7964
```

Nota: Muito cuidado e técnica foram empregados na edição deste livro. No entanto, não estamos livres de pequenos erros de digitação, problemas na impressão ou de uma dúvida conceitual. Para qualquer uma dessas hipóteses solicitamos a comunicação ao nosso serviço de atendimento através do e-mail: atendimento@dvseditora.com.br. Só assim poderemos ajudar a esclarecer suas dúvidas.

Rafael Kiso

UNBOUND MARKETING

COMO CONSTRUIR UMA ESTRATÉGIA EXPONENCIAL
USANDO O MARKETING EM AMBIENTE DIGITAL

www.dvseditora.com.br
São Paulo, 2021

SOBRE O AUTOR

Rafael Kiso foi reconhecido pela Associação Brasileira dos Agentes Digitais (ABRADi) como o melhor profissional de planejamento estratégico digital do país. Formou-se em publicidade e propaganda pela Universidade do Vale do Paraíba e fez cursos nas áreas de marketing e inovação pela Escola Superior de Propaganda e Marketing (ESPM). É também *master business* pela HSM, escola na qual teve a oportunidade de aprender com profissionais renomados, como Martha Gabriel, Philip Kotler, William Ury, entre outros.

Kiso iniciou a carreira como pesquisador de tecnologia em 1998, período em que a internet era mais restrita no Brasil. No ano seguinte, participou do desenvolvimento do Bankline do Itaú, com a responsabilidade de analisar requisitos de negócio e transformar sistemas legados em sistemas web. Unindo seus conhecimentos em comunicação, marketing e tecnologia, criou a Focusnetworks, agência de marketing digital, que atende a empresas nacionais e internacionais líderes de mercado, como Intel, Bimbo Brasil (Pão Pullman, Bolinho Ana Maria, Rap10, Crocantíssimo), Google, Jose Cuervo, Prudence, Lindt, entre outras.

Dentro da Focusnetworks, criou a mLabs, que atualmente é a maior plataforma maior plataforma de gestão de mídias sociais do Brasil. Com a metodologia do Unbound Marketing que conheceremos neste livro, a mLabs saiu do zero e chegou à liderança de mercado, completando 230 mil marcas assinantes em apenas cinco anos. Kiso é hoje CMO da mLabs e conselheiro da Focusnetworks. Em 2020, recebeu convite de Martha Gabriel para escrever com ela a segunda edição do livro best-seller *Marketing na era digital*[1] — Kiso é também sócio e professor da comunidade que leva o mesmo nome.

[1] Martha Gabriel e Rafael Kiso, *Marketing na era digital: conceitos, plataformas e estratégias*, 2. ed., São Paulo, Atlas, 2020.

PREFÁCIO

MARTHA GABRIEL

Escrever o prefácio deste livro é particularmente especial para mim, tanto em âmbito pessoal quanto profissional. No lado pessoal, tenho uma profunda admiração pelo seu autor, **Rafael Kiso**, que é, indubitavelmente, um dos melhores profissionais de marketing e negócios digitais do Brasil, além de ser também, e principalmente, um ser humano incrível, que tenho o privilégio de chamar de amigo.

No lado profissional, é um prazer ver surgir no mercado um livro que oferece uma metodologia estratégica com uma visão holística do marketing — o **Unbound** —, que em vez de negar ou excluir o que existe, **une, soma, vai além**, trazendo um framework que reconhece e abraça tanto a dimensão analógica quanto a digital do mundo.

Uma das maiores dificuldades estratégicas no ambiente de negócios das últimas décadas tem sido o aumento da sua complexidade devido à disseminação das tecnologias digitais. Nesse sentido, estratégias compartimentadas, que não consideram a **conexão e fluxos de vida entre as camadas ON e OFF** (o que chamo de **cibridismo**), não conseguem mais gerar bons resultados. Por isso, torna-se cada vez mais imprescindível a utilização de novas metodologias, como o Unbound, que não apenas **navega** na complexidade cíbrida, como também, e principalmente, se **beneficia** dela, em um poderoso processo transmidiático.

Considerando que 1) "conteúdo" é a essência conceitual de algo, e que 2) pode ser virtualmente qualquer coisa — mídia, suporte, linguagem etc. —, podemos dizer que o **conteúdo é parte fundamental de todos os domínios estratégicos do marketing**: do propósito da marca ao ponto de venda (físico ou digital); do branding à distribuição; do início ao fim da contínua, fragmentada, distribuída jornada do consumidor/cliente. A orquestração estratégica dos 4 Ps depende intrinsecamente de conteúdo — **produtos** são compostos de conteúdo em cada uma das partes do seu mix (produto, embalagem e marca); **preços** estabelecem relações de trocas de conteúdos; **praça** são plataformas que favorecem e disseminam essas trocas; **promoção** (comunicação) é essencialmente conteúdo em movimento.

Assim, **se a estratégia é o coração do marketing, o conteúdo é o sangue que pulsa e o mantém vivo. Nenhuma marca consegue ser melhor do que o conteúdo que produz.** A experiência que causamos é uma soma dos conteúdos que proporcionamos, e que, assim, desencadeiam emoções e reações. No entanto, conforme as tecnologias digitais ampliam possibilidades e poder na produção e disseminação de conteúdo — tanto pelas marcas quanto pelos indivíduos (UGC) —, mais complexas se tornam as estratégias de marketing. E, **quanto mais complexo um ambiente, mais sofisticados precisam ser os seus agentes e as ferramentas que utilizam.**

Por isso, este livro torna-se um **valioso instrumento** para qualquer marca — de qualquer natureza, ramo de atividade ou tamanho —, oferecendo um **roadmap completo** para potencializar a sua estratégia de marketing em meio à complexidade crescente, configurando-se em leitura (e estudo) obrigatória para qualquer profissional da área: do CMO ao estagiário.

Outro fator preponderante é que a fundamentação metodológica do Unbound aqui apresentada não é baseada apenas em teorias, mas também na consagrada **experiência profissional do autor**, que vem aplicando esse framework com sucesso há anos em sua agência, obtendo resultados excelentes para inúmeras grandes marcas.

Desejo, assim, que você aproveite muito os ensinamentos deste livro, não apenas para **aprender, refletir e planejar**, mas também, e principalmente, como oportunidade para **inovar, aplicar e alavancar** o marketing para o seu negócio. Sucesso!

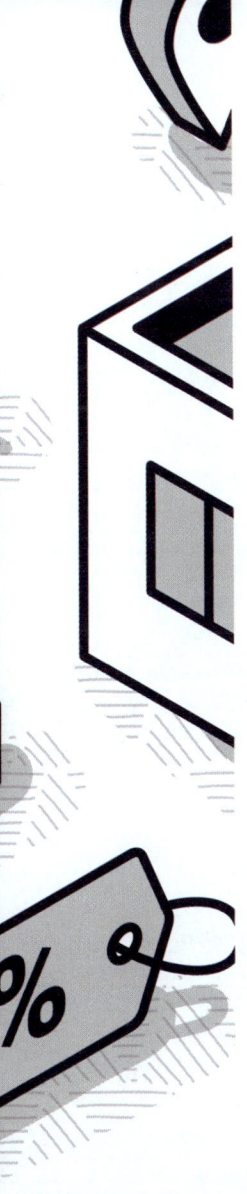

APRESENTAÇÃO

É estranho perceber que não faz tanto tempo assim que o marketing em ambiente digital ganhou impulso no Brasil. Eu me lembro bem de quando, nos anos 2000, algumas empresas começaram a adotá-lo, conquistando ampla presença na internet. No exato momento em que decido escrever este livro, duas décadas mais tarde, assistimos a uma ampla transformação no cenário do marketing e da tecnologia. Navegamos hoje em um mar de grandes possibilidades, com estratégias e tecnologias consolidadas no mercado. Temos em mãos um grande número de recursos que transformaram nosso jeito de fazer comunicação.

Primeiro, veio o outbound marketing, uma forma ainda bastante tradicional de apresentar marcas ao consumidor de forma interruptiva. As agências de comunicação que atuavam no modelo clássico persistiram, passaram a criar modelos de negócio em torno do outbound, limitando-se a pôr produtos e serviços no radar do público.

Em seguida, apareceu o inbound marketing, buscando conquistar e manter clientes por meio de atração e conteúdos relevantes. Enquanto o outbound estava mais para a propaganda — numa prospecção ativa mais desqualificada —, o inbound fazia as vezes da publicidade — numa prospecção passiva mais qualificada. No inbound, o conteúdo é rei, e a lei da atração prevalece. Surgiram, então, especialistas adeptos somente desta linha, assumindo grandes responsabilidades por conversão.

Com base em pesquisas próprias, descobri que não se pode escolher uma coisa ou outra; na verdade, podemos encontrar um equilíbrio entre essas e outras formas de trabalhar, outras estratégias, para aproveitar o que há de melhor em cada uma delas. Muitas outras estratégias se consolidaram, como o marketing de influência, que podemos associar ao tradicional trabalho de relações públicas.

À frente da Focusnetworks ao longo de quase duas décadas, atendendo a grandes marcas nacionais e internacionais, experimentando estratégias e analisando em detalhes métricas e indicadores de cada projeto, cheguei a uma metodologia de planejamento estratégico em ambiente digital para obter resultados exponenciais. Estratégia essa que vem sendo aplicada com êxito em negócios de diversos setores e tamanhos no Brasil.

Isso me motivou a estruturar e a compartilhar essa metodologia que batizei de Unbound Marketing, que vai ajudar profissionais e negócios que se sentem perdidos na dinâmica do ambiente digital e precisam de um norte para ter sucesso. Afinal, a pergunta que sempre me fazem é esta: onde devemos apostar nossas fichas quando o assunto é o digital?

O Unbound Marketing é fruto da necessidade que eu mesmo tive de orquestrar os principais conceitos, estratégias e ações de marketing em ambiente digital sob um framework único que faça sentido para objetivos de negócio, não apenas de comunicação.

Apliquei e aperfeiçoei essa metodologia trabalhando com dezenas de marcas, que consolidaram seu protagonismo no mercado ou que se tornaram líderes, entre elas a própria mLabs, startup que nasceu dentro da Focusnetworks e, em quatro anos de existência, tornou-se a ferramenta de gestão de mídias sociais mais usada do Brasil.

Para quem é este livro?

Este livro é destinado a todas as pessoas que trabalham com comunicação, marketing e vendas, ou ainda a empresários que desejam avançar mais em suas estratégias em ambiente digital. O Unbound Marketing foi desenvolvido com foco em negócios e reúne inúmeros conceitos em um único framework coeso, capaz de escalar os resultados de um negócio no ambiente digital.

Para quem trabalha com negócios da economia real, este livro pode servir como um guia para criar ações que transcendam os limites ainda existentes entre os mundos on-line e off-line, construindo uma jornada de contato amigável e duradoura com os clientes, visando sempre prover uma experiência acima de vender produtos e serviços.

Antes de começarmos, vamos preparar o terreno, alinhando conceitos importantes sobre planejamento estratégico em ambiente digital. Nos capítulos em que falaremos sobre cada passo do planejamento com base no framework do Unbound Marketing, você poderá ir pondo em prática no seu negócio. Muitas vezes, a preocupação de quem precisa investir em marketing digital está na incerteza do retorno, mas aqui também falaremos sobre como mensurar resultados e definir indicadores de performance alinhados aos objetivos do negócio.

Nas próximas páginas, vamos mergulhar em um universo que envolve também conhecimentos de brand persona, buyer persona, voice deck, monitoramento de mídias sociais, técnicas de persuasão, marketing de conteúdo, marketing de influência, marketing de indicação, social ads, tráfego pago, neuromarketing, jornada do cliente, funil de vendas, Net Promoter Score (NPS), prova social, automação de marketing, Search Engine Marketing (SEM), Search Engine Optimization (SEO), Social Media Optimization (SMO), user experience, consumer experience e muito mais.

Estrutura do livro

Dividi o livro de acordo com os cinco passos de um bom planejamento estratégico e etapas da jornada do cliente de acordo com a metodologia do Unbound Marketing. Dessa forma, será mais didático entender tudo o que é necessário desenvolver em cada passo e ir avançando.

Os passos da metodologia do Unbound Marketing são:

1. Diagnóstico
2. Objetivos
3. Estratégia
4. Tática
5. Controle

As etapas da jornada do cliente que usaremos são:

1. Descoberta
2. Consideração
3. Compra
4. Experiência própria
5. Experiência compartilhada

Mas, antes de entrarmos nos passos e etapas, criei um capítulo inteiro para preparar o terreno, ou seja, para alinhar conceitos importantes que serão vistos posteriormente ao longo dos outros capítulos.

Para melhorar a didática, em diversos momentos usarei o exemplo da marca Ton Verde. Trata-se de uma marca fictícia que criei para usar neste livro. Para todos os efeitos, a Ton Verde é um brechó chic que tem como propósito a moda sustentável. O seu diferencial é o modelo de economia circular para crianças e adultos. Ela possui lojas local e virtual.

Ao longo do livro, apresento uma série de ferramentas e metodologias complementares. O meu objetivo é ser sucinto e direcionar o caminho, para permitir a você tomar uma decisão embasada e inteligente. Portanto, não é objetivo deste livro ensinar a usar tais ferramentas e metodologias complementares, mas fazer o leitor entender que elas existem para encurtar a sua jornada de sucesso.

Em diversos momentos, apresento QR Codes para você obter algum conteúdo complementar na web.

Encerro o livro ensinando como medir tudo e identificar os indicadores-chave de performance adequados para a controlar a execução da sua estratégia.

Boa jornada!

SUMÁRIO

APRESENTAÇÃO ... 9
Para quem é este livro? ... 10
Estrutura do livro ... 11

INTRODUÇÃO ... 15
Problemática atual ... 15
A nova jornada do cliente ... 16
Os cinco passos de um bom planejamento estratégico digital ... 19

PASSO 1 • DIAGNÓSTICO ... 22
Macroambiente ... 25
Microambiente ... 31
Ambiente interno ... 38
Análise SWOT ... 44

PASSO 2 • OBJETIVOS ... 46
Propósito ... 54
Critérios norteadores ... 57
Ideação ... 60

PASSO 3 • ESTRATÉGIA ... 68
Brand persona ... 69
Personas ... 79
Jornada do cliente ... 88
A experiência do cliente = X ... 100
Storytelling ... 101
Dimensões de mídia ... 106
O algoritmo humano e os 3Hs ... 118

PASSO 4 • TÁTICA 134

Plano de conteúdo 135

    Linhas editoriais 135

    Canais e formatos 139

    Calendário 141

    Frequência de publicação 146

Mídia paga: otimizando o alcance nas mídias sociais 151

Criação 156

    Conteúdo transmídia 157

    Mobile first 159

    Criando para os 3Hs 161

Social Media Optimization 167

Influenciadores digitais 174

    Como selecionar influenciadores digitais 179

Experiência própria, NPS e UGC 183

Como transformar o cliente em nanoinfluenciador 194

Monitoramento das mídias sociais 198

Programa de indicação 212

    Como desenvolver um programa de indicação de sucesso 213

Plano de implementação 218

PASSO 5 • CONTROLE 222

Análise SWOT projetada 223

Métricas de acompanhamento e KPIs 225

CONCLUSÃO 232

AGRADECIMENTOS 237

REFERÊNCIAS BIBLIOGRÁFICAS 238

INTRODUÇÃO

Problemática atual

A transformação digital pôs o marketing tradicional em xeque e, paradoxalmente, abriu-lhe oportunidades até então inimagináveis. Tudo parecia mais fácil quando existiam apenas os meios clássicos de comunicação. Os processos de decisão de compra eram quase todos lineares. A realidade se tornou mais complexa e, ao mesmo tempo, por que não dizer, mais interessante.

Hoje podemos mensurar com mais precisão toda e qualquer estratégia de marketing, e não só: temos a nosso favor a tecnologia. É sobre isso e muito mais que vamos falar neste livro, de um ponto de vista bastante estratégico.

Após a fase áurea do marketing tradicional no Brasil, adaptamos a propaganda aos moldes da internet, com banners, rich media e pop-ups. Assim, o outbound marketing, sua mídia interruptiva e as intervenções não solicitadas puramente voltadas à propaganda também sofreram uma adaptação.

Logo em seguida, surgiu o inbound marketing, uma estratégia de aquisição de tráfego focada em marketing de conteúdo, que também prevê mídia paga, mas não nos moldes do outbound e sua característica de propaganda. A estratégia de conteúdo exige um trabalho minucioso e consistente para alcançar resultados a médio e longo prazos.

O que vemos na prática, no entanto, é que as empresas têm urgência em obter resultados rápidos quando lançam um produto ou um serviço. Concomitante a isso, com o passar dos anos, as redes sociais ceifam o alcance orgânico das mídias sociais, deixando claro que são também veículos de mídia paga. O alcance orgânico ainda não morreu, porque bons conteúdos sempre vão ter audiência, mas essa realidade está em constante mudança em função dos algoritmos.

Portanto, quando associamos as práticas do inbound e do outbound, podemos ir mais rápido e, em conjunto com estratégias avançadas de marketing de influência e indicação, obter resultados exponenciais e ir mais longe. Podemos colocar produtos e serviços no radar do mercado através de plataformas de mídias sociais usando outbound, impulsionar conteúdo usando o inbound e fazer remarketing usando ambas as estratégias, atingindo públicos de interesse com mais precisão ao longo da nossa jornada. Podemos ainda fazer uso de influenciadores digitais e dos próprios clientes para gerar prova social ao longo de toda a jornada e aumentar a probabilidade de resultados exponenciais. Assim, o outbound não morreu, tampouco um negócio deve se utilizar somente de inbound ou influenciadores digitais.

Em outras palavras, quando montamos um plano de mídia e percebemos um potencial de alcance de 100 mil clientes, o tráfego orgânico atinge apenas uma pequena parte disso. Se quisermos ampliar o alcance, temos, sim, que continuar usando — ou começar a usar — mídia paga na estratégia, seja para fazer propaganda, seja para impulsionar um conteúdo. Com influenciadores digitais, é a mesma coisa. É necessário adotar níveis de influenciadores ao longo da jornada, usando modalidades pagas de contrato ou orgânicas através de relações públicas.

Portanto, a metodologia do Unbound Marketing vem como solução para orquestrar esses diferentes tipos de estratégia e colocar produtos/serviços no mercado com a velocidade necessária, atrair os públicos de interesse com conteúdos relevantes, converter, priorizando obter resultados exponenciais usando os próprios clientes como nanoinfluenciadores do negócio.

Este livro mostra como integrar as estratégias mais importantes e eficazes já existentes no marketing em ambiente digital, tendo como principal pano de fundo as mídias sociais digitais. A metodologia do Unbound Marketing apresenta um framework que ajuda a integrar os meios on-line e off-line, considerando a experiência do cliente como o coração da estratégia maior e ir além de oferecer apenas produtos ou serviços.

A propósito, a partir deste ponto neste livro, entenderemos como "produto" todo tipo de insumo, tangível ou intangível, que atende a necessidades reais ou simbólicas de troca, como os bens físicos, serviços, infoprodutos, cursos, eventos, entre outros.

A nova jornada do cliente

Os clientes estão nas plataformas de mídias sociais, sobretudo no smartphone. Esses canais são os maiores responsáveis pela influência de consumo atualmente. A produção de conteúdo pelos próprios clientes transformou o antigo conceito de publicidade e propaganda. Com o Unbound Marketing, a missão da estratégia de marketing em ambiente digital é captar clientes nas redes sociais e transformá-los em promotores da marca para obter resultados exponenciais.

Se nós nos mantivermos fiéis à máxima de que é importante estar onde os consumidores estão, então temos que estar nas plataformas de mídias sociais. Hoje, os consumidores passam mais tempo dentro de Instagram, Facebook, WhatsApp, Twitter, Pinterest,

YouTube e TikTok do que assistindo à TV. As mídias sociais são agora a atividade mais popular do mundo, e nós temos que estar antenados a isso.

Já ouviu falar no conceito de Mobile First? Criado por Luke Wroblewski, diretor de produtos do Google, ele mostra como tudo, hoje, gira em torno do smartphone. Em 2013, Wroblewski divulgou dados mostrando que já havia mais iPhones sendo comprados por dia do que bebês nascendo no mundo. Atualmente, no Brasil, 94% da população tem um smartphone vs 73% que possuem um computador.[2] Mais da metade (51%) dos usuários da internet no mundo também usa seus telefones celulares para comprar produtos on-line, e dois em cada três (66%) dizem que usam aplicativos de compras em seus dispositivos móveis — via smartphone ou tablet.[3] Por isso, temos que pensar no smartphone em primeira instância, seja na hora de criar um site, um conteúdo, uma campanha, seja, de um modo geral, em todo momento em que formos fazer algo para estar presente na vida conectada das pessoas.

Somos *always on*, ou seja, estamos conectados à internet o tempo todo através dos smartphones, smartwatches, entre outros dispositivos móveis, da hora em que acordamos até a hora em que vamos dormir. Com a Internet das Coisas (IoT), estaremos cada vez mais conectados o tempo todo.

A tecnologia molda o comportamento da sociedade, e, por conta do acesso à banda larga e a dispositivos móveis, somos cada vez mais imediatistas. As pessoas não querem mais ser impactadas pela mídia tradicional interruptiva como spot no rádio, intervalo comercial na televisão ou página dupla na revista, por exemplo. Ou mesmo pela mídia out of home (OOH), que acaba sendo uma mídia de distração, que capta a atenção das pessoas quando elas estão em algum momento de espera forçada.

Nesta obra, vamos entender a jornada *on-life*, que integra ou transcende os limites do on-line e do off-line, reconhecendo a importância da experiência do consumidor, para ir além do produto genérico esperado.

Até pouco tempo atrás, o Google era nossa principal ferramenta de descoberta. Se estávamos precisando de algo, abríamos o browser e acessávamos o Google. Hoje, logo que acordamos, abrimos WhatsApp, Facebook, Instagram, Pinterest e outras plataformas de mídias sociais. Descobrimos novos produtos e marcas mais pelos feeds dessas plataformas do que pelos sites de busca. A busca passou a ser muito mais um segundo passo ativado pelas descobertas nas mídias sociais.

Essa realidade ampliou significativamente as possibilidades para quem trabalha e investe em marketing em ambiente digital. Nesse ambiente, podemos criar estímulos para atrair a atenção do público e fomentar buscas até então impensadas.

Para isso, precisamos entender quais são os objetivos pessoais do potencial cliente, suas dores e aspirações. Ao compreenderem a lógica atual do consumidor, as marcas podem preencher os gaps de sua jornada, com ações que vão desde um conteúdo relevante à prestação

---

2 Fonte: Global Web Index, jan. 2020, considerando usuários de internet de 16 a 64 anos.

3 Fonte: DataReportal, jan. 2020.

de serviços gratuitos on-line que o ajudem genuinamente em seus objetivos.

Em *As armas da persuasão*,[4] o autor americano Robert B. Cialdini descreve seis gatilhos mentais que podem ajudar na criação dessas ações: reciprocidade, compromisso/coerência, aprovação social, afeição, autoridade e escassez. No livro, Cialdini explica, entre tantos outros comportamentos, que as pessoas tendem a compartilhar experiências e informações úteis. A partir disso, podemos fazer ações de utilidade, que levem o consumidor a interagir espontaneamente com a marca em função da experiência. E isso é diferente da propaganda tradicional.

Vamos entender neste livro todas as etapas da jornada do consumidor dentro de um único framework e ver como prover uma experiência é perfeito para elaborar uma estratégia digital de resultados exponenciais.

Algumas empresas já investem a maior parte de suas verbas de marketing no ambiente digital. Elas conhecem o conceito de funil de vendas, funil de marketing, e encontram formas, métricas e KPIs (indicadores-chave de performance) para mensurar o retorno de seus investimentos.

Mas a maioria delas ainda se preocupa apenas com o funil de vendas. Na venda, o foco está meramente no produto e no estágio do potencial cliente no processo de compra, mas veremos que o mais importante está em proporcionar experiências para ir além do funil de vendas e criar um megafone com promotores de marca. Ao se preocupar com a experiência, é mais fácil integrar as experiências on-line e off-line, criando um movimento em torno da marca.

Neste livro, vamos perceber ainda que a experiência compartilhada do cliente é parte fundamental de um negócio. Uma das maiores validações de um negócio é chegar à última etapa da jornada do cliente de forma positiva, fazendo as pessoas indicarem seu produto e sua marca através das mídias sociais.

Em sua obra *Contágio*,[5] Jonah Berger explica o porquê de as pessoas valorizarem as histórias de quem já teve experiência com uma marca. Quando contratamos, por exemplo, um influenciador digital para compartilhar sua experiência com um produto, queremos que ele crie um conteúdo no contexto da vida dele e mostre como a marca está presente no seu dia a dia, como realmente as coisas são. Isso é mais autêntico e gera maior segurança nas pessoas.

Ao longo desta obra, vamos percorrer juntos todos os passos para se fazer um bom planejamento estratégico em ambiente digital e, principalmente, conhecer as melhores formas de fazer o cliente chegar à etapa chamada de experiência compartilhada, ou seja, como estimular clientes apaixonados pela marca e proporcionar-lhes uma boa experiência, para que eles se tornem promotores do negócio.

---

[4] Robert B. Cialdini, *As armas da persuasão: como influenciar e não se deixar influenciar*, Rio de Janeiro, Sextante, 2012.

[5] Jonah Berger, *Contágio: por que as coisas pegam*, São Paulo, Alta Books, 2020.

Os cinco passos de um bom planejamento estratégico digital

Você sabe onde apostar suas fichas?

Quando falamos em marketing em ambiente digital, mais especificamente em plataformas de mídias sociais, o primeiro desafio para todo mundo é saber onde apostar as fichas.

Comecei a trabalhar nesse ramo em 2000, unindo marketing e tecnologia. Descobri, de lá para cá, que a melhor resposta para isso é fazer um bom planejamento estratégico de marketing e controlar a execução como um método científico, tendo em mente que tudo nesse ambiente é sobre testar, aprender e corrigir rotas rapidamente.

O primeiro passo, nesse sentido, é fazer um bom diagnóstico para saber onde estamos. É tirar uma foto do momento presente do negócio. O diagnóstico estuda o macroambiente, o microambiente e, depois, o ambiente interno do negócio.

O macroambiente é aquele que não controlamos: os rumos da política, os eventos culturais, as mudanças demográficas, as inovações tecnológicas e tudo o que está relacionado à macroeconomia.

O microambiente é o seu segmento: tendências do segmento, comportamento dos públicos de interesse, incluindo potenciais clientes, influenciadores e comportamento dos concorrentes.

Já o ambiente interno é quando olhamos para o nosso próprio negócio, a nossa própria marca, nossa presença digital, comportamento dos clientes, funcionários e aquilo que estamos fazendo de bom ou ruim.

Para fechar um diagnóstico, é importante usar a análise SWOT: forças (S: *strengths*), fraquezas (W: *weakenesses*), oportunidades (O: *opportunities*) e ameaças (T: *threats*). Assim, você consegue montar uma matriz que servirá de base para os próximos passos, olhando não somente para o contexto digital, mas para o negócio de forma global.

O segundo passo é definir os objetivos. Provavelmente, você iniciará o diagnóstico com alguns objetivos em mente, mas, a partir do momento em que temos a conclusão dele com a SWOT, você verá que será necessário realinhar os objetivos de acordo com as descobertas e deixar claro aonde quer chegar. A partir da SWOT, é necessário extrair os critérios norteadores que servirão para montar a estratégia. Nesse passo, é importante fazer um workshop de cocriação para obter ideias que correspondam ao máximo de critérios norteadores possíveis.

Assim, teremos clareza daquilo que precisamos fazer para neutralizar as ameaças, aproveitar as oportunidades, ajustar os pontos negativos e usar os pontos positivos.

No terceiro passo, vem a estratégia em si baseada em três pilares:

1. Projetos digitais — que inclui modelos de negócio, apps, serviços on-line, sites etc.;
2. Canais e conteúdo — que inclui mídias sociais, blogs, e-mail etc.;
3. Mídia — que inclui mídia paga, própria e ganha.

Você deve levar em consideração o marketing como um todo, incluindo o modelo de negócio baseado em produto, preço, praça e promoção, que tem ênfase na comunicação. Ou seja, os 4 Ps do marketing apresentados em 1960 por McCarthy em seu livro *Basic Marketing: a Managerial Approach*, e consagrado posteriormente por Philip Kotler e seus estudos em torno do conceito. Isso significa que não existe "marketing digital", mas, sim, "marketing em ambiente digital". Desde a primeira edição de seu livro *Marketing na era digital*, Martha Gabriel já chamava atenção para isso.

Com a estratégia definida e aprovada, você deve passar ao quarto passo, que é aquele em que se especificam as táticas, os projetos, os orçamentos, o cronograma e os recursos para execução da estratégia.

Todas as iniciativas postas na estratégia precisam virar um projeto, com início, meio e fim bem definidos ou processos. Nesse passo, é importante montar os cronogramas e os esforços possíveis para cada iniciativa.

O último passo é o de controle, no qual é necessário definir quais são as métricas de acompanhamento e os indicadores-chave de performance, para conseguir analisar se a estratégia está sendo executada conforme planejada. Aqui, a execução é monitorada regularmente para verificar se, de fato, há resultados com as ações projetadas.

Ao longo do processo de execução, os indicadores de sucesso devem ser reportados e o status de cada projeto atualizado, para que eles sejam reavaliados frequentemente e para que possam ter sua rota corrigida, caso necessário. Mais importante do que ter um bom planejamento é ter uma boa execução, por isso é preciso cumprir o quinto passo. Muitas pessoas esquecem esta etapa, mas isso pode comprometer o resultado da estratégia.

A metodologia do Unbound Marketing que vamos conhecer a partir daqui, portanto, se baseia num planejamento em cinco passos:

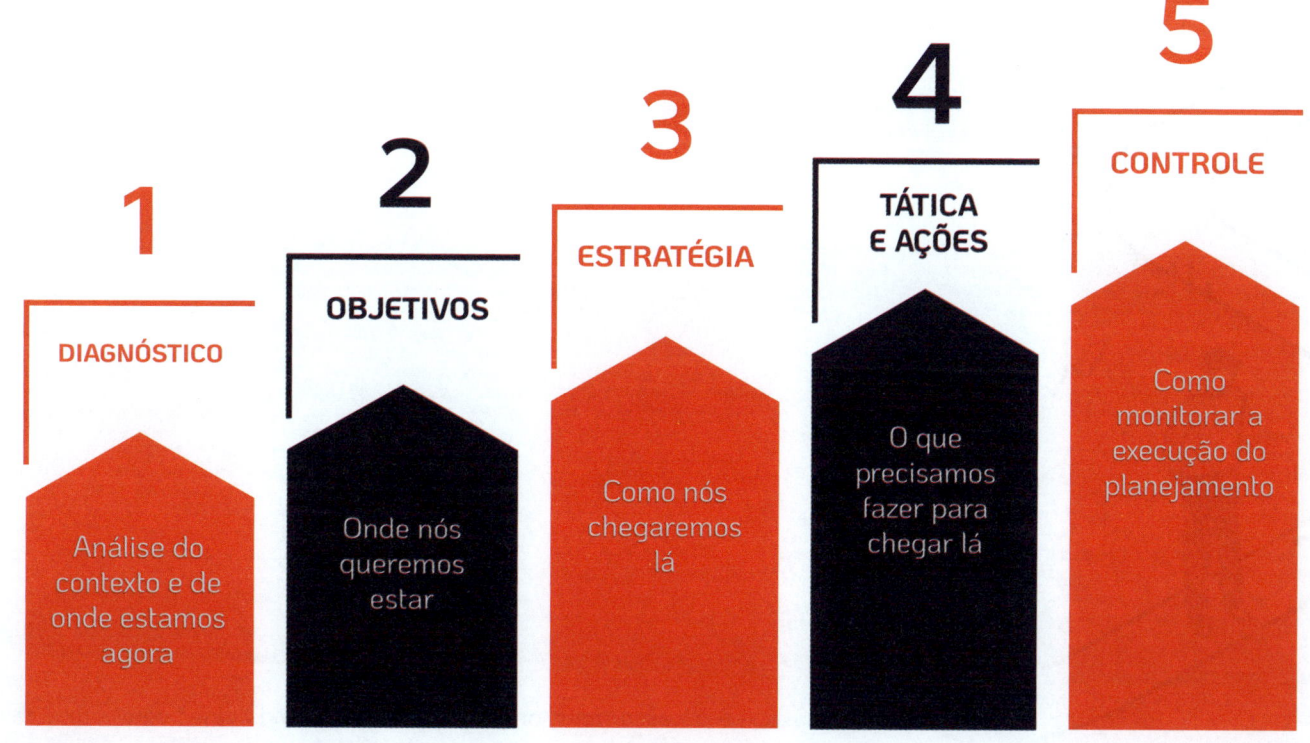

PASSO 1
DIAGNÓSTICO

O diagnóstico é o passo mais longo, porque precisamos olhar com muita calma para todos os ambientes que giram em torno do negócio (ver Figura 1), principalmente a nossa presença digital, nossas propriedades, e considerar com profundidade as tendências, o que os concorrentes estão fazendo, o que os consumidores também fazem, para entender o contexto em que estamos atuando.

Figura 1 — Ambientes do diagnóstico

Antes de começar a analisar o macroambiente, é importante entender do próprio negócio. Para isso, podemos usar o Business Model Canvas, criado em meados de 2000 pelo pesquisador e empreendedor Alexander Osterwalder, atualmente já bastante disseminado.

De forma simplificada, o Business Model Canvas é uma ferramenta com a qual podemos esboçar o modelo de negócio em uma única página, através de um mapa visual contendo a proposta de valor do nosso negócio, para quem vendemos, com quem nos relacionamos, estrutura de custos, receitas, atividades-chave, parceiros-chave e quais são os canais de que precisamos para distribuir nossos produtos e serviços. Veja o modelo na Figura 2.

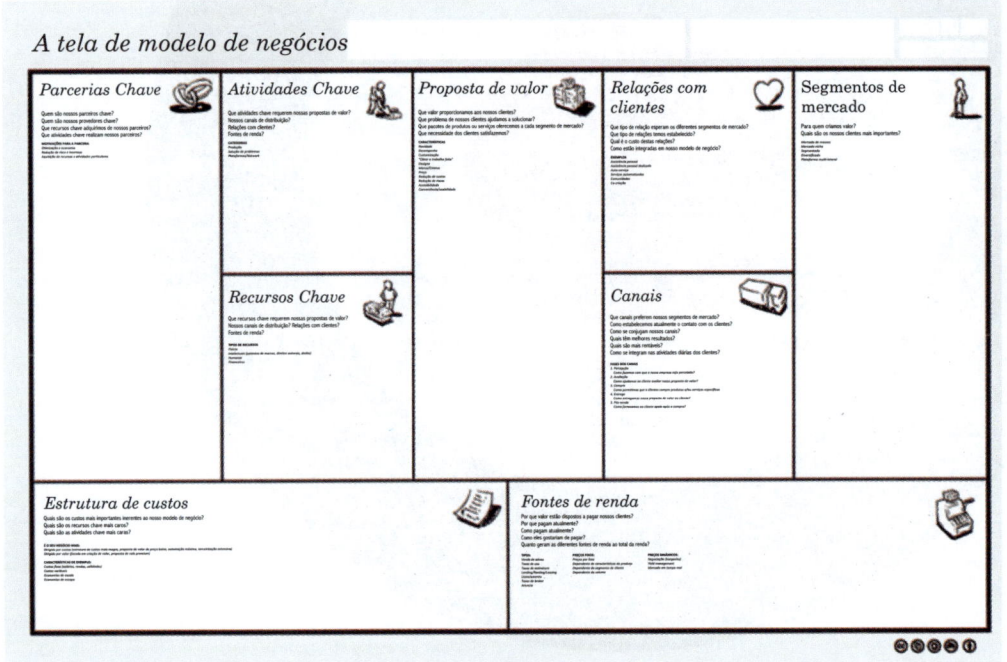

Figura 2 – The Business Model Canvas[6]

QR Code para baixar o modelo

6   Fontes: Business Model Alchemist, http://www.business-modelalchemist.com/tools; CC BY-SA 1.0, https://commons.wikimedia.org/w/index.php?curid=11892574.

UNBOUND MARKETING ■ PASSO 1 • DIAGNÓSTICO

Qualquer negócio obviamente nasce com uma proposta de valor. Mas, se você estiver imaginando que proposta de valor é sobre o que a empresa ganha em termos de receita e lucro, é necessário pensar ainda mais na proposta de valor, porque é mais sobre o que os clientes e a sociedade ganham por sua empresa existir, e não o contrário. É necessário ter um propósito muito bem alinhado a essa proposta de valor, para que as pessoas entendam que vamos, de fato, sanar uma dor, uma necessidade ou ajudar em um objetivo pessoal, e que ele esteja alinhado aos valores dessas pessoas também. É um exercício que nos faz pensar e repensar o negócio. Para ajudar nesse desafio de compreender o propósito da empresa, pense nela como se fosse uma ONG. O que ela faria?

Macroambiente

Na análise do macroambiente, é importante olhar para os fatores macroeconômicos, políticos, legais e culturais que impactam o negócio. Considere também os aspectos demográficos (tamanho, idade, sexo, etnia e demais dados estatísticos da população).

Além disso, leve em conta os recursos naturais, ou seja, a matéria-prima utilizada pelos colaboradores da empresa na fabricação de produtos ou na prestação de serviços, bem como os avanços tecnológicos. O que isso significa? Significa que pode surgir uma nova tecnologia no mundo que provoque uma mudança cultural que ajude ou atrapalhe nosso negócio. Isso aconteceu muito quando a internet apareceu e mudou o nosso dia a dia. A chegada do smartphone transformou demasiadamente nosso comportamento. São acontecimentos que não temos muito como prever, mas temos como estudar a tendência.

Por exemplo, a Gartner[7] publica todos os anos o Hype Cycle, que, por definição, é uma representação gráfica da maturidade de tecnologias emergentes e o potencial de adoção no futuro para diversos setores do mercado. Na Figura 3, você verá que o Hype Cycle é dividido em cinco fases, sendo: o gatilho da tecnologia, o pico das expectativas inflacionadas, o vale da desilusão, o declive da sobrevivência e o platô da produtividade.

7 Gartner é uma das maiores empresas de consultoria do mundo. A Gartner desenvolve metodologias para seus clientes tomarem decisões.

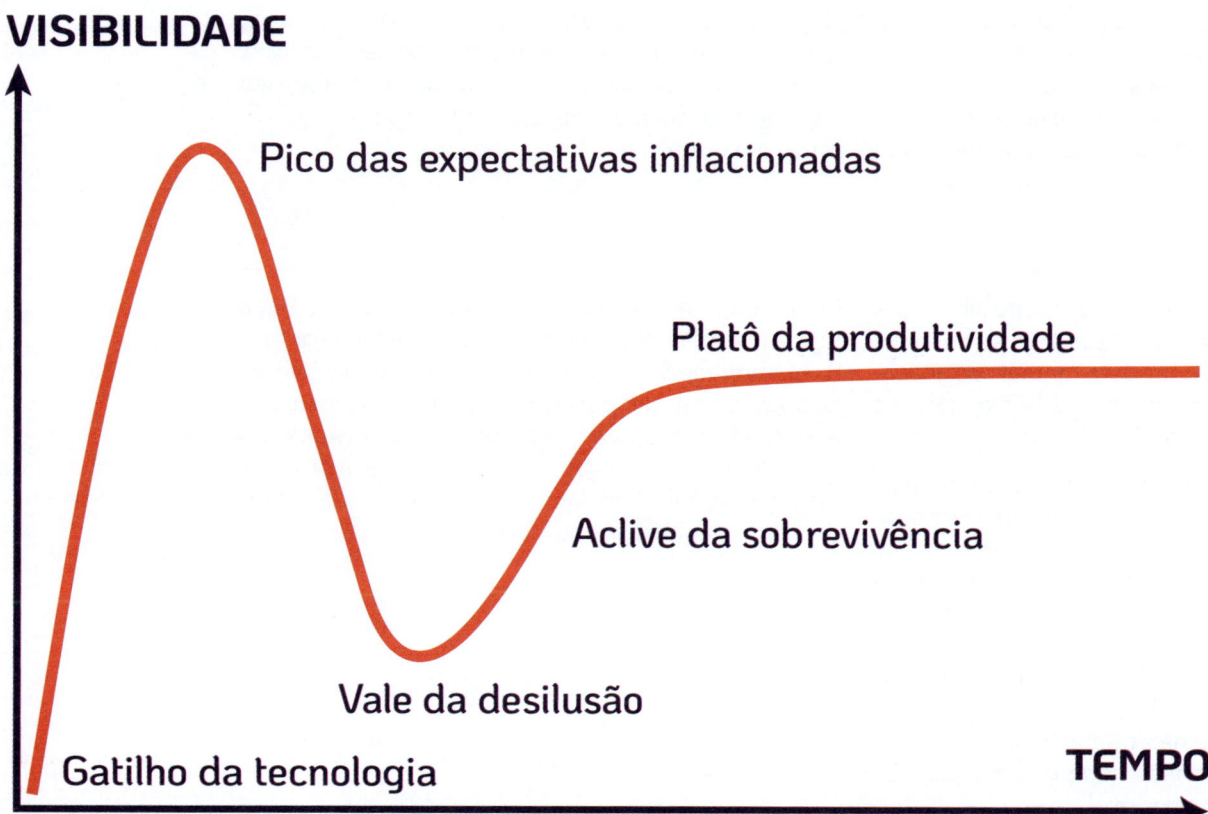

Figura 3 – Cinco fases do Hype Cycle[8]

[8] Fonte: Jeremykemp em Wikipedia, CC BY-SA 3.0, https://commons.wikimedia.org/w/index.php?curid=10547051.

Veja na Tabela 1 o que significa cada uma das cinco fases principais do ciclo de vida de uma tecnologia.

Tabela 1 – Significado de cada fase do Hype Cycle

FASE	DESCRIÇÃO
Gatilho da tecnologia	Uma tecnologia potencial nasce. Acontecem as primeiras provas de conceito, e o interesse da mídia gera publicidade significativa. Geralmente, nessa fase, não existem produtos utilizáveis, e a viabilidade comercial da tecnologia não é comprovada.
Pico das expectativas inflacionadas	A publicidade inicial produz uma série de histórias de sucesso, mas frequentemente acompanhadas por dezenas de fracassos na tentativa do uso de tal tecnologia. Algumas empresas agem, mas a maioria, não.
Vale da desilusão	O interesse diminui à medida que os experimentos e as implementações falham. Os produtores da tecnologia se abalam ou falham. O investimento continua apenas se os fornecedores sobreviventes melhorarem seus produtos para a satisfação dos primeiros usuários.
Declive da sobrevivência	Mais exemplos de como a tecnologia pode beneficiar a empresa começam a se cristalizar e se tornam mais amplamente compreendidos. Os produtos de segunda e terceira gerações são disponibilizados por fornecedores de tecnologia. Mais empresas financiam pilotos, e empresas conservadoras permanecem cautelosas.
Platô da produtividade	A adoção pelo mainstream começa a decolar. Os critérios para avaliar a viabilidade do fornecedor da tecnologia são mais claramente definidos. A ampla aplicabilidade e relevância da tecnologia no mercado estão claramente compensando as empresas. Se a tecnologia tiver mais do que um nicho de mercado, ela continua a crescer, tornando-se cada vez mais popular.

Os investimentos em startups de Martech (marketing technology) visam impulsionar a eficiência e a inovação do marketing, características que podem ajudar ou "disruptar" negócios de todos os tamanhos e setores.

Portanto, agora que você já sabe como ler um gráfico do Hype Cycle, veja dois exemplos dentro do contexto de propaganda e marketing nas figuras 4 e 5, pesquise a respeito das tecnologias que chamam sua atenção e reflita sobre como isso pode impactar seu negócio.

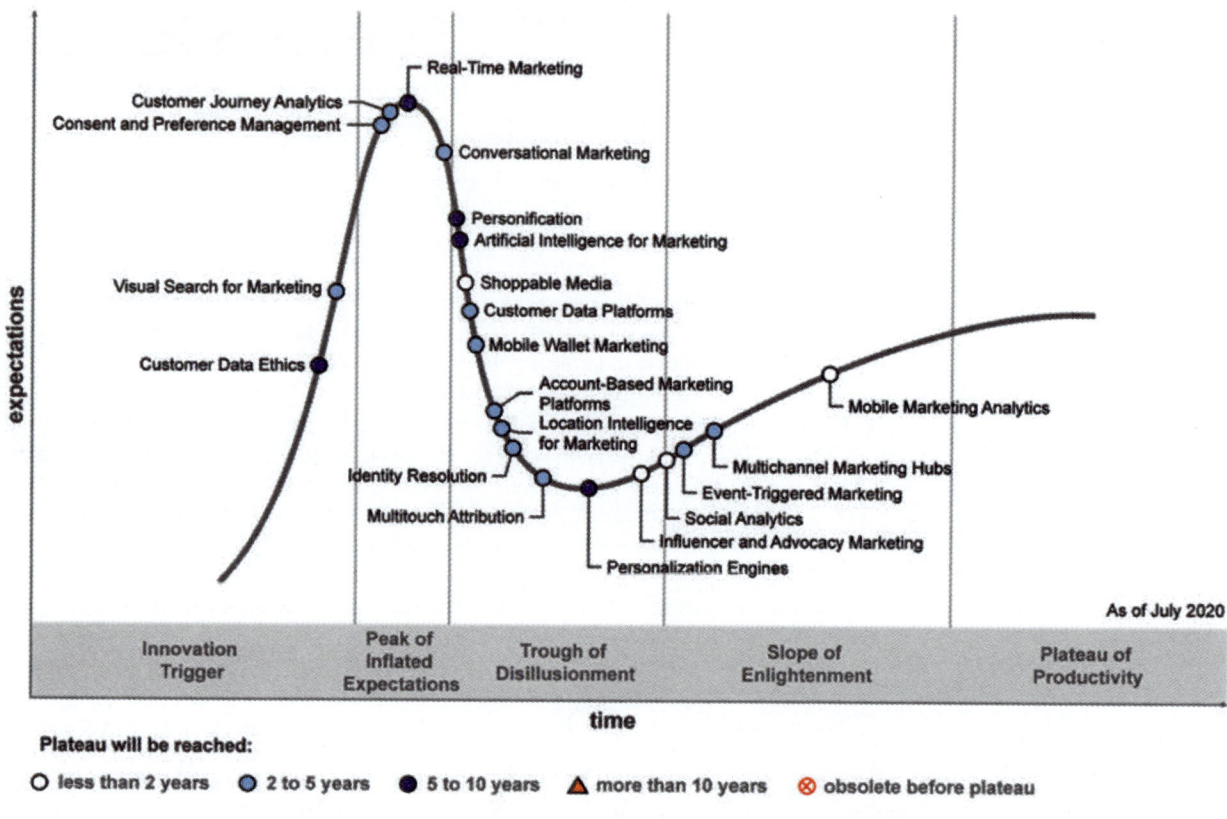

Figura 4 – Hype Cycle para marketing digital, 2020[9]

9 Gartner, 2020 Hype Cycle for Digital Marketing, 15 jul. 2020. Disponível em: https://www.gartner.com/en/marketing/research/2020-hype-cycle-for-digital-marketing. Acesso em: 11 fev. 2021.

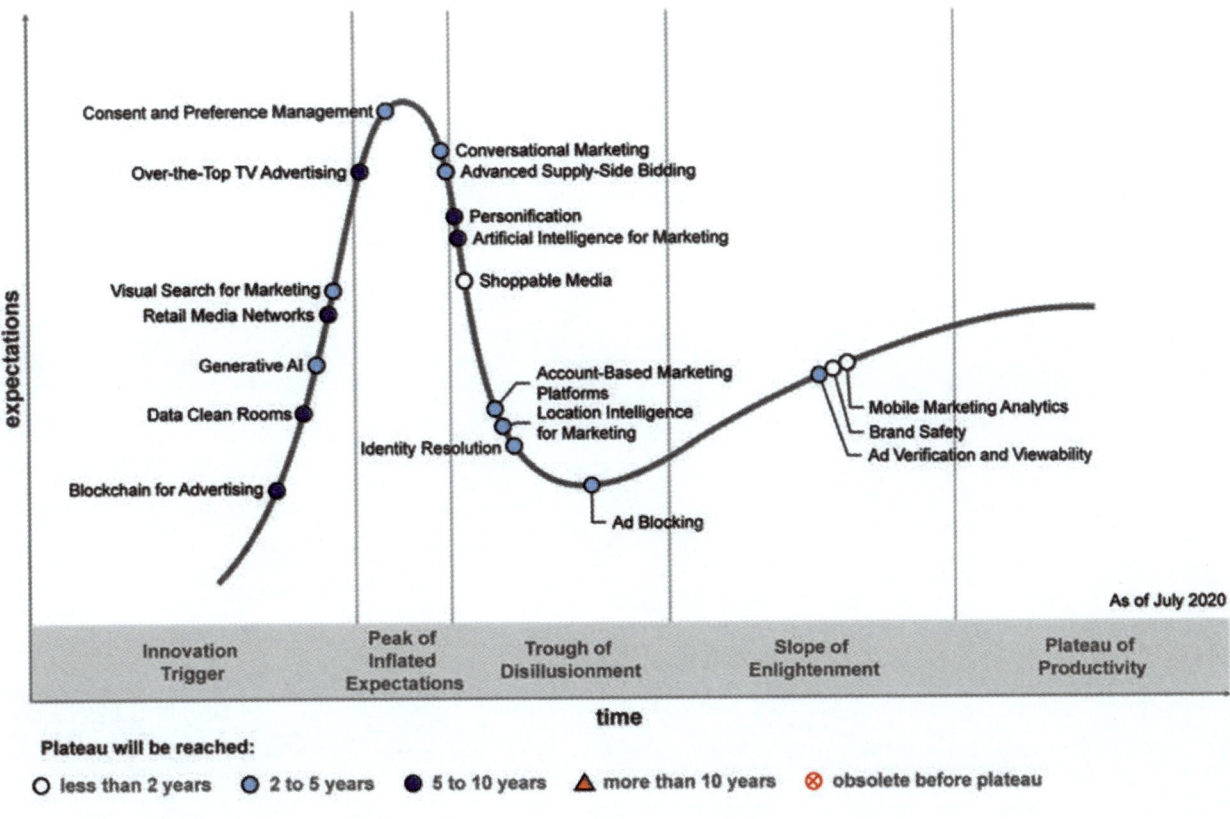

Figura 5 – Hype Cycle para publicidade digital, 2020[10]

10 Idem, 2020 Hype Cycle for Digital Advertising, 14 jul. 2020. Disponível em: https://www.gartner.com/en/marketing/research/2020-hype-cycle-for-digital-advertising. Acesso em: 11 fev. 2021.

Ainda no macroambiente, você deve pesquisar sobre as questões econômicas que englobam o comportamento do consumidor e os fatores que podem impactar seu poder de compra. Na política, temos mudanças de partido e de presidente, capazes de influenciar o nosso mercado, em função de modelos de políticas econômicas adotados, novas leis, e assim por diante.

As macrotendências também estão no ambiente externo. É preciso, portanto, mapear muito bem as forças externas nessa etapa, para sermos coerentes e assertivos mais adiante. Uma fonte bastante interessante para se olhar macrotendências é o Trendwatching.com.

Uma das formas mais fáceis de se fazer o diagnóstico do macroambiente é coletando pesquisas secundárias[11] e sintetizando as informações de destaque em um documento.

[11] Pesquisas realizadas por fontes terceiras, revistas e livros, assim como dados públicos, dados setoriais, estatísticas e censos governamentais, são alguns exemplos de pesquisas secundárias.

Microambiente

No momento de olhar para o microambiente, temos que levar em consideração o que está acontecendo em nosso setor, observar nosso segmento, a concorrência e, principalmente, o comportamento dos públicos de interesse.

Vamos entender os públicos de interesse na Figura 6.

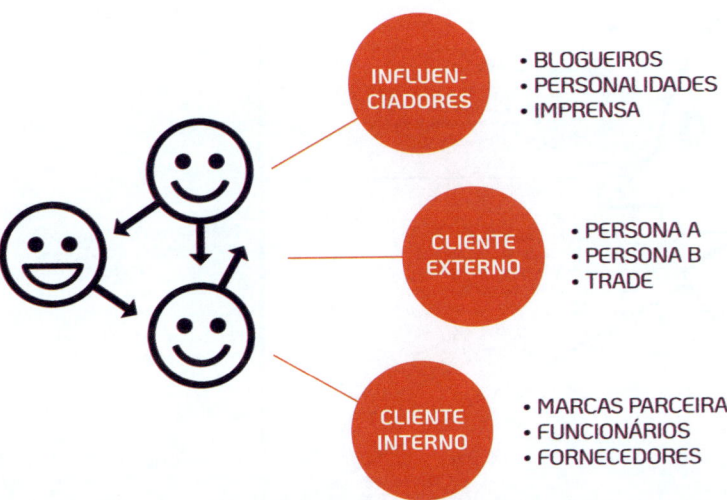

Figura 6 — Representação dos públicos de interesse

É natural pensar somente nos clientes externos ao fazer um planejamento ou mesmo um diagnóstico. Porém, há outras duas dimensões de públicos que impactam diretamente o negócio, principalmente em ambiente digital. São eles: os clientes internos e os agentes influenciadores.

Para a dimensão de clientes externos, é necessário saber quem são as pessoas que consomem os produtos ou serviços da categoria; o que elas fazem no cotidiano; quais são os lugares que elas costumam frequentar; quais são os canais que elas usam, os influenciadores digitais que elas seguem; e o que elas consomem; quais as dores; quais os objetivos pessoais. O objetivo disso é compreender o que elas desejam e, assim, oferecer conteúdos, produtos, serviços e atendimento mais adequados.

Uma das melhores ferramentas para fazer esse levantamento é o mapa de empatia, recurso utilizado para desenhar o perfil do seu cliente ideal — também conhecido como persona na metodologia do inbound ou ICP (Ideal Customer Profile) na metodologia do outbound — com base nos sentimentos dele. A primeira versão do mapa de empatia foi desenvolvida pela consultoria de Design Thinking chamada Xplane. Anos mais tarde, o fundador da Xplane, Dave Gray, se juntou ao criador do Business Model Canvas, Alex Osterwalder, para atualizá-la de forma a melhorar os resultados. Esta versão revisada você pode conferir na Figura 7.

Mapa de empatia

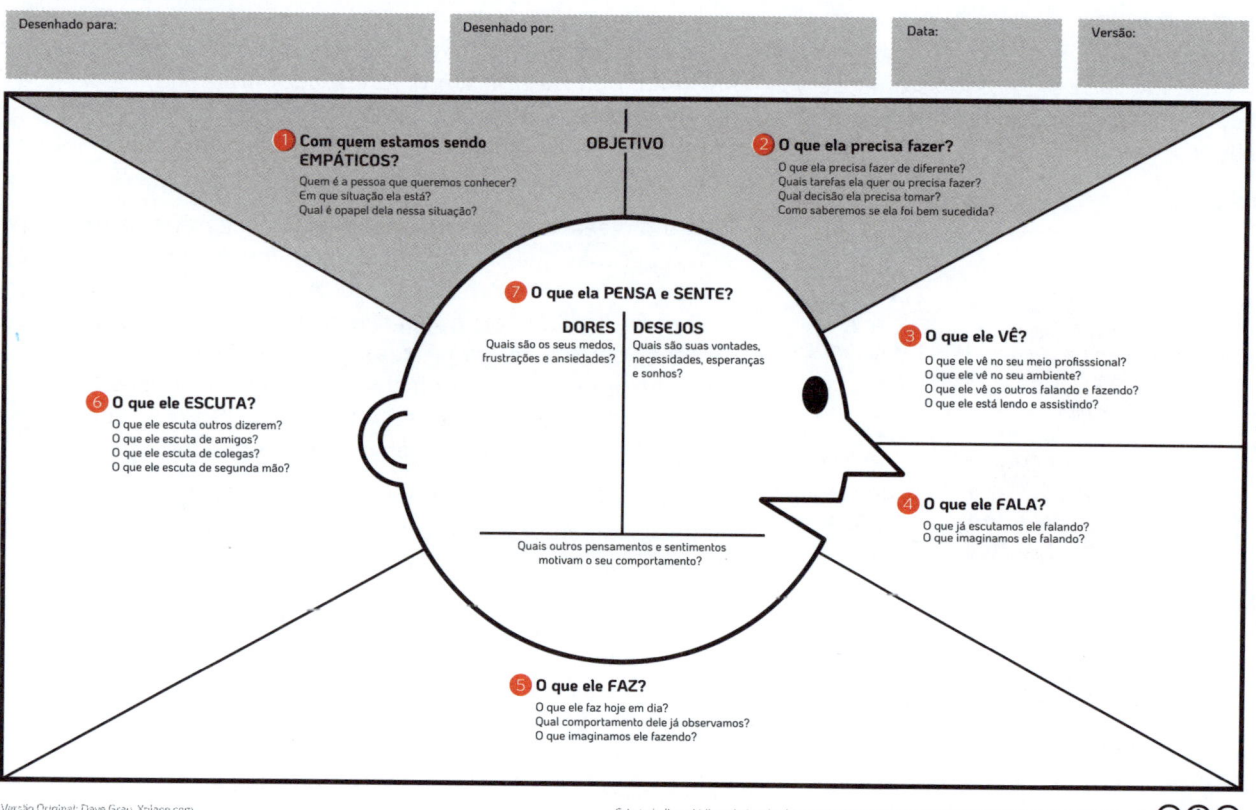

Figura 7 – Mapa de empatia

Usando o mapa de empatia, você pode entrevistar os clientes externos, pelo menos cinco pessoas por persona,[12] ou usar etnografia digital (netnografia)[13] para analisar o comportamento das personas em grupos dentro das plataformas de redes sociais digitais. É possível ainda usar ferramentas de monitoramento de mídias sociais para classificar tais comportamentos e montar o mapa de empatia.

Para a dimensão de influenciadores, você deve listar quais são os blogueiros, personalidades, criadores de conteúdo e jornalistas que influenciam o seu mercado.

Para achar criadores de conteúdo influentes, mais conhecidos como influenciadores digitais, você pode usar ferramentas como Airfluencers, Post2B e Noxinfluencer, ou contratar fornecedores especialistas como Squid e Cely.

A dica aqui é você selecionar com base em dois critérios principais, sendo: média de visualizações e média de engajamento. Não se baseie apenas no número de seguidores, pois isso não significa qualidade da audiência e capacidade do criador em propagar sua mensagem. No passo 4, sobre a tática, você verá como escolher influenciadores digitais. Aqui, no diagnóstico, atente-se somente em listar aqueles que chamarem sua atenção, definindo uma linha de corte caso o volume de resultados seja muito grande. Essa linha pode ser por número de seguidores, dado o fato de que você já levará em consideração os critérios qualitativos. Eu sugiro você listar, em média, pelo menos dez influenciadores por faixa de seguidores, sendo mais nanoinfluenciadores e menos megainfluenciadores. Veja na Figura 8 os níveis:

---

12 **Personas são personagens fictícios criados para representar os diferentes tipos de usuário dentro de um alvo demográfico, atitude e/ou comportamento definido que poderia utilizar seu site, sua marca ou produto de um modo similar.**

13 **Netnografia é o ramo da etnografia que analisa o comportamento de indivíduos e grupos sociais na internet e as dinâmicas desses grupos nos ambientes on-line e off-line.**

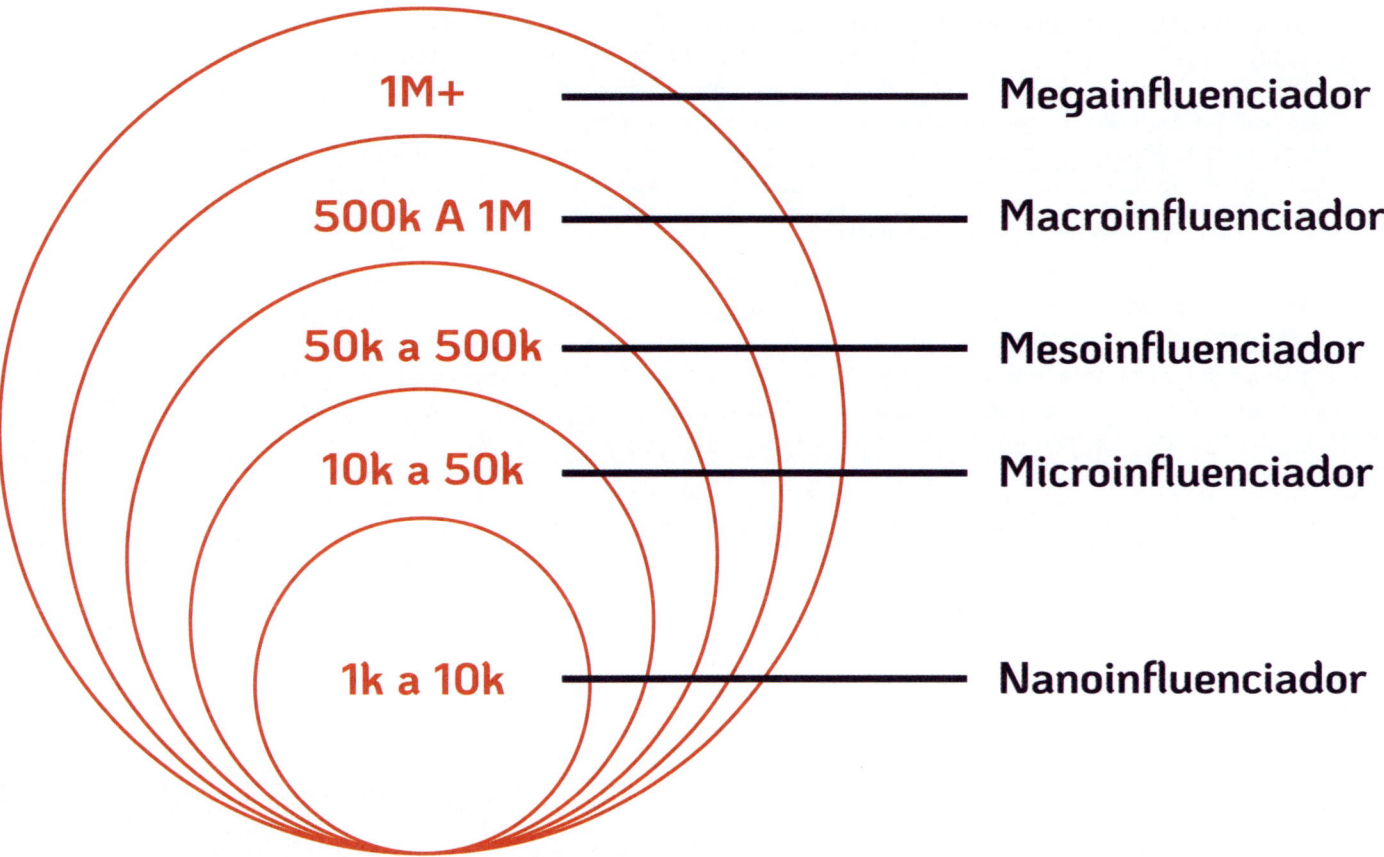

Figura 8 – Níveis de influenciadores digitais por número de seguidores

Na dimensão de clientes internos, o levantamento de funcionários e marcas parceiras pode ser feito ao diagnosticar o ambiente interno; o levantamento de fornecedores e ferramentas do setor é essencial para o microambiente.

Em termos de ferramentas on-line, há sites específicos que as avaliam com base em notas de clientes. Sites como G2.com, Kmaleon.com.br e Capterra.com.br podem ajudá-lo a achar as principais soluções do mercado por categoria de software.

Eu também recomendo fortemente você estudar o ecossistema de startups do seu segmento para entender quais são os players aos quais você pode se aliar, seja como cliente, parceiro ou investidor. Quem está à frente desse tipo de mapeamento no Brasil é a Distrito.me, um hub de inovação e a maior comunidade independente de startups. Eles monitoram mais de 12 mil startups na América Latina e possuem relatórios que podem ser úteis a você nessa missão.

Seja através de ferramentas, seja de startups, você descobrirá novas possibilidades de avançar em produtividade, inteligência e economia de recursos e de avançar também na adoção de algumas tecnologias apontadas como tendência, como inteligência artificial para marketing.

Para analisarmos os concorrentes, temos que observar com profundidade a sua presença digital de acordo com a jornada do cliente. Para cada estágio da jornada, há uma série de ferramentas capazes de contribuir nessa atividade. Veja a Tabela 2.

Tabela 2 — Ferramentas de apoio para análise de concorrentes em sua presença digital

ESTÁGIO	DESCOBERTA	CONSIDERAÇÃO	CONVERSÃO	RETENÇÃO	ADVOCACIA
Atividade	Verificar como está o marketing de conteúdo nas redes sociais próprias, incluindo mídia paga	Verificar como está a encontrabilidade do concorrente em buscadores e seus canais digitais de marketing, incluindo mídia paga	Verificar como estão os sites de destino, no caso landing pages ou e-commerces; verificar a experiência de compra	Verificar a reputação do concorrente nas mídias sociais e em sites de avaliação	Verificar a existência de comunidades em torno da marca do concorrente e/ou programas de incentivo
Ferramentas	<ul><li>RivalIQ</li><li>mLabs</li><li>Social Bakers</li><li>Social Blade</li><li>BuzzSumo</li><li>Phlanx</li></ul>	<ul><li>SimilarWeb</li><li>Semrush</li><li>VidIQ</li><li>Alsoasked</li><li>Anstrex</li><li>Google Ads Keyword Planner</li><li>SpyFu</li></ul>	<ul><li>Seo Website Check-up</li><li>WooRank</li><li>Ahrefs</li><li>Wappalyzer</li><li>Owletter</li></ul>	<ul><li>Hi Platform</li><li>Stilingue</li><li>v-tracker</li><li>Scup</li><li>Reclame Aqui</li><li>Google Meu Negócio</li><li>TripAdvisor</li></ul>	<ul><li>Grupos no Facebook</li><li>Grupos no Telegram</li></ul>

Embora cada uma dessas ferramentas possa ajudá-lo efetivamente a analisar seus concorrentes, você precisa ter em mente o que acontece depois de obter os dados.

Tente escolher as métricas de avaliação antes de tentar decifrar todos os dados dos concorrentes. Não fique obcecado por dados, transforme-os em informações.

Por exemplo, com que frequência seus concorrentes publicam um novo conteúdo no blog? Qual é a proporção de postagens promocionais e não promocionais? Quais são suas palavras-chave e hashtags de melhor desempenho?

As respostas a essas perguntas são, provavelmente, tão importantes quanto coletar dados históricos de meses.

No estágio de descoberta, o foco é analisar a quantidade de post, editorias que funcionam com base em engajamento, principais hashtags, velocidade de crescimento da presença em redes sociais, se os posts são promovidos e quanto o concorrente gasta em média com mídia. Baseado no seu CPM (custo por mil impressões) e ações de engajamento, você pode chegar a uma conclusão aproximada de investimentos do concorrente.

No estágio de consideração, o foco é analisar a encontrabilidade dos concorrentes nos buscadores, posicionamento de autoridade de domínio, nível de concorrência no Google Ads, investimento médio dos concorrentes em Search, palavras-chave que levam mais tráfego para os sites, termos mais relacionados aos concorrentes; encontrar novos possíveis concorrentes diretos ou indiretos — pode ser que eles não necessariamente vendam os mesmos produtos, mas estejam concorrendo pela mesma palavra-chave no ambiente digital.

No estágio de conversão, é importante entender as tecnologias usadas pelos sites concorrentes, o SEO e a experiência de compra, fluxo de e-mails, títulos usados e principais mensagens.

No estágio de retenção, é necessário observar a reputação do concorrente no ambiente digital, que invariavelmente irá refletir na reputação da marca no mercado. Uma das melhores formas de observar isso é coletando as menções diretas à marca do concorrente nas mídias sociais, polarizá-las como positiva, neutra ou negativa, e classificá-las para identificar quem está mencionando, onde, quando, em que contexto, qual produto mencionado, qual foi o problema, dúvida ou elogio.

Com a quantidade de menções diretas aos seus concorrentes vs à sua marca, será possível criar um gráfico de *share of voice*, no qual ficará claro quem tem maior popularidade nas mídias sociais e como isso reflete nas vendas. Você pode definir um período mínimo de três meses para analisar isso.

Podemos estudar ainda quais são as marcas que as pessoas mencionam entre os concorrentes, e como essas marcas se relacionam entre si. É possível entender, por exemplo, que toda vez que alguém cita a marca X, também cita um produto Y. Boa parte das ferramentas sugeridas nesse estágio identifica também potenciais influenciadores que estão citando essas marcas.

Outra coisa, não adianta tentar analisar concorrentes muito acima do seu nível, salvo para efeitos de benchmarking. Um café local com mil seguidores não deve se comparar com a Starbucks, por exemplo.

O contexto é importante. Claro, você pode olhar o que os grandes players do seu setor estão fazendo. Mas, ao avaliar sua concorrência, concentre-se primeiro naqueles que são mais semelhantes em termos de tamanho e público-alvo.

Por fim, certifique-se de que os dados descobertos se traduzam em algum tipo de informação que gere uma hipótese para você testar em sua estratégia. Por exemplo, talvez você descubra um novo conjunto de palavras-chave para direcionar seu conteúdo com base em sua pesquisa.

Feche a análise dos concorrentes montando uma balança de pontos fortes e fracos de cada um.

Ambiente interno

Esse é o momento de olhar para dentro da empresa, analisar a própria presença digital e a experiência do seu cliente. É necessário fazer para o próprio negócio o que foi feito para analisar os concorrentes, com um adendo importante: analisar tudo de forma mais profunda, pois temos acesso a mais dados.

Para isso, temos ferramentas diferenciadas, que fazem uma análise mais aprofundada. Confira a Tabela 3.

Tabela 3 – Ferramentas de apoio para análise da presença digital do próprio negócio

ESTÁGIO	DESCOBERTA	CONSIDERAÇÃO	CONVERSÃO	RETENÇÃO	ADVOCACIA
Atividade	Verificar como está o marketing de conteúdo nas redes sociais próprias, incluindo mídia paga	Verificar como está a encontrabilidade do seu negócio em buscadores e seus canais digitais de marketing, incluindo mídia paga	Verificar como estão os sites de destino, no caso landing pages ou e-commerces; verificar a experiência de compra	Verificar a reputação do seu negócio nas mídias sociais e em sites de avaliação	Verificar a existência de comunidades em torno da marca e listar quem são os clientes promotores
Ferramentas	<ul><li>mLabs</li><li>Analytics das próprias plataformas de mídias sociais</li><li>Gerenciador de anúncios do Facebook</li></ul>	<ul><li>Semrush</li><li>VidIQ</li><li>Google Ads</li><li>Google Search Console</li><li>RD Station</li><li>HubSpot</li></ul>	<ul><li>Seo Website Check-up</li><li>WooRank</li><li>ahrefs</li><li>Hotjar</li><li>Google Analytics</li></ul>	<ul><li>Ferramenta de monitoramento de mídias sociais</li><li>Ferramentas de CRM</li><li>Google Meu Negócio</li><li>IndeCX</li><li>Wootric</li><li>Amplitude</li><li>Análise do SAC</li></ul>	<ul><li>Grupos no Facebook</li><li>Grupos no Telegram</li></ul>

Considere essas ferramentas como sugestões, existem inúmeras ferramentas potenciais para ajudá-lo a analisar o próprio negócio em cada estágio, incluindo casos mais avançados que já cruzam dados em alguma ferramenta de BI, como o Power BI, Supermetrics, Google Data Studio, entre outros.

Destaco algumas ferramentas e como elas podem contribuir, por exemplo, o Hotjar.com, que é uma ferramenta que vai mapear quais são os pontos de calor do seu site, ou seja, os pontos nos quais o mouse da pessoa fica mais tempo parado; basicamente, é esse o ponto que está atraindo mais a atenção do usuário.

O Hotjar também filma a navegação dos usuários, permitindo rastrear o que eles fazem no site e entender quais são os problemas de usabilidade.

Destaco também as ferramentas de Net Promoter Score (NPS), como IndeCX e Wootric, que mensuram a lealdade do cliente. Como veremos em detalhes mais adiante neste livro, o NPS estabelece a experiência do cliente em primeiro lugar, aumentando a fidelização e os resultados globais das empresas. Trata-se de uma pesquisa que avalia a probabilidade de os clientes recomendarem o produto ou a empresa aos conhecidos.

Quando somos administradores das redes sociais, temos um nível de profundidade maior para entender alcance, frequência, o que dá certo e o que não dá. Ferramentas como a mLabs mostram também quais posts deram mais resultado, taxa de engajamento real e muito mais. Com isso, vamos aprimorando o diagnóstico do ambiente interno.

Se temos um Serviço de Atendimento ao Cliente (SAC), podemos também analisar as ocorrências registradas tanto no ambiente on-line quanto no off-line para extrair informações. Assim, vamos conhecer melhor os clientes, saber quais são as principais dúvidas do público, as reclamações e os elogios que ele faz.

É extremamente importante monitorar as mídias sociais para entender as ocorrências, se elas são positivas, neutras ou negativas, e qual é o comportamento dos clientes em relação aos nossos produtos e marca. E, assim, ajudar no mapeamento de insights, dos pontos fracos e fortes. Em outras palavras, é um exercício de se olhar no espelho.

CASO DO BOLINHO ANA MARIA

Para exemplificar essa análise, vale citar o caso do Bolinho Ana Maria, atendido pela agência Focusnetworks. Durante o monitoramento das mídias sociais, notamos que os perfis que interagiam com a marca eram de adolescentes, jovens e adultos. Ao contrário da expectativa de que seriam apenas adolescentes ou mães de crianças.

Analisamos se elas mencionavam a marca no café da manhã, no almoço ou no lanche da tarde. Observamos se a pessoa estava em casa, na escola, no trabalho ou na faculdade. Vimos até se a pessoa estava comendo quando fez o post, se já tinha comido ou se estava querendo comprar o bolinho. Isso tudo foi nos revelando a jornada do consumidor. Com isso, entendemos melhor o comportamento de consumo.

Com o uso das ferramentas sugeridas na Tabela 3, conseguimos ver as correlações das ocorrências. Notamos que algumas pessoas citavam o bolinho ao mesmo tempo que falavam da prova do Enem, por exemplo, o que deu a entender que muita gente consome o bolinho Ana Maria enquanto estuda para o exame.

Nas correlações de marcas, o Toddynho e a Coca-Cola foram as que mais apareceram junto. Concluímos, assim, que as pessoas tendem a comer o bolinho Ana Maria tomando Toddynho ou Coca-Cola.

A partir de análises como essas, pudemos criar ações e conteúdo criativos, com base nos comportamentos das pessoas na relação com o produto. E, ainda, promover estratégias de cobranding com marcas não concorrentes, descobrir novos influenciadores digitais que amavam a marca e entender as preferências de sabores e formas de consumo.

Por fim, é necessário mapear a experiência do seu cliente ao longo da jornada e entender como está sendo a experiência em cada ponto de contato, descrever as expectativas, sentimentos, encontrar as lacunas e oportunidades. Veja na Figura 9 um exemplo:

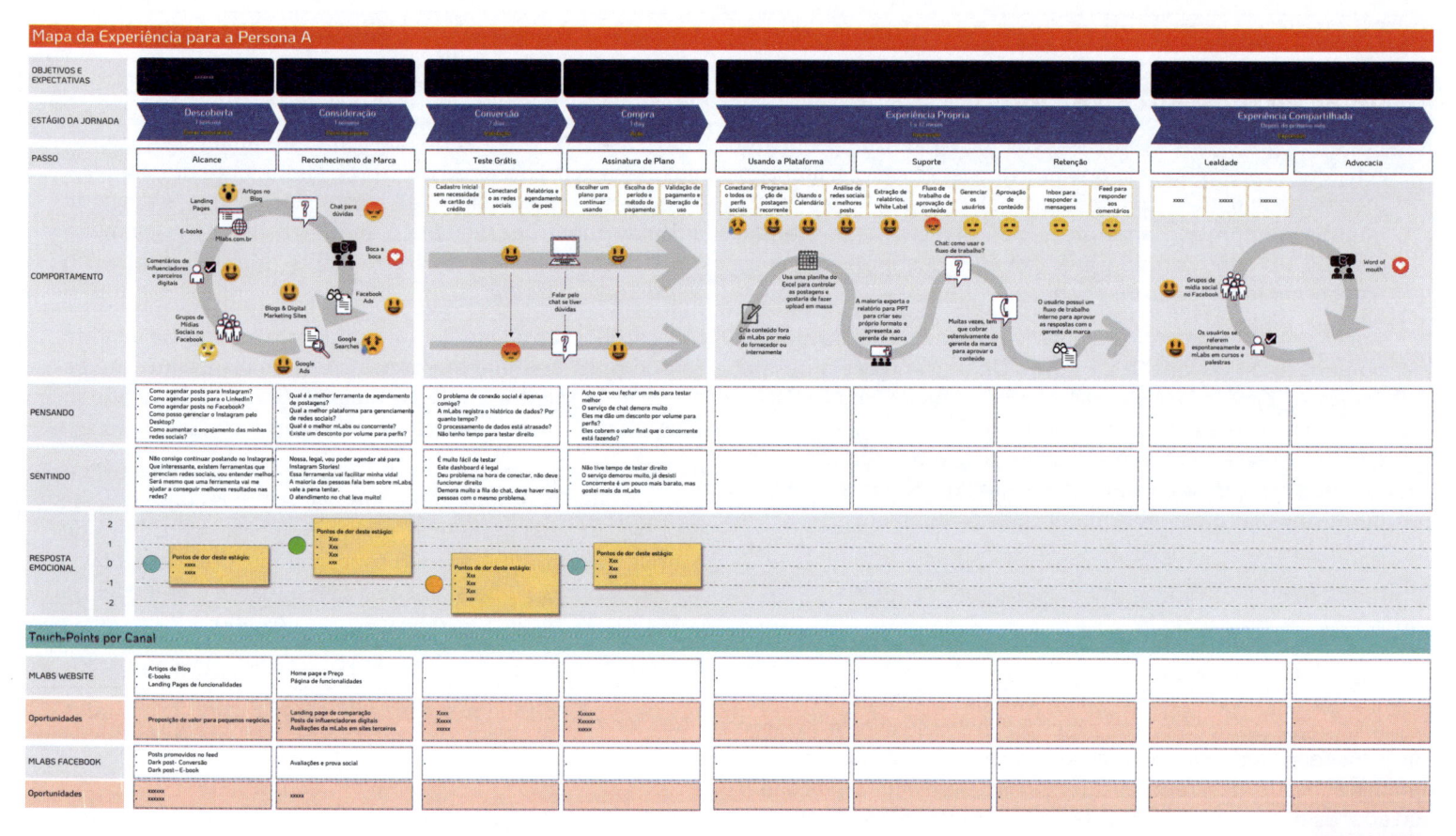

Figura 9 – Exemplo de mapa da experiência, caso da mLabs

Os mapas de experiência nesta etapa do diagnóstico têm o objetivo de refletir o estado atual dos pontos de contato ao longo da jornada do cliente, para mostrar como eles estão interagindo com sua marca "agora". A grande maioria dos indivíduos insatisfeitos com uma solução sairá sem reclamar. Outros podem reclamar que a empresa não monitora certos canais (por exemplo, mídia social) para atender adequadamente às preocupações do consumidor.

Cada mapa é diferente de acordo com cada negócio, mas invariavelmente eles têm certos elementos-chave. Esses elementos são comumente conhecidos como:

Personas: você precisa criar um mapa de experiência por persona, pois geralmente há diferenças de comportamento. Saber quem você almeja como cliente é vital. Veremos como criar personas no passo 3 da estratégia.

Linha do tempo: a linha do tempo serve para indicar qual é a duração média de cada estágio da jornada.

Pontos de contato: são os pontos em que os clientes em potencial ou clientes interagem diretamente com sua marca. Isso inclui redes sociais, mídia, e-mails, apps de mensagem etc.

Comportamento: processo no qual o cliente passa dentro dos passos ao longo da jornada. O comportamento pode ser circular, linear ou dinâmico, dependendo de cada negócio. Daí as setas ao fundo no mapa.

Emoções: parte da compreensão da perspectiva de seus clientes engloba as emoções que eles estão sentindo em diferentes pontos de contato da jornada. Quando os clientes em potencial estão pesquisando produtos, eles podem se sentir confusos ou perdidos, por exemplo.

Ao ter esse mapa em mãos, você será capaz de pensar mais adequadamente na estratégia, obtendo alguns dos benefícios como:

- Maior satisfação do cliente
- Menor rotatividade de clientes ou cancelamentos
- Processo de vendas aprimorado
- Transformar mais clientes atuais em promotores de marca

Considere o seguinte: mais da metade das interações com o cliente (56%)[14] é parte de uma jornada de compra multicanal. Além disso, as empresas que implementam estratégias baseadas na jornada do cliente (identificando as ineficiências) aumentam a satisfação do cliente em mais de 20%,[15] reduzem o custo de aquisição em até 20%[7] e geram 60%[7] mais lucro que os concorrentes.

---

14 Kate Tuttle, Infographic: 7 Benefits of Customer Journey Mapping, *Perficient Blog*, 9 jun. 2016. Disponível em: https://blogs.perficient.com/2016/06/09/infographic-7-benefits-of-customer-journey-mapping/. Acesso em: 9 fev. 2021.

15 Ibidem.

Análise SWOT

Para encerrarmos o passo do diagnóstico, usaremos a clássica ferramenta da análise SWOT. Vamos pontuar quais são as forças, fraquezas, oportunidades e ameaças, não somente no ambiente digital como também no negócio, pois não há estratégia em ambiente digital que salve um produto ruim, portanto, é necessário apontar o que for necessário para que a estratégia seja, de fato, um sucesso.

Use a análise SWOT para avaliar a posição atual do seu negócio antes de decidir sobre qualquer nova estratégia. Portanto, é melhor ser realista agora e enfrentar todas as verdades desagradáveis o mais rápido possível.

A partir da análise do macroambiente, do microambiente e do ambiente interno, você já descobriu o que está funcionando bem e o que não é tão bom. Pergunte a si mesmo para onde quer ir, como pode chegar lá e o que pode atrapalhar. Esses são grandes problemas, e você precisará de uma visão simples, mas poderosa, para ajudá-lo a pensar na estratégia. A Tabela 4 irá norteá-lo.

Tabela 4 – Direcionador da análise SWOT

INTERNO	**FORÇAS** Quais forças internas você pode aproveitar hoje para ajudá-lo a cumprir sua missão?	▫ O que você faz bem? ▫ O que você faz melhor que os concorrentes? ▫ Quais são seus diferenciais únicos? ▫ Em quais canais e processos você se sobressai? ▫ O que os outros enxergam de positivo em seu negócio? ▫ O que os clientes falam de bom nas mídias sociais? ▫ Quais fatores resultam em vendas mais rápidas?
	FRAQUEZAS Que fraquezas internas existem hoje que você deve superar para cumprir sua missão?	▫ O que você pode melhorar em termos de processos, canais, comunicação e experiência? ▫ Quais são os telhados de vidro? Práticas que deveria evitar? ▫ No que você é pior em relação à concorrência? ▫ O que os outros enxergam de negativo em seu negócio? ▫ Quais fatores resultam em perda de vendas? ▫ O que os clientes falam de ruim nas mídias sociais? ▫ Como está sua política de ações sobre LGPD?
EXTERNO	**OPORTUNIDADES** Quais oportunidades, tendências, forças, recursos externos você poderia aproveitar para cumprir sua missão?	▫ Quais oportunidades estão abertas? ▫ De quais tendências econômicas, políticas, culturais e tecnológicas você poderia tirar vantagem? ▫ Quais são os novos potenciais parceiros, canais e públicos de interesse? ▫ Quais correlações do monitoramento das mídias sociais trazem oportunidades?
	AMEAÇAS Que ameaças ou riscos externos podem interferir em seu caminho e impedi-lo de cumprir sua missão?	▫ Quais são as ameaças que podem prejudicá-lo? ▫ O que a concorrência está fazendo de bom? ▫ Quais tendências econômicas, políticas, culturais e tecnológicas podem prejudicar seu negócio? ▫ Quais são as políticas de publicidade nas plataformas de mídias sociais em seu setor?

A análise SWOT é importante porque ela dá origem aos critérios norteadores que usaremos no próximo passo dos objetivos, ou seja, o passo em que vamos definir onde queremos estar.

Definir os objetivos da estratégia com base na análise SWOT reduz as chances de fracasso, compreendendo o que está faltando e eliminando perigos que, de outra forma, o pegariam desprevenido.

PASSO 2
OBJETIVOS

Com as descobertas que fazemos na análise SWOT, temos que realinhar os objetivos de marketing e os objetivos do negócio como um todo. Muitas vezes, identificamos novas ameaças e novas oportunidades, e evidenciamos forças e fraquezas com mais clareza. Com isso, é bem provável que os objetivos mudem.

Então, nesse passo, vamos ver alguns conceitos extremamente importantes que farão toda a diferença na hora de pensar os critérios norteadores e as ideias que entrarão na estratégia.

No momento do realinhamento dos objetivos, temos que olhar para duas frentes: a performance e o branding. É preciso unificar essas duas coisas, porque naturalmente todos miram o objetivo de vendas, mas, na prática, vendemos mais, e sobrevivemos por mais tempo, quando temos uma marca forte. Então olhar só para a performance é olhar para o curto prazo e não para o futuro, para a longevidade dos negócios e da marca.

Sob a perspectiva do branding, vamos usar como base uma pirâmide que é chamada de pirâmide de valor da marca (Figura 10), criada originalmente por Kevin Lane Keller e adaptada por mim. Quando analisamos sua estrutura, ela tem quatro camadas, que, aliás, estão presentes o tempo todo ao longo da jornada do cliente e na estratégia que vamos traçar mais adiante.

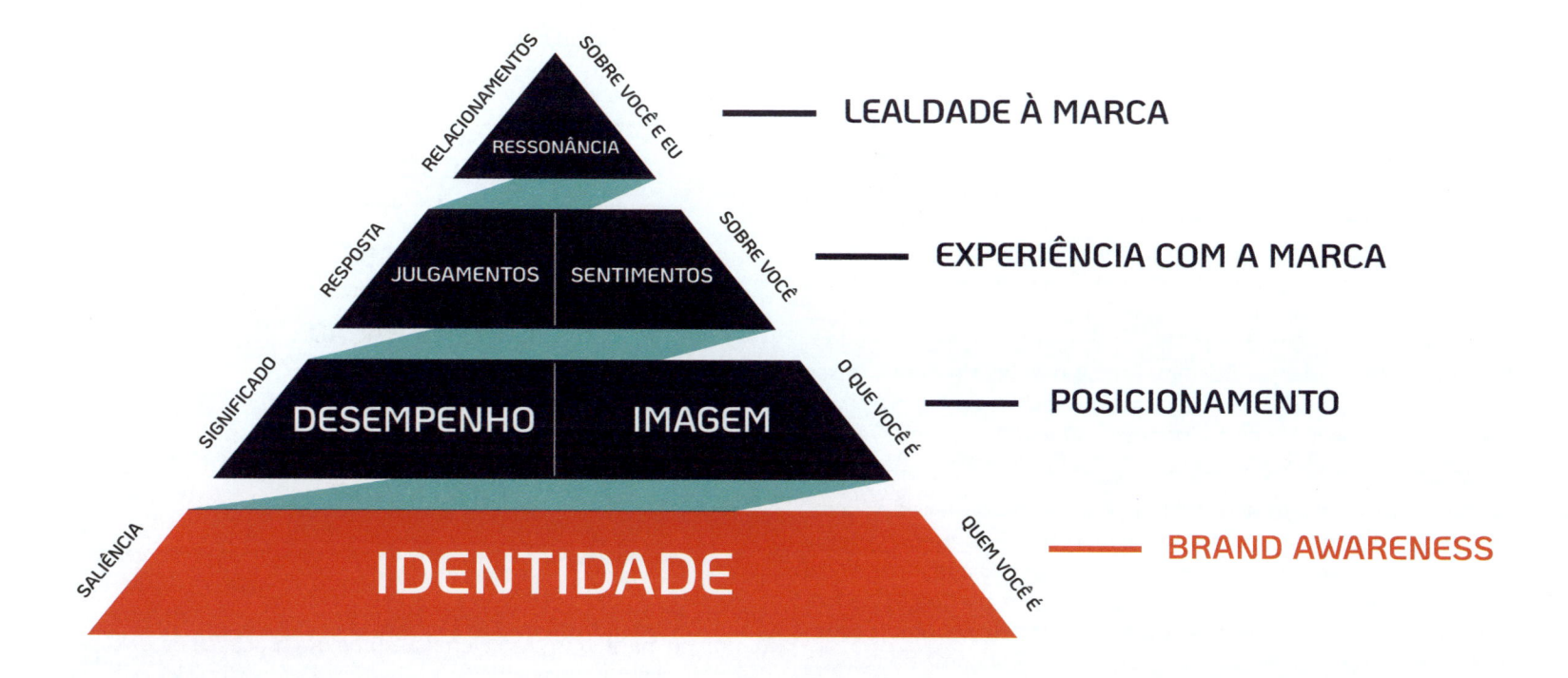

Figura 10 – Pirâmide de valor da marca

Essas quatro camadas da pirâmide determinam os estágios de uma pessoa junto à marca. O primeiro deles é quando a pessoa descobre a existência da marca. O segundo é quando ela entende o significado da marca, o que ela tem de diferente que o concorrente não tem, o que ela entrega, quais são as propriedades dos produtos e qual imagem dessa marca no mercado. A terceira camada é sobre a impressão que ela tem depois de consumir o produto. Nesse feedback, os sentimentos dela em torno da marca são explicitados, muitas vezes, em uma avaliação no TripAdvisor, no Google Meu Negócio, no Reclame Aqui, nos comentários de um post, ou mesmo no compartilhamento de algum conteúdo nas suas próprias redes sociais. Temos que monitorar as mídias sociais para entender essas respostas que as pessoas dão quanto a suas primeiras impressões daquilo que consumiram ou de suas experiências com a marca. Por fim, temos o quarto estágio, que é quando o cliente estabelece um relacionamento com a marca. Os clientes promovem e gostam daquilo, e compram novamente. Isso estabelece um relacionamento mais profundo para a retenção.

Então, a primeira camada é focada em pôr a marca no radar: gerar consciência de que ela existe para o mercado. A segunda camada posiciona a marca na mente do consumidor. O consumidor vai internalizando a marca dentro do seu cérebro em função da frequência com a qual conseguimos impactá-lo com conteúdo, ações e ativações, e assim ele vai construindo na mente uma correlação de posicionamento perante os concorrentes e as soluções alternativas. Na terceira camada, o foco é na experiência como cliente da marca; e, por último, a lealdade. Ter uma base de clientes leais é o maior patrimônio que uma marca pode ter.

Se invertermos a pirâmide de valor da marca, teremos uma semelhança com o funil de marketing. De forma simples, o funil de marketing é um modelo dos processos de marketing, em que o público-alvo altera intenção à medida que avança nesses processos. Veja a Figura 11.

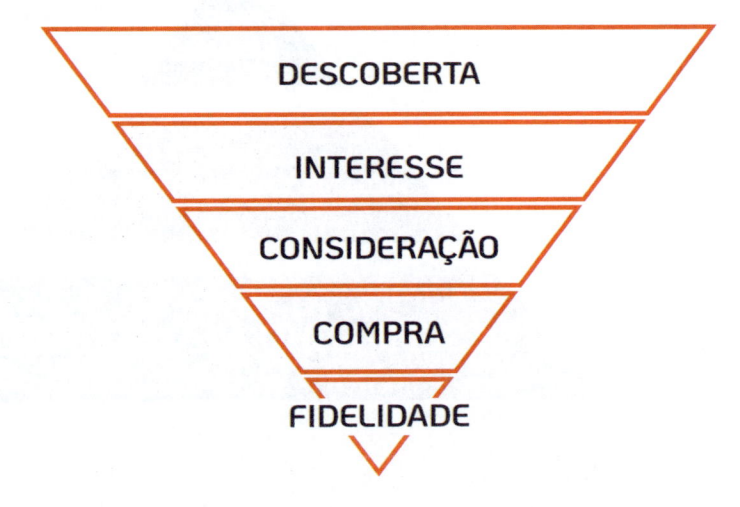

Figura 11 – Funil tradicional de marketing

O funil de marketing tradicional assume um processo de decisão linear do cliente: conscientização, interesse, consideração, compra e fidelidade; ou atenção, interesse, desejo, ação e retenção. O funil de marketing é uma representação da ótica do cliente sobre a marca e seu produto.

Do outro lado, temos a necessidade da performance, que obviamente também é muito importante. Para a compreensão do objetivo de performance, vamos usar o funil de vendas da Figura 12.

TOPO DE FUNIL
Aprendizado e reconhecimento do problema

MEIO DE FUNIL
Consideração das ações possíveis

FUNDO DE FUNIL
Decisão de compra

SUSPECT
PROSPECT
LEAD
OPORTUNIDADE
CIENTE

TODO MUNDO
Dentro do seu mercado

QUALQUER UM
Quem tomou alguma ação

PESSOA CERTA
Ação + Encaixa

PESSOA PRONTA
Encaixa + Necessidade

Figura 12 – Funil de vendas

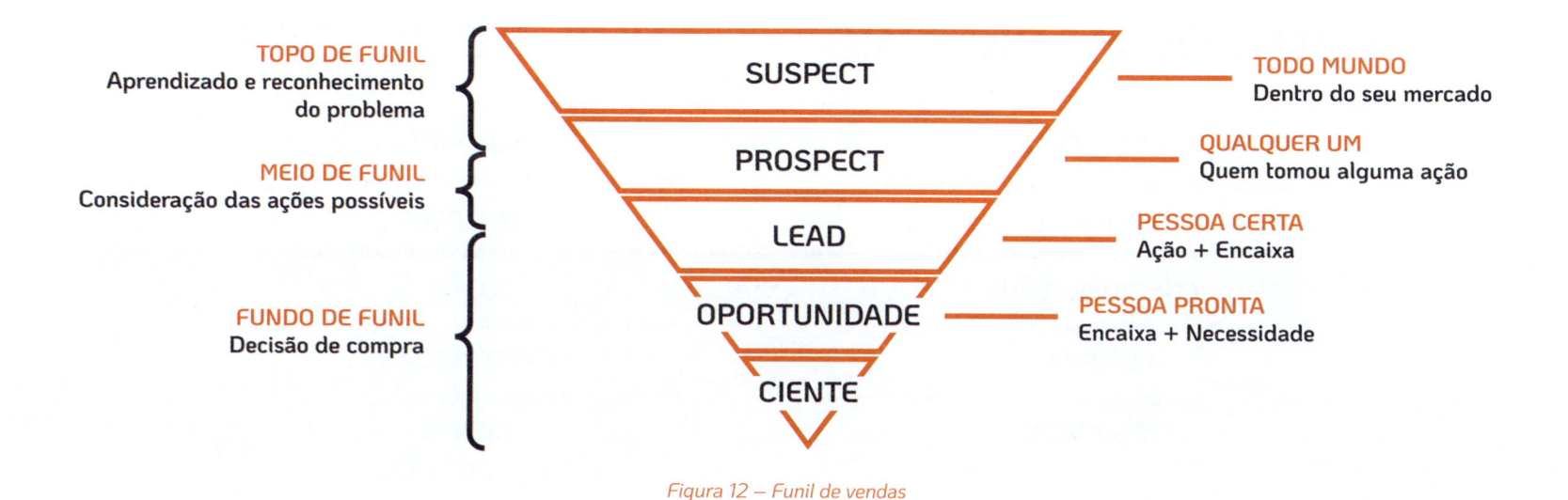

O funil de vendas é uma representação da ótica do negócio sobre a *buyer persona*. Ou seja, é o processo de amadurecer o *suspect* até virar cliente. Diferente do funil de marketing, cuja visão é externa do potencial cliente para o negócio, no funil de vendas a visão é interna do negócio para o potencial cliente.

O funil de vendas está diretamente conectado ao funil de marketing e às fases da jornada do cliente, assim como o branding e a performance, que podem ser interconectados da seguinte forma na Figura 13:

FUNIL DE MARKETING   FUNIL DE VENDAS

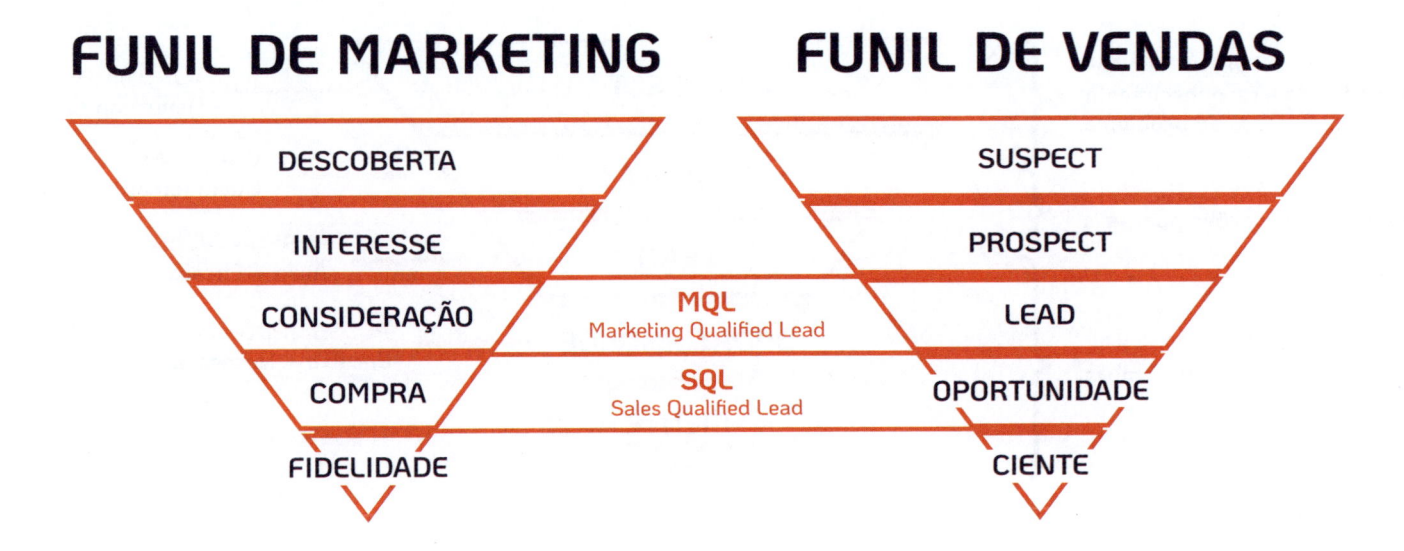

- DESCOBERTA — SUSPECT
- INTERESSE — PROSPECT
- CONSIDERAÇÃO — **MQL** Marketing Qualified Lead — LEAD
- COMPRA — **SQL** Sales Qualified Lead — OPORTUNIDADE
- FIDELIDADE — CIENTE

Figura 13 — Funil de marketing e funil de vendas interconectados

Entendido que performance e branding são importantes e devem andar juntos numa simbiose fundamental para o sucesso recorrente, podemos avançar para entender as perspectivas que giram em torno de um negócio. Para isso, usaremos o Balanced Scorecard (BSC), uma metodologia criada pelos americanos David Norton e Robert Kaplan, que direciona muito bem os objetivos de um negócio. O BSC considera quatro perspectivas do negócio: financeira, cliente, processos internos e aprendizado/crescimento. Veja a Figura 14.

Figura 14 – Perspectivas do Balanced Scorecard (BSC)

Por mais que o objetivo implícito seja sempre o de vender mais, precisamos olhar para essas quatro perspectivas que estão inter-relacionadas. Não é possível vendermos mais ciclicamente se não conseguimos fazer com que o time esteja preparado para executar o planejamento estratégico. O ambiente interno tem que estar rodando bem, e cabe aos clientes estarem alinhados ao propósito da empresa.

Para definirmos os objetivos macro, podemos usar o exemplo do mapa estratégico da Figura 15, dividindo-o em dois lados: missão e visão. O lado da missão é o que precisamos fazer todos os dias. O lado da visão é onde queremos chegar.

MISSÃO:
Ajudar os pequenos negócios a terem mais resultados através das mídias sociais

VISÃO:
Ser a maior plataforma custo-benefício para gestão de negócios nas redes sociais

FINANCEIRO
- Elevar a compreensão do cliente e do mercado
- Definir parâmetros de precificação
- Elevar receita em novos mercados

CLIENTE
- Destacar posicionamento custo-benefício
- Associar a marca aos interesses das PMEs
- Criação de valor através de conteúdo e serviços
- Criar awareness de marca
- Integração de recursos para dar vantagem competitiva

PROPOSIÇÃO DE VALOR PARA O CLIENTE

PROCESSOS INTERNOS
- Elevar a compreensão do cliente e do mercado
- Inovação em produtos e serviços
- Excelência operacional
- Diminuir tempo de novos releases

APRENDIZADO E CRESCIMENTO
- Dominar competências estratégicas
- Desenvolver, contratar e reter talentos
- Elevar competências em comunicação
- Desenvolver filosofia de Social CRM
- Capacitar para a execução da estratégia

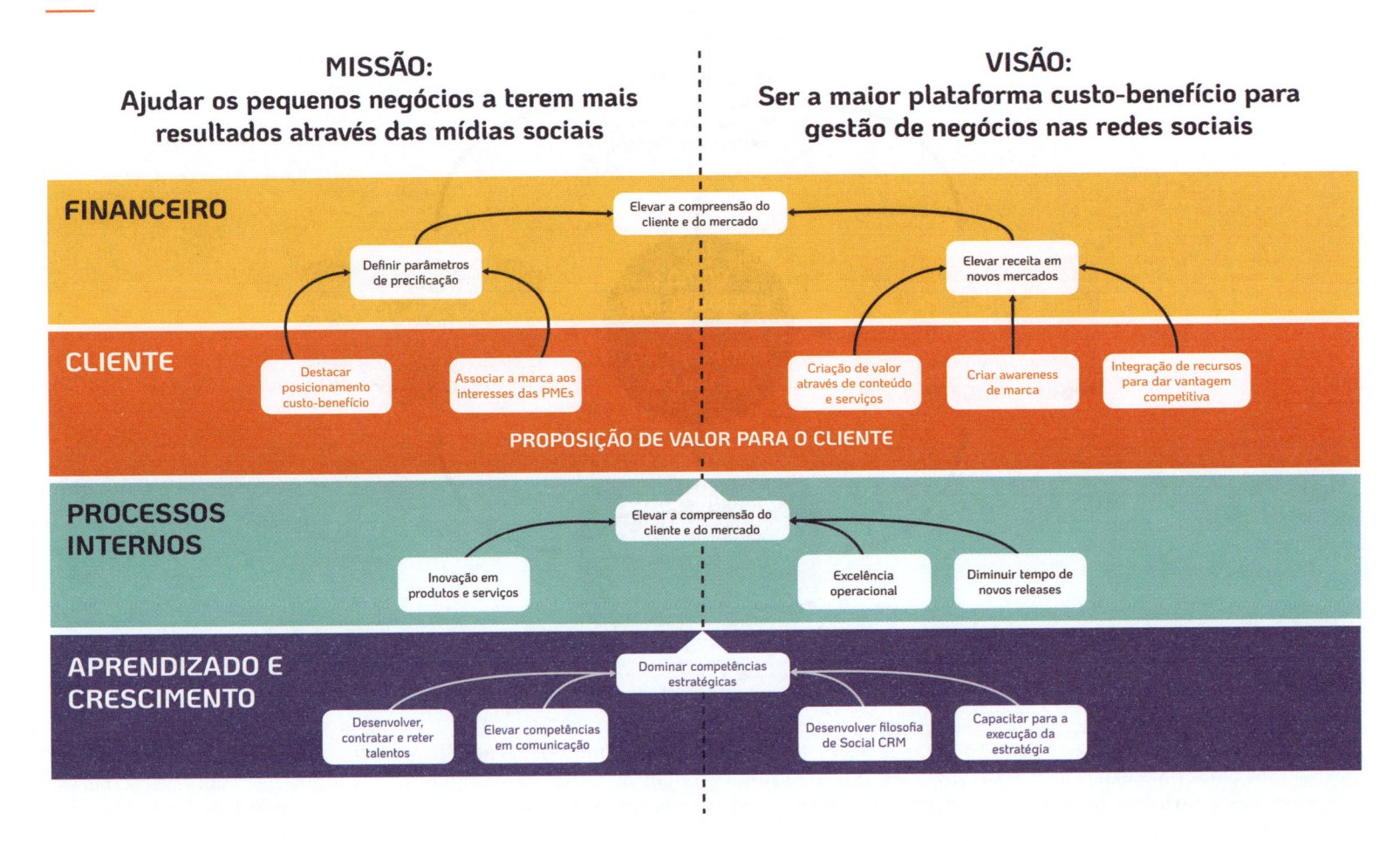

Figura 15 – Mapa estratégico do BSC da mLabs

A definição de objetivos estratégicos começa de baixo para cima, pelo lado da visão, porque assim garantimos que o time atual estará apto a executar o planejamento.

As setas são usadas para ilustrar a relação de causa e efeito entre os objetivos. Seguindo o caminho das setas, você pode ver como os objetivos nas perspectivas inferiores impulsionam o sucesso das superiores. Essas relações causais são centrais para a ideia de planejamento estratégico e gerenciamento da execução da estratégia no último passo da metodologia do Unbound Marketing.

Dentro do objetivo de aprendizado/crescimento, temos a missão de contratar e desenvolver talentos, elevando as competências do time de marketing. Ao mesmo tempo, no campo da visão, temos que desenvolver a filosofia de bom atendimento, com o cliente no centro de tudo. Ambos os lados devem culminar no centro, com o domínio das competências estratégicas.

Na dimensão acima, é necessário definir os objetivos de processos internos, como a inovação de produtos e serviços, qualidade e excelência operacional, ampliando o entendimento das necessidades do cliente e do mercado. No momento em que compreendemos isso, podemos criar produtos, inovar de acordo com as necessidades do mercado, não apenas para simplesmente esgotar a capacidade de produção, como acontece muitas vezes na indústria. Por outro lado, temos que buscar excelência operacional: os produtos precisam sair rápido, com qualidade, dentro do custo, e gerar valor para o cliente.

Assim, chegamos aos objetivos relacionados ao cliente, à perspectiva que coincide com a proposta de valor que está no centro do Business Model Canvas. Vamos enfatizar os atributos do produto e fortalecer a presença da marca na vida do cliente. Nesse caso, podemos associar a marca aos interesses do público, criar valor através de conteúdo e serviços digitais e construir o posicionamento de marca.

E, finalmente, chegamos à perspectiva financeira, com a visão de elevar a receita através de fidelização, novos mercados, com a possibilidade de definir novos parâmetros de precificação e aumentar o *lifetime value* (LTV).[16]

Para organizações do setor público, no entanto, as finanças são mais um meio para um fim. Visto que o objetivo final de um governo ou organização sem fins lucrativos é fornecer os melhores serviços possíveis, é comum que eles mudem as principais perspectivas para que a perspectiva do cliente esteja no topo. O seu financiamento e sua eficiência de custos lhes permitem alcançar o sucesso orientado para a missão.

No final do mapa estratégico, elevamos o valor do negócio e da marca, o que é mais importante do que o valor do produto em si. Quem foca apenas em vender produtos tem vida curta, pois, em algum momento, esse produto irá virar commodity,[17] e a briga será por preço, criando uma espiral negativa em torno do negócio. Por isso, apesar de todo mundo simplificar dizendo "eu quero vender mais", não existe um único objetivo. Temos que desenvolver objetivos para cada perspectiva

16 Previsão do lucro líquido atribuído a todo o relacionamento futuro com um cliente.

17 Produtos de qualidade e características uniformes, que não são diferenciados de acordo com quem os produziu ou com sua origem, sendo seu preço uniformemente determinado pela oferta e procura.

do negócio, pensando em criar valor de marca, comunidade em torno dela, e tornar o negócio mais sustentável a longo prazo. Ao fazer isso, quando um produto se torna commodity, o tempo de reação para o lançamento de novos produtos é mais rápido, e a adesão da base de clientes também é rápida, pois há conexão com a marca e o que ela representa na vida deles.

Pense na Apple. O que a Apple é? Uma empresa que fabrica smartphones? Notebooks? É uma empresa de entretenimento? Acredito que ninguém consegue responder claramente, porque, na verdade, a Apple é uma marca forte, que representa um estilo de vida conectado, de pessoas que pensam diferente, uma empresa alinhada aos interesses dos clientes e que, ao longo do tempo, criou uma comunidade de promotores em torno dela. Por consequência, ela é a empresa mais valiosa do mundo; qualquer produto que ela lance, o público compra, até mesmo um carro, uma vez que o foco não está no produto em si, mas na simbiose entre branding e performance, que transcende qualquer racionalidade.

Por isso, a pergunta máxima é: se o seu negócio não existisse mais, ele faria falta na vida dos seus clientes?

Para responder positivamente a essa pergunta, é necessário ter um propósito muito claro para o negócio. E ganhar dinheiro deve ser uma consequência desse propósito, e não o propósito em si.

Propósito

É importante entender que propósito não é só uma frase de efeito; é o que sua organização tem como maior talento para impactar positivamente sua comunidade de clientes na sociedade. O propósito tem sido muito confundido com um altruísmo em nível global. Em termos de negócios, você não precisa ser uma ONG e impactar o mundo, mas, pelo menos, impactar as pessoas dentro do seu mercado-alvo, a comunidade de clientes e a sociedade que gira em torno dela, usando o que você tem de especialidade para atuar como catalisador de mudanças positivas alinhadas aos interesses dessa comunidade. É sobre entender o protagonismo que o seu negócio pode ter na sociedade, é tornar a marca mais humana e próxima dos públicos de interesse.

Um exemplo é a mLabs, que nasceu em 2015 com o propósito de fazer a inclusão digital de pequenos negócios e ajudá-los a terem mais resultados através das mídias sociais. Durante os primeiros quatro meses de 2020, período de quarentena imposto pela pandemia da covid-19, a mLabs criou um plano gratuito para que pequenos negócios pudessem sobreviver através das plataformas de mídias sociais, que se tornaram o principal canal de vendas e relacionamento naquele contexto. Abrimos mão de faturamento para injetar o que temos de melhor na própria economia dos pequenos negócios.

Ao final do quarto mês, ao retomarmos com os planos pagos, tivemos o melhor mês em vendas na história da companhia. Não foi por acaso. A atitude da mLabs foi genuinamente pensada para ajudar o pequeno negócio quando ele mais precisava. Se havia um momento para cumprir com o propósito, essa era a hora, e assim fizemos. Por consequência, ganhamos espaço na mídia, e grandes grupos, como a Stone e o Grupo ZAP, passaram a oferecer a mLabs para seus clientes gratuitamente com apoio de conteúdo de valor, e a marca foi extremamente fortalecida. O pico histórico de procura por mLabs no Google aconteceu exatamente dentro desse período.

Mas não foi somente essa ação que nos fez exercitar o propósito. Todos os dias somos orientados a isso, desde o produto, passando por cultura interna, comunicação, até o financeiro.

Temos curso gratuito para o pequeno negócio vender mais pelas redes sociais, com mais de 70 mil alunos. Apoiamos projetos culturais para os pequenos e iniciativas de fomento, como o Sebrae Connect, que liga os desafios dos pequenos às soluções tecnológicas. Mas, acima de tudo, a plataforma mLabs é pensada diariamente para ajudar esse pequeno negócio a ter mais resultado nas redes sociais.

Cinco anos depois do seu nascimento, a mLabs se tornou a plataforma de gestão de redes sociais mais usada do Brasil, com mais de 200 mil empresas usuárias recorrentes.

Quando temos um propósito, não ficamos tão dependentes do produto, porque a marca oferece mais do que isso.

Podemos saber se estamos no caminho certo quando proporcionamos uma experiência positiva de marca para os clientes, algo que vai além do produto genérico esperado; isso conecta a marca aos interesses dos clientes, ajudando a criar uma comunidade em torno da marca para perpetuar o negócio ao longo do tempo.

Quando temos uma marca forte e nos preocupamos em entregar uma experiência, a probabilidade de sobreviver ao longo do tempo é grande, pois invariavelmente teremos também defensores da marca e uma base de clientes mais leal. Isso diminui custo de aquisição de novos clientes, aumenta o LTV e reduz a taxa de cancelamento ou abandono da marca.

Temos um exemplo interessante que mostra o quão importante é ter um propósito para construir uma marca, que é o caso do suco Do Bem, que ficou muito conhecido em pouco tempo.

A Do Bem nasceu em 2007 com um propósito muito forte. Eles criaram um manifesto que dizia "Somos jovens cansados da mesmice e queremos fazer suco de verdade". Entraram com tudo no mercado, sem quase fazer propaganda. Colocaram o produto no mercado, divulgando embalagem e frente de gôndola, e, pela internet, lançaram esse movimento. O boca a boca aconteceu.

Eles levaram as pessoas a se questionarem: "Será que estou tomando suco de verdade?". Mostraram que, na prática, tudo que existia no mercado à época não passava de um néctar ou refresco. Eles ainda esclareceram que néctar não é o suprassumo do suco, é cerca de 30% de fruta e o restante, água. Refresco é 5% fruta e o restante, água. O suco de verdade é 100% da fruta. Foi assim que eles movimentaram o segmento inteiro, ganharam mercado da Del Valle e da Sufresh. Em 2016, a Do Bem foi comprada pela AmBev, depois de um ano em que a Do Bem registrara crescimento de 35% nas vendas, acima da média do setor (de 20%). Esse é um exemplo de como um propósito transformador é poderosíssimo. A Do Bem praticamente não fazia propaganda nenhuma e ganhou um market share[18] enorme.

18 Grau de participação de uma empresa no mercado em termos das vendas de um determinado produto; fração do mercado controlada por ela em comparação com os concorrentes.

MASTER IDEA

O livro *Propósito*,[19] de Joey Reiman, mostra com clareza como desenvolver um propósito massivo e transformador.

O livro também fala do conceito de master idea, ou seja, aquilo que transcende o valor de qualquer produto. Master idea é aquilo que fazemos com paixão, que nos faz desempenhar melhor, que nos excita, que inspira e orienta as pessoas.

Segundo Reiman, a master idea é maior do que qualquer outra ideia, porque ela dá vida à organização, dá vida à marca e às pessoas que trabalham nela. Master idea é o que Friedrich Nietzsche chamou de "o porquê": o porquê de acordarmos cedo e o porquê de fazermos o que fazemos. Master idea é o que a Disney chamou de mágica. Qual é a mágica do seu negócio?

MISSÃO O QUE FAZEMOS	PROPÓSITO PORQUE FAZEMOS
Operando um negócio	Compartilhando um sonho
Estratégico	Cultural
Inspiracional	Aspiracional (norte verdadeiro)
Cria adesão	Estimula a propriedade
Fornece foco	Alimenta a paixão
Construindo uma companhia	Construindo uma comunidade
Assentando tijolos	Construindo catedrais
Estacionando carros	Criando felicidade

Figura 16 – Diferença entre missão e propósito usando o exemplo da Disney[20]

Esse é o novo marketing. Quando estabelecemos a master idea à frente de um programa de marketing, é ela que eleva a qualidade e acelera os resultados. A master idea direciona a estratégia.

A master idea, muitas vezes, pode ser traduzida com um manifesto ou conceito criativo do propósito, que norteia todas as ações de marketing. Pode até virar tagline[21] da logomarca. No caso da mLabs, é "Gestão de redes sociais para todos", reafirmando o propósito de inclusão, que se reflete, inclusive, na preocupação em tornar os canais acessíveis para quem tem deficiência visual, por exemplo.

---

[19] Joey Reiman, *Propósito: por que ele engaja colaboradores, constrói marcas fortes e empresas poderosas*, São Paulo, Alta Books, 2018.

[20] Bruce Jones, The Difference between Purpose and Mission, *Harvard Business Review*, 2 fev. 2016. Disponível em: https://hbr.org/sponsored/2016/02/the-difference-between-purpose-and-mission. Acesso em: 12 jul. 2020.

[21] Tagline é uma frase curta que fala sobre a alma de um negócio. O propósito é transmitir a essência e os valores da marca em poucas palavras, de forma impactante, fácil de ser compreendida e memorizada. Geralmente, ela fica abaixo da logomarca de uma empresa.

Critérios norteadores

Agora que está claro o que são objetivos, podemos avançar e definir os critérios norteadores com base na análise SWOT, tendo em mente o propósito do negócio, as frentes de performance, branding e as perspectivas do BSC — aprendizado e crescimento, processos internos, cliente e financeiro.

Critérios norteadores são diretrizes balizadoras das ideias que serão criadas e selecionadas para a estratégia. Eles destacam as premissas que não devem ser esquecidas ao longo de todas as etapas do desenvolvimento da estratégia. Assim, garantimos que tudo o que será executado estará direcionado para atingir os objetivos do negócio e não ser apenas uma boa ideia solta.

Os critérios norteadores emergem da sistematização dos dados do diagnóstico, análise SWOT, propósito e objetivos do negócio. Para isso, procure possíveis conexões entre os quadrantes de sua matriz SWOT. Por exemplo, você poderia usar alguns de seus pontos fortes para abrir mais oportunidades? Ainda mais oportunidades seriam disponibilizadas eliminando alguns de seus pontos fracos? Adapte sua matriz SWOT para ajudar a criar os critérios norteadores, assim ela será direcionada à ação.

O exemplo da Tabela 5 não só mostra como a adaptação da matriz SWOT analisa a situação em pontos internos fortes e fracos, oportunidades externas e ameaças em torno do negócio, como também exibe quatro quadrantes para a criação de critérios norteadores em vista do sucesso no mercado.

Tabela 5 – Tabela de criação de critérios norteadores com base na matriz SWOT – exemplo fictício

ORGANIZAÇÃO	Potencialidades – P ▫ Marca líder de mercado ▫ Base de clientes grande ▫ Distribuição	Fraquezas – F ▫ NPS baixo ▫ Presença fraca nas redes sociais ▫ Site não é mobile friendly ▫ Suporte on-line
Oportunidades – O ▫ Marcas não concorrentes são citadas com frequência nas mídias sociais ▫ Novas startups no setor com tecnologias complementares ▫ Novos mercados ▫ Amadurecimento digital das personas	**(PO) Critérios norteadores** Aproveitar as forças para maximizar as oportunidades = **critérios de ataque** ▫ Usar a força da marca e o potencial da base de clientes para estabelecer parcerias ▫ Ter o cliente como maior vendedor do negócio aproveitando o tamanho da base ▫ Ajudar a cumprir o propósito	**(FO) Critérios norteadores** Combater as fraquezas através da exploração de oportunidades = **critérios de construção de forças para a estratégia de ataque** ▫ Usar as características dos clientes de NPS mais alto para se comunicar com o público-alvo ▫ Ter mentalidade Mobile First ▫ Elevar o nível de experiência de quem é cliente
Ameaças – A ▫ Novos entrantes ▫ Novos produtos alternativos ▫ Mudança de política do parceiro ▫ Maior concorrência nos anúncios on-line (CPM mais caro)	**(PA) Critérios norteadores** Alavancar as forças para minimizar as ameaças = **critérios de defesa** ▫ Fortalecer o awareness de marca nos canais, criando posição de destaque entre os concorrentes ▫ Abrir novos canais de distribuição e aquisição de clientes ▫ Fidelizar clientes, possibilitando recorrência dos serviços	**(FA) Critérios norteadores** Combater as fraquezas e ameaças = **critérios de construção de forças para a estratégia de defesa** ▫ Elevar a experiência como diferencial competitivo ▫ Transmitir o compromisso da empresa com a inovação e o propósito

CASO DO BOLINHO ANA MARIA

Com base no diagnóstico, tiramos insights de marketing para todas as áreas do negócio. Por exemplo, identificamos oportunidades de estimular o consumo do bolinho no trabalho, pensando que existe uma persona para isso. A percepção anterior do cliente era de que os consumidores do bolinho se limitavam a jovens e crianças. No entanto, quando fizemos o monitoramento das mídias sociais e analisamos o comportamento do consumidor, descobrimos que muitos adultos consomem o bolinho e publicam sua experiência nas mídias sociais. Esse é um exemplo de descoberta que acontece com frequência após o diagnóstico.

Com isso, pudemos pensar em ações para ampliar a comunicação com esse público adulto, que não estava nos objetivos inicialmente. Esse virou, então, um critério norteador, ou seja, o cruzamento de uma força da marca com uma oportunidade. Ao mesmo tempo que identificamos pontos fracos.

Algumas pessoas estavam dizendo que o bolinho tinha muito açúcar. Como neutralizar isso? Como ajustar esse ponto negativo? Precisamos atuar para mudar a percepção de algo negativo para positivo. E isso inclui, muitas vezes, cruzar a força da marca com uma oportunidade de mercado para criar um produto novo, no caso um bolinho com menos açúcar e maior aporte nutricional. Por mais que seja um planejamento estratégico em ambiente digital, não significa que devemos atuar somente na camada de comunicação. Devemos usar o poder do digital para atuar no marketing como um todo e ajustar a operação, para melhorar um produto ou até lançar uma alternativa própria de produto, como foi o caso.

Definidos os critérios norteadores, podemos avançar para a ideação.

Ideação

Ideação é o processo em que você gera ideias por meio de uma sessão parecida com o brainstorming, porém com a liberdade de poder dar o maior número possível de ideias, por piores que elas sejam, mas de uma maneira direcionada.

A ideação também é conhecida no mercado como a terceira etapa do processo de Design Thinking. Embora muitas pessoas possam ter experimentado uma sessão de brainstorming antes, não é simples facilitar uma sessão de ideação verdadeiramente produtiva. Portanto, vou passar alguns processos e diretrizes que o ajudará a se preparar para sessões de ideação produtivas e eficazes.

A ideação é, muitas vezes, a parte mais emocionante do passo 2 da metodologia do Unbound Marketing porque, durante a ideação, o objetivo é gerar uma grande quantidade de ideias, sem muitas discussões como no brainstorming, que possam ser filtradas pelos critérios norteadores e divididas nas dimensões de conteúdo, projetos web e mídia.

Para fazer uma sessão de ideação, você deve convidar os líderes do negócio. Sugiro não convidar clientes e parceiros, pois essa é uma sessão estratégica, e você já terá conversado com clientes, entre outros públicos de interesse no passo do diagnóstico.

A dinâmica é a seguinte:

15 minutos de ideação + 45 minutos de brainstorming para cada dimensão. Como são três dimensões (conteúdo, projetos web, mídia), o total da sessão será de 3 horas. Cada dimensão deve usar uma cor de post-it.

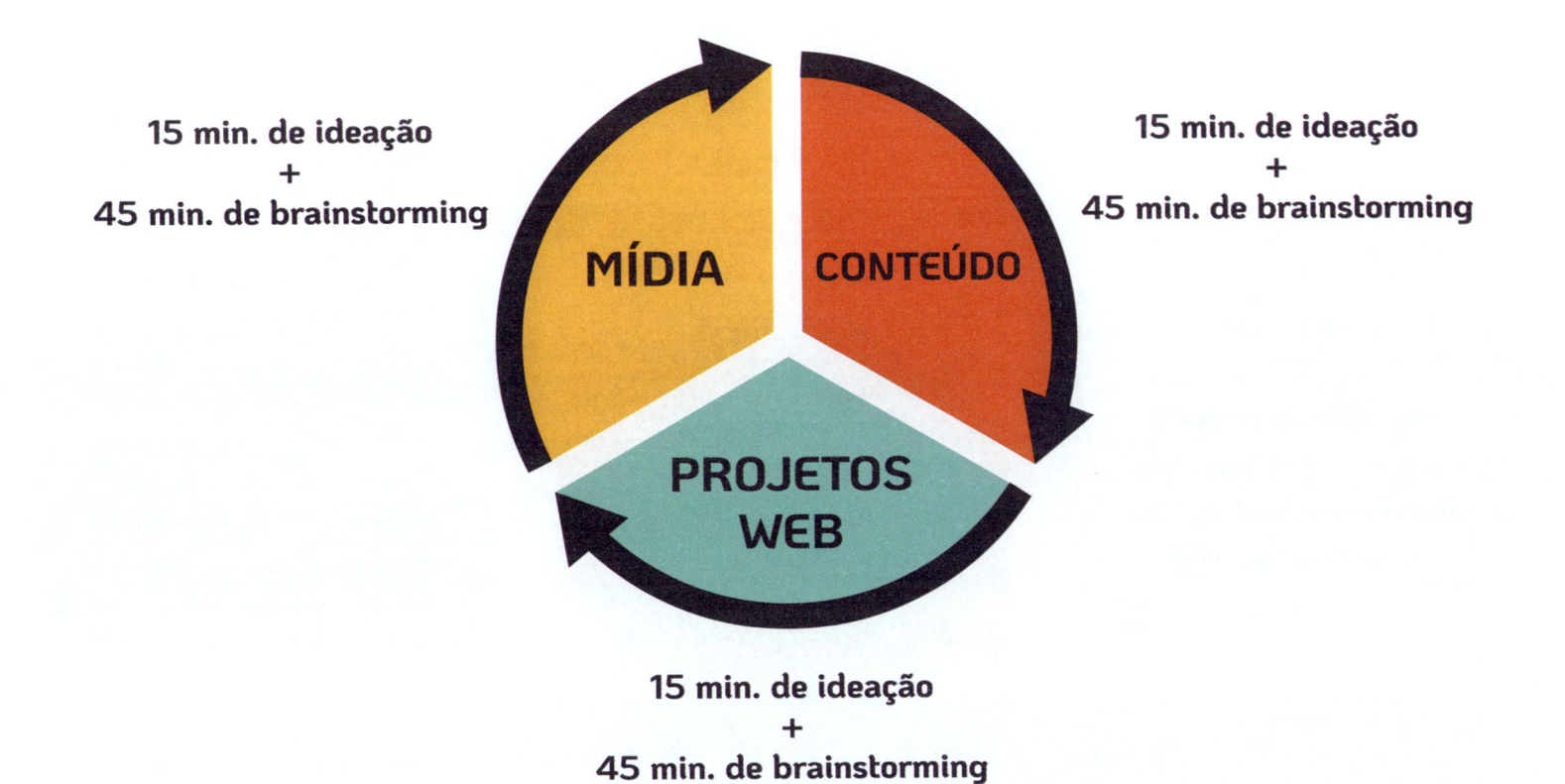

15 min. de ideação
+
45 min. de brainstorming

MÍDIA

CONTEÚDO

15 min. de ideação
+
45 min. de brainstorming

PROJETOS WEB

15 min. de ideação
+
45 min. de brainstorming

Na sessão de ideação de 15 minutos, os participantes devem usar post-its de uma única cor. Cada post-it tem que conter uma ideia. Veja a ilustração da Figura 17:

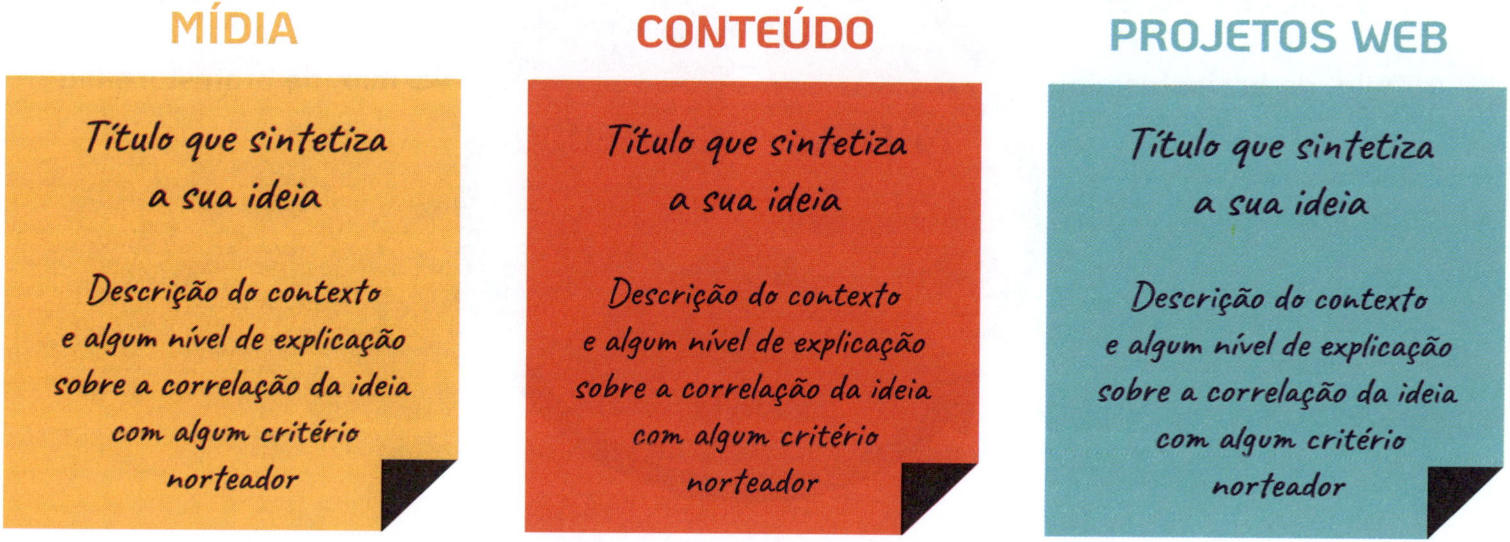

MÍDIA

Título que sintetiza a sua ideia

Descrição do contexto e algum nível de explicação sobre a correlação da ideia com algum critério norteador

CONTEÚDO

Título que sintetiza a sua ideia

Descrição do contexto e algum nível de explicação sobre a correlação da ideia com algum critério norteador

PROJETOS WEB

Título que sintetiza a sua ideia

Descrição do contexto e algum nível de explicação sobre a correlação da ideia com algum critério norteador

Figura 17 – Post-its de ideação

Quanto mais ideias dentro dos 15 minutos, melhor. Lembre-se de que não é momento de discorrer ou discutir as ideias, isso será feito depois. Se você fizer essa sessão em um espaço físico, certifique-se de ter três espaços em paredes ou vidros para colar os post-its, sendo cada espaço representado por uma dimensão. Aplique a lei do melhor esforço dentro desse tempo.

Terminada a ideação de uma dimensão, é importante fazer uma sessão de 45 minutos de brainstorming, escolhendo de duas a três ideias que chamem a atenção do facilitador. O autor de cada ideia pode explicar um pouco mais sobre ela. Em seguida, todos contribuem para melhorar aquela ideia e criar correlações com outras ideias semelhantes.

Anotadas todas as evoluções das ideias, inicie o mesmo processo para a dimensão de projetos web, e assim por diante.

Ao final, reúna todas as ideias e as transcreva em uma planilha de Excel, para posterior pontuação de acordo com os critérios norteadores. A ideia que mais pontuar é aquela que atende ao maior número de critérios. Vale observar que dificilmente haverá ideias que atendam a todos os critérios, mas certamente as que atenderem mais deverão passar para a próxima fase do filtro de priorização.

Agora é hora de podar implacavelmente e priorizar suas ideias, para que você possa concentrar tempo e dinheiro nas mais significativas. Para tornar suas comparações mais claras, use o seguinte funil da Figura 18:

| | Filtro 1 | Filtro 2 | Filtro 3 | ROADMAP DA ESTRATÉGIA |

Ideação → **Output**

Pontuação por critérios norteadores

Defina uma pontuação de corte

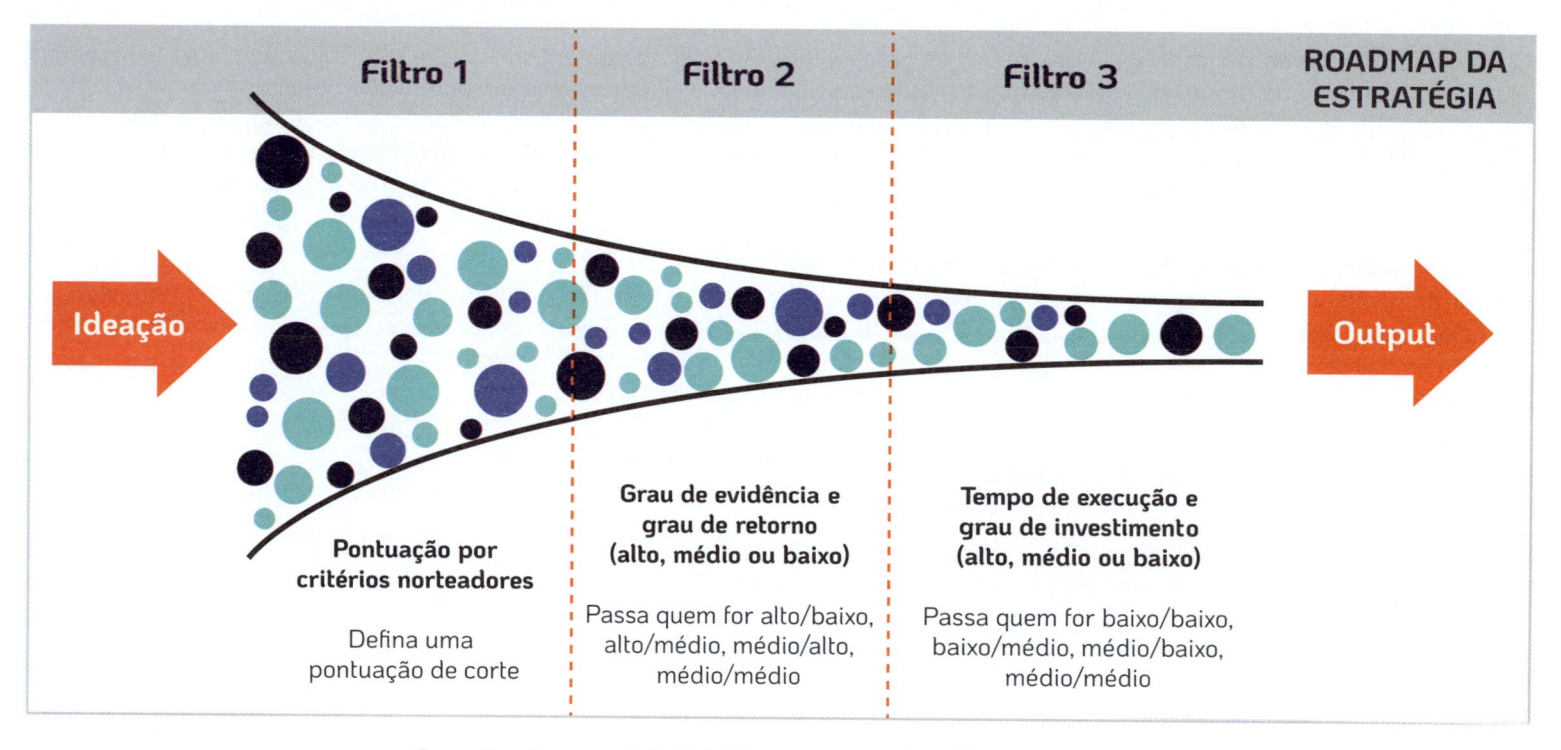

Grau de evidência e grau de retorno
(alto, médio ou baixo)

Passa quem for alto/baixo, alto/médio, médio/alto, médio/médio

Tempo de execução e grau de investimento
(alto, médio ou baixo)

Passa quem for baixo/baixo, baixo/médio, médio/baixo, médio/médio

Figura 18 – Diagrama do funil de ideias da metodologia do Unbound Marketing

Como você pode ver no diagrama, o processo começa com várias ideias vindas da sessão de ideação. Essas ideias são filtradas até o ponto ótimo que definirá o *roadmap* da estratégia. Isso garante que as ideias mais relevantes serão utilizadas, e a estratégia terá maior probabilidade de sucesso.

Usando uma planilha Excel, você terá algo como se vê aqui na Figura 19:

	A	G	H	I	J	K	L	M	N	O	P	Q
		Eleva o nível de experiência de quem é cliente	Fortalece o awareness de marca nos canais, criando posição de destaque entre os concorrentes	Abre novos canais de distribuição e aquisição de clientes	Fideliza clientes, possibilitando recorrência dos serviços	Eleva a experiência como diferencial competitivo	Transmite o compromisso da empresa com a inovação e propósito	TOTAL	Grau de Certeza	Grau de Retorno	Tempo de Execução	Grau de Investimento
1	Ideias											
2	Cobranding com a marca X	✓	1 ✓	1 ✗	0 ✗	0 ✗	0 ✗	0	3 Alto	Médio	Baixo	Baixo
3	Investimento / Parceria com a Startup X	✓	1 ✓	1 ✓	1 ✗	0 ✗	0 ✓	1	6 Médio	Alto	Médio	Baixo
4	Criar uma comunidade de clientes	✓	1 ✗	0 ✗	0 ✓	1 ✓	1 ✓	1	6 Alto	Alto	Médio	Baixo
5	Criar programa de indicação	✓	1 ✓	1 ✓	1 ✓	1 ✗	0 ✗	0	6 Alto	Alto	Baixo	Baixo
6	Ideia 5	✗	0 ✗	0 ✗	0 ✗	0 ✓	1 ✗	0	3 Baixo	Baixo	Alto	Alto
7	Ideia 6	✗	0 ✗	0 ✗	0 ✗	0 ✗	0 ✗	0	2 Baixo	Baixo	Alto	Médio
8	Ideia 7	✗	0 ✓	1 ✗	0 ✓	1 ✓	1 ✗	0	4 Médio	Médio	Médio	Alto
9	Ideia 8	✗	0 ✓	1 ✗	0 ✗	0 ✗	0 ✗	0	3 Médio	Médio	Baixo	Baixo
10	Ideia 9	✗	0 ✗	0 ✗	0 ✗	0 ✗	0 ✗	0	1 Baixo	Baixo	Médio	Baixo
11	Ideia 10	✗	0 ✓	1 ✗	0 ✗	0 ✗	0 ✗	0	2 Alto	Alto	Baixo	Médio
12	Ideia 11	✓	1 ✓	1 ✓	1 ✓	1 ✗	0 ✗	0	8 Alto	Alto	Baixo	Alto
13	Ideia 12	✗	0 ✗	0 ✓	1 ✗	0 ✗	0 ✗	0	3 Médio	Baixo	Alto	Alto
14	Ideia 13	✗	0 ✗	0 ✗	0 ✗	0 ✗	0 ✗	0	2 Baixo	Médio	Alto	Alto
15	Ideia 14	✗	0 ✗	0 ✗	0 ✗	0 ✗	0 ✓	1	1 Baixo	Baixo	Médio	Médio
16	Ideia 15	✗	0 ✗	0 ✗	0 ✗	0 ✗	0 ✗	0	2 Alto	Alto	Médio	Baixo
17	Ideia 16	✗	0 ✗	0 ✗	0 ✗	0 ✗	0 ✗	0	3 Médio	Alto	Baixo	Baixo
18	Ideia 17	✗	0 ✓	1 ✓	1 ✓	1 ✓	1 ✓	1	5 Baixo	Médio	Médio	Médio
19	Ideia 18	✓	1 ✗	0 ✗	0 ✗	0 ✗	0 ✗	0	5 Médio	Baixo	Baixo	Alto
20	Ideia 19	✗	0 ✗	0 ✓	1 ✓	1 ✗	0 ✗	0	7 Alto	Médio	Médio	Médio
21	Ideia 20	✓	1 ✗	0 ✗	0 ✗	0 ✗	0 ✗	0	4 Médio	Baixo	Alto	Médio

Figura 19 – Planilha de ideação com os filtros

Sendo o resultado apresentado na Figura 20 através de uma tabela dinâmica com todos os filtros aplicados conforme mostrado no diagrama da Figura 18.

QR Code para baixar a planilha Excel de exemplo

	A	B
1	TOTAL	(Vários itens)
2	Grau de Certeza	(Vários itens)
3	Grau de Retorno	(Vários itens)
4	Tempo de Execução	(Vários itens)
5	Grau de Investimento	(Vários itens)
6		
7	Roadmap Final	
8	⊟ Criar programa de indicação	
9	Mídia	
10	⊟ Criar uma comunidade de clientes	
11	Projetos Web	
12	⊟ Ideia 19	
13	Conteúdo	
14	⊟ Investimento / Parceria com a Startup X	
15	Projetos Web	
16	Total Geral	

Figura 20 – Tabela dinâmica com os filtros da ideação aplicados

Agora que você entendeu a base do desenvolvimento de objetivos e ideias, você pode ajustar esse modelo para filtrar por persona, perspectivas do BSC, grau de dificuldade, grau de inovação etc.

Como você deve ter percebido, o passo de objetivo é fundamental e nada simples, mas essa metodologia irá ajudá-lo a:

- Fazer as perguntas certas para fazer seu negócio chegar aonde deseja.
- Inovar com um forte foco em públicos de interesse, principalmente seus clientes, suas necessidades e seus insights sobre eles.
- Ir além das soluções óbvias e, portanto, aumentar o potencial de inovação de sua solução e se diferenciar no mercado.
- Reunir as perspectivas e pontos fortes dos membros da sua equipe.
- Descobrir áreas inesperadas de atuação.
- Criar volume e variedade em suas opções de ideias para a estratégia.
- Tirar as ideias óbvias da cabeça e levar sua equipe além delas.

A partir desse ponto, você já estará preparado para o passo 3 e para criar a estratégia em ambiente digital.

PASSO 3
ESTRATÉGIA

Esse é o passo em que vamos definir como alcançar nossos objetivos do passo anterior.

A estratégia da metodologia Unbound tem três pilares: conteúdos e canais, projeto web e mídia, mas vale observar que todos os pilares atuam em simbiose. Os conteúdos são distribuídos através de canais digitais e impulsionados pela mídia, todos em cumplicidade com os projetos web, que são usados como destinos de amadurecimento do lead, conversão e prestação de serviço.

São exemplos de cada pilar:

1. **Conteúdos e canais:** artigos no blog, vídeos no YouTube, e-books, infográficos no Pinterest, posts no Instagram, vídeos curtos no TikTok, grupos no Facebook, Stories, textos no LinkedIn etc.;

2. **Projetos web:** aplicativos, sites, comunidades digitais, ferramentas grátis, landing pages, blogs, SaaS, e-commerce, extranet, games etc.;

3. **Mídia:** mídia própria, mídia paga e mídia ganha, incluindo campanhas no Instagram, cobranding com marcas parceiras e relacionamento com influenciadores digitais de todos os níveis.

Porém, antes de distribuir as ideias que passaram pelos três filtros do funil de ideação ao longo dos três pilares, é necessário ter uma unicidade na comunicação. Para isso, precisamos definir uma personalidade para a marca e ter clareza sobre aqueles com quem iremos nos comunicar (personas). Se a marca fosse uma pessoa, como ela se comportaria e falaria no ambiente digital? Com a brand persona definida, será mais fácil se conectar com as personas, criar posicionamento e fazer parte do dia a dia conectado delas de maneira útil e relevante em todas as frentes dos três pilares.

Brand persona

Definir a brand persona é fundamental para a estratégia de marketing em ambiente digital. Vamos ver, portanto, como defini-la usando algumas técnicas e ferramentas.

Como base, usaremos o NeedScope, uma ferramenta criada pela Kantar Insights, que, por sua vez, foi inspirada nos arquétipos pensados pelo psiquiatra suíço Carl Gustav Jung (Figura 21), e que procura direcionar o posicionamento de uma marca através das emoções transferidas por meio de sua comunicação.

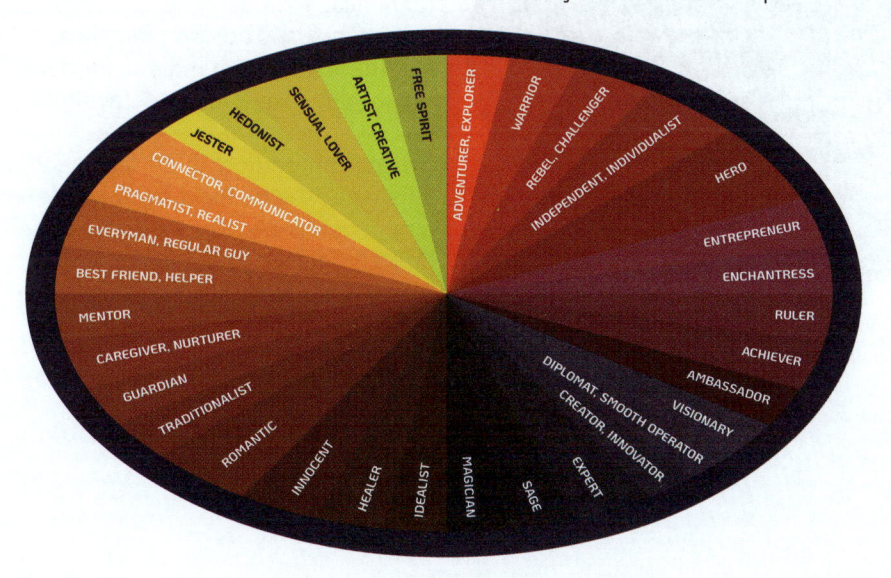

Figura 21 - Espectros de arquétipos do NeedScope

A escolha de um arquétipo é o primeiro passo, mas essa escolha precisa estar muito bem alinhada com o propósito do negócio, visto no passo de objetivos, e com o posicionamento desejado ou já praticado pela marca.

Para ajudar a entender quais espectros de arquétipo estão mais alinhados com isso, veja os direcionadores da Figura 22:

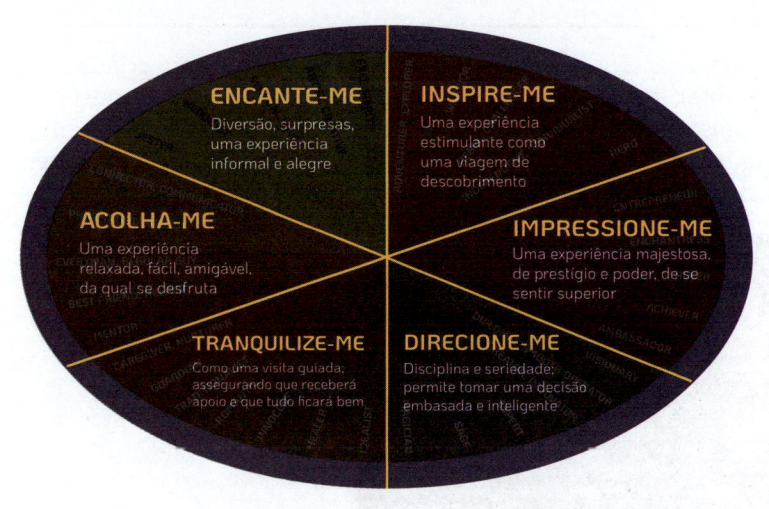

Figura 22 – Direcionadores de comunicação e experiência esperada de cada espectro de arquétipos do NeedScope

Pense no propósito do seu negócio e no posicionamento da sua marca. Com qual espectro sua marca se identifica? A boa notícia é que nenhuma pessoa é uma coisa só, temos um DNA composto por características de diversos arquétipos. Portanto, a sua brand persona também pode ter um DNA composto. Mas o que não pode acontecer é esse DNA ter características sobressalentes de arquétipos opostos, pois isso causará bipolaridade na comunicação.

A mLabs, por exemplo, escolheu predominantemente ter sua personalidade de marca dentro do espectro laranja, mas com características do arquétipo brincalhão, que está no espectro amarelo. Isso a permite fazer comunicação com bom humor, informal, alegre e divertida. Quem acompanha a mLabs consegue identificar facilmente isso. Porém, estimulada pelo propósito de fazer a inclusão dos pequenos negócios através das redes sociais e ajudá-los a terem mais resultados, a mLabs, na essência, quer prover uma experiência de acolhimento, ser amiga, estar ao lado das pessoas, permitir que seus clientes ajudem a construir a melhor plataforma de gestão de redes sociais, ajudar com conteúdo de valor e, acima de tudo, fazer de maneira fácil e relaxada com que os pequenos negócios usem as mídias sociais adequadamente. Veja as figuras 23 e 24.

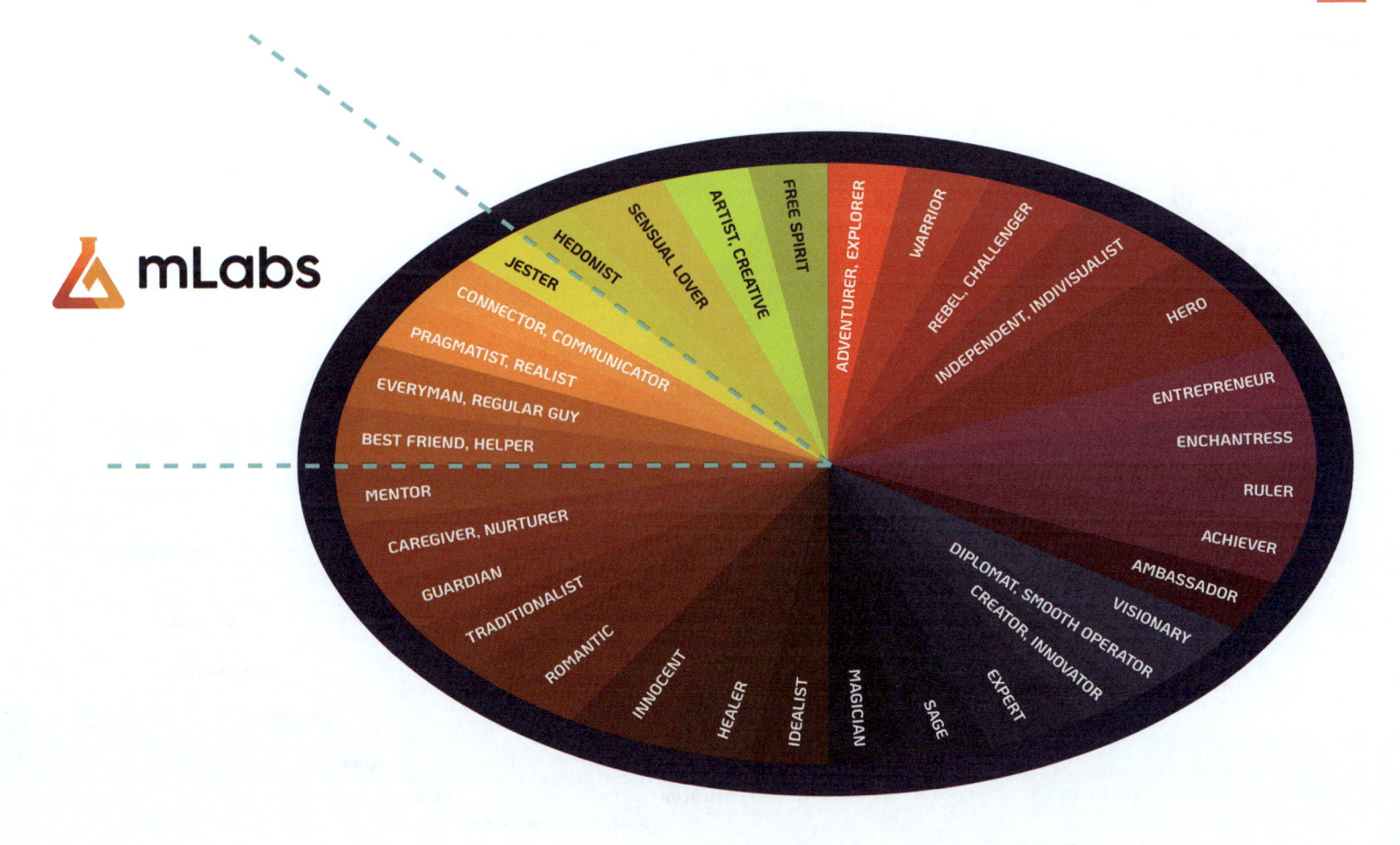

Figura 23 – Espectro de arquétipos escolhidos pela mLabs

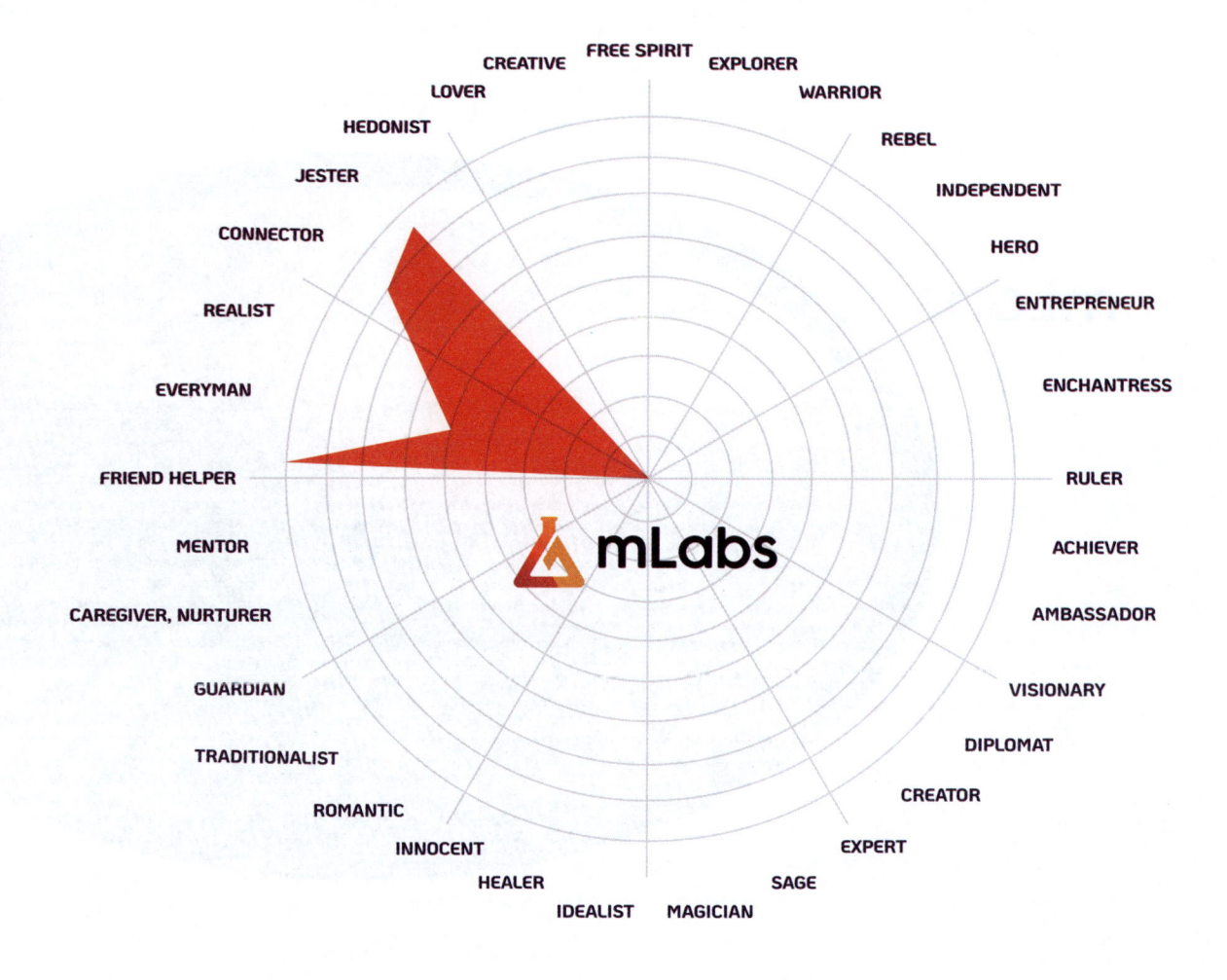

Figura 24 – DNA da brand persona da mLabs com porcentagens distribuídas pelos arquétipos escolhidos

> Ao usar a planilha de DNA da marca, você precisa ter cuidado para não definir porcentagens em graus semelhantes para arquétipos opostos, porque isso gera bipolaridade de marca. O que pode ser feito é herdar o DNA de arquétipos vizinhos do espectro de cor predominante. Isso certificará que a sua comunicação terá uma orientação mais concreta, e as personas precisam se identificar com essa orientação. Por isso, o DNA é muito importante.

As marcas que estão no quadrante marrom têm como objetivo tranquilizar as pessoas, porque esses arquétipos denotam que o mundo pode ser melhor. Então, é preciso acalmar as pessoas e ajudá-las nesse sentido. Coca-Cola e Dove são exemplos do espectro marrom.

Os azuis geralmente são referência por alguma especialidade. Então eles acabam direcionando e criando seu universo próprio, como a Disney e a Red Bull — esta última tem até seus próprios eventos esportivos.

O vermelho é a cor da inspiração. Geralmente, é o favorito de marcas que têm heróis em sua comunicação. A Nike, por exemplo, escolhe sempre uma pessoa que tem uma história de superação e transformação através do esporte. Já teve Neymar, por exemplo, entre os seus garotos-propaganda. Sempre que se calça uma chuteira da Nike, é como se fosse possível chutar mais forte, correr mais rápido, e assim por diante. Eles fazem muito bem essa comunicação.

No caso do amarelo, o objetivo é o encantamento, é fazer com que as pessoas se divirtam, tenham uma experiência prazerosa, em todas as ações da marca. A Skol é um exemplo muito claro disso.

Já os roxos precisam impressionar através de prestígio, poder e qualidade superior. Invariavelmente, todas as marcas de luxo, premium ou gourmet estão posicionadas nesse espectro de arquétipos.

Para facilitar esse exercício de definição de persona, além do propósito da marca, é importante saber se queremos ser mais introvertidos ou extrovertidos, mais egocêntricos/exclusivos ou mais amigos de todo mundo/popular. Veja na Figura 25 o modelo psicológico dessa escolha.

Figura 25 – Modelo psicológico dos espectros de arquétipos

O próximo passo na definição da brand persona é criar o voice deck — identificar a linguagem da marca, como ela escreve e se porta na comunicação interpessoal. Para entendermos esse conceito, vamos usar o case real de uma marca de adoçante, que eu ajudei a planejar; seu objetivo era se posicionar no mercado como premium pela qualidade dos ingredientes que usa no produto.

Para facilitarmos o processo, pensamos em uma pessoa famosa para dar personalidade à marca. Não necessariamente para usar o tal famoso como garoto-propaganda, mas para trazer as características dele para dentro do contexto da marca e checar se elas realmente se encaixariam na brand persona almejada. Fizemos várias pesquisas e escolhemos o ator Rodrigo Santoro como inspiração.

Escolher uma pessoa famosa ajuda muito na construção do voice deck, pois achamos facilmente exemplos de linguagem e valores em que eles acreditam nas mídias sociais. Inclusive, é importante pesquisar a vida dessa pessoa e ver se realmente a trajetória dela se assemelha à trajetória da marca. Melhor ainda se as bandeiras defendidas por ela forem as mesmas bandeiras da marca.

No caso do Rodrigo Santoro, ele é um brasileiro que começou a fazer bastante sucesso, saiu do país e fez carreira lá fora, mas ainda tinha muito a mostrar do trabalho dele em termos de qualidade. Fizemos essa analogia com a marca de adoçantes. Tratava-se de uma marca brasileira em crescimento, que ainda precisava comprovar a qualidade do seu produto premium.

Estudamos o histórico dele, inclusive o de prática esportiva e o de consumo de adoçantes. Dessa forma, conseguimos ver se ele tinha aderência com a comunicação da marca. Dentro desse contexto, como exemplos de como ele se comunica nas mídias sociais, fizemos um diagrama do tom de voz dele e criamos uma fusão da sua linguagem com situações fictícias nas redes sociais. Observe nas figuras 26 e 27:

TOM DE VOZ

HISTÓRIAS DE VIDA, CUIDADO COM AMIGOS E FAMÍLIA
"Sem minha família e amigos, minha história não teria a menor graça, e pra eles ofereço Sucralose, pois ainda temos muitas histórias pra escrever juntos."

BEM-ESTAR, ESPORTE E VIDA PREMIUM
"Existem duas coisas que não abro mão: praticar esportes e comer bem."

SUCRALOSE – BENEFÍCIOS PARA A SAÚDE
"Tenho muitos planos de vida para abrir mão de um dia a dia saudável."

MELHOR SABOR
"Para a minha vida, quero o melhor sabor."

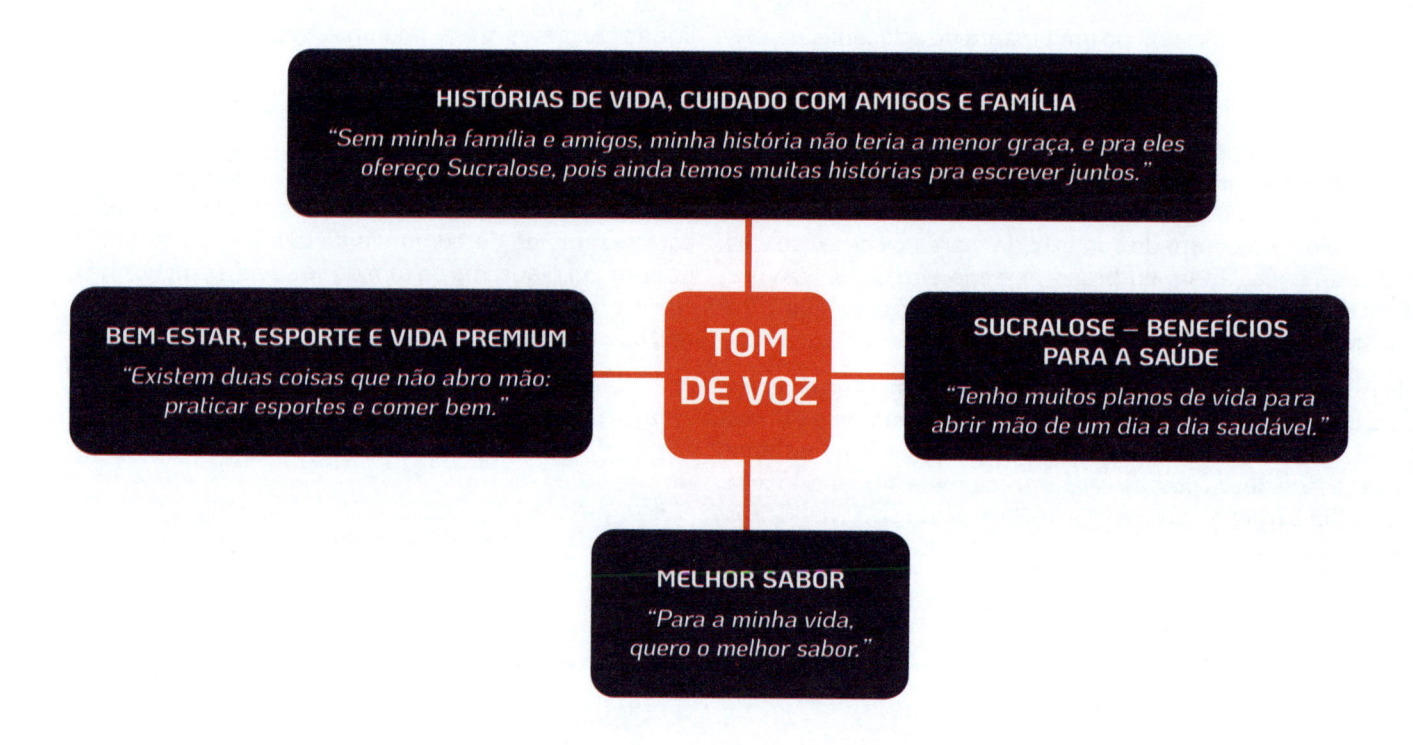

Figura 26 – Tom de voz do Rodrigo Santoro nas mídias sociais

É possível perceber que o tom de voz do Rodrigo Santoro é sempre amigável, reflexivo, dominante e recompensador. Todas as frases dele têm pouca pontuação e terminam com ponto final, fazendo pensar, numa recompensa inspiradora de reflexão sobre a vida e o que você está fazendo com ela.

Exemplo: "Para a minha vida, eu quero o melhor sabor" é uma frase dele. Conseguimos notar que ele é sempre mais direto, porém reflexivo, ou seja, convida a pensar.

SAUDAÇÕES

"Oi, Cláudia, aprendi um remédio maravilhoso: o riso."

"Bom dia, pessoal, vocês já relaxaram tomando um chá com Sucralose no café da manhã?"

FEEDBACK NEGATIVO

"Infelizmente sempre temos medo das coisas, mas o segredo é como tratamos isso. Temos que enfrentar. Dá medo, mas tudo bem."

FALHA CRÍTICA

"Ser galã ajuda e atrapalha. Tem o status, mas tem o preconceito."

"Desculpe-nos. Já estamos resolvendo o caso."

FEEDBACK POSITIVO

"É isso aí, Roberta, procure meditar dez minutos todos os dias para descansar a mente."

MENSAGEM GERAL

"A pior coisa é acordar e sair correndo para o trabalho. Eu preciso de tempo para despertar o corpo e a mente."

MARQUETEIRO

"Quem aí é fã de achocolatado? Compartilhem essa maravilha com os amigos."

"Quem não dispensa um bom café, usa Sucralose para ter o melhor sabor."

Figura 27 – Voice deck da marca de adoçante adaptando a linguagem do Rodrigo Santoro para criar sua própria linguagem

O voice deck fornece exemplos de linguagem usada em diferentes situações. Isso ajuda quem for criar conteúdo e a comunicação geral da marca a, rapidamente, pegarem o senso de como a brand persona deve se comunicar nos diferentes canais.

Por isso, é fundamental criar exemplos e simulações no contexto da própria marca e dentro de algumas situações, como:

- **Saudação**: sempre que a marca for se comunicar com o público, como vai iniciar a conversa?
- **Feedback positivo**: sempre que falar positivamente, como vai se comunicar?
- **Feedback negativo**: se for resolver algum problema, referente a consumo, reclamações ou recall, como vai se comunicar?
- **Mensagem geral**: qual vai ser a fala para situações de neutralidade?
- **Falha crítica**: se surgir uma crise, qual vai ser a postura diante dela?
- **Marqueteiro**: como ser marqueteiro, porque, na verdade, no fim do dia, nós temos que vender alguma coisa. Estamos representando uma marca que tem um produto para vender.

Ser marqueteiro é o mais desafiador, pois como falar de modo que não seja somente uma bela propaganda? Para isso, inicie conversas como nos exemplos: "Quem aí é fã de achocolatado? Compartilhem essa maravilha com os amigos", "Quem não dispensa um bom café, usa Sucralose para ter o melhor sabor".

Ao final do processo, é importante sair com um checklist para que todos saibam as premissas de comunicação da marca. Veja o exemplo da mLabs na Figura 28:

PERSONA	TOM	LINGUAGEM	PROPÓSITO
☐	☐	☐	☐
☐ Simpática	☐ Honesto	☐ Simples	☐ Entreter
☐ Animada	☐ Pessoal	☐ Divertida	☐ Educar
☐ Carinhosa	☐ Útil	☐ Informal	☐ Informar
☐ Engraçada	☐ Informativo	☐ Jovem	
	☐ Claro		

Figura 28 – Voice deck da mLabs com um checklist de comunicação

A brand persona da mLabs é simpática, animada, carinhosa, engraçada. Se fosse uma pessoa, seria uma mulher, pois foi inspirada na head de relacionamentos da empresa, Tatiana Apolinário. No caso do segundo pilar, o tom de voz, é honesto, pessoal, útil, informativo e claro.

A mLabs quer falar com o público dos pequenos negócios e as pessoas que já trabalham com mídias sociais. Portanto, a linguagem é voltada para o público que a gente quer atingir, de forma que facilite chamar atenção e criar uma conexão, lembrando o direcionar escolhido nos espectros amarelo e laranja do NeedScope.

No último pilar, é importante ter um propósito muito claro para a comunicação, sempre que for se relacionar ou responder a um conteúdo. No caso da mLabs, temos que entreter, educar e informar o tempo todo. Ou seja, não pode ser entretenimento por entretenimento ou engajamento por puro engajamento, sem informar nada, sem educar as personas para ter melhores resultados através das mídias sociais.

Assim, portanto, vimos como trazer à tona a personalidade da marca que irá permear toda a comunicação e experiência das personas ao longo de sua jornada com o negócio.

Personas

No planejamento estratégico, precisamos definir com muita precisão a persona ou as personas, ou seja, o perfil dos clientes que queremos para o negócio. Isso é diferente de definir o público-alvo, pois é com base na persona — representação fictícia do perfil ideal de cliente — que chegamos à conclusão do público-alvo.

Ao entender o comportamento e as características da sua persona, é possível extrapolar esses dados para variáveis de segmentação em mídia e escalar o alcance da comunicação, ou seja, alcançar o público-alvo.

Para chegar à conclusão de quem é a sua persona, você deve olhar para dentro de casa primeiro e identificar, entre os clientes, quais deles têm as características que você julga mais saudáveis para o negócio. A partir daí, você deve entrevistá-los com as perguntas certas para entender o que eles têm em comum em nível comportamental. Eu sugiro que você entreviste pelo menos cinco clientes. Caso seu negócio tenha mais de um grupo de clientes, você deve entrevistar, no mínimo, cinco pessoas de cada grupo. Por exemplo, uma loja de roupas que vende produtos para adultos, gestantes e terceira idade tem, portanto, três grupos distintos de clientes, e, por consequência, três personas.

Caso você esteja começando e ainda não tenha clientes, é importante validar seu negócio primeiro, fazendo as primeiras vendas, antes de seguir especificando sua persona. Caso contrário, você simplesmente terá um palpite de quem é a sua persona, perdendo tempo e dinheiro nesse processo.

Como vimos no passo do diagnóstico, no microambiente, uma ferramenta que ajudará você nessas entrevistas é o mapa de empatia. Seguem algumas questões que podem direcioná-lo nessa atividade. Mas lembre-se de que são perguntas que precisam ser feitas no contexto do seu ramo de atividade.

O que ela pensa e sente:

- O que você realmente quer?
- O que você não quer de jeito nenhum?
- Quais preocupações atormentam você?
- Quais são as suas maiores aspirações?

O que ela escuta:

- Como o ambiente influencia?
- O que seus amigos, vizinhos e familiares dizem a você?
- Quem realmente influencia você?
- O que eles esperam?
- O que a mídia diz?

O que ela vê:

- Como você percebe as opções?
- Como é na casa dos seus vizinhos, amigos e familiares?
- O que as outras pessoas estão fazendo por aí?
- O que aparece na mídia para você?
- Quais são os canais que você vê?

O que ela fala e faz:

- Qual é o seu estilo de vida?
- Qual é a história que você conta?
- O que você expressa?
- O que quer mostrar aos outros?
- Quais são os canais que você usa?

Quais são suas dores:

- O que pode dar errado?
- O que seria muito ruim se acontecesse?
- Quais obstáculos estão à sua frente?
- Qual o maior obstáculo entre você e as suas aspirações?

Quais são seus objetivos:

- Qual é a solução ideal?
- Aonde você quer chegar?
- O que é extremamente desejável?
- Como você mede o sucesso?

Você pode completar o mapa de empatia com informações captadas com monitoramento de mídias sociais e etnografia em grupos digitais.

Veja um exemplo de mapa de empatia (Figura 29) criado para uma das personas daquela marca de adoçante premium:

PERSONA 1 – DIABÉTICOS E HIPERTENSOS

- Sabe da base e gosta do sabor da Sucralose
- Preocupam-se com a saúde e com a família
- Tem maior consciência alimentar

O QUE ELE PENSA E SENTE?

"Antes usava Zero Cal, agora uso X porque tem o símbolo de diabéticos."
Mulher, dona de casa, 59 anos

"Sucralose não retém líquido, levo na bolsa. Já experimentei o Linea, mas não gosto tanto quanto o da Gold."
Mulher, 32 anos

O QUE ELE ESCUTA?

O QUE ELE VÊ?
- Prescrição do médico em usar Sucralose
- Marcas de associação: Natura, Tal e Qual, Sadia
- Não enxergam a marca sendo representada por um famoso. Prefere um médico.

O QUE ELE FALA E FAZ?
- Usa o sachê de Sucralose
- É fiel a marcas no geral
- Usa a internet para ficar antenado
- Adora assistir à TV
- Compra na farmácia
- Na falta de adoçante, adoça com frutose

QUAIS SÃO AS DORES?
- É diabético e/ou hipertenso
- Reclama da falta de produto nos pontos de venda (RJ)
- Controlar a diabetes
- Falta de atualização e receitas
- Recém-diagnosticados ficam perdidos sobre como proceder

QUAIS SÃO OS OBJETIVOS?
- Novos produtos à base de Sucralose
- Ajudar outros diabéticos
- Não testar outras marcas para não arriscar a saúde
- Pesquisar dicas em comunidades e blogs e trocar experiências

Figura 29 – Mapa de empatia para a persona 1 de uma marca de adoçantes

Outro exemplo usando a marca fictícia Ton Verde.

PERSONA 2 – MÃE COM CRIANÇA PEQUENA

- Sabe da importância da sustentabilidade
- Se preocupa com a saúde e com a família
- Tem maior consciência de consumo

O QUE ELA PENSA E SENTE?

"Adotar medidas sustentáveis vai muito além de escolher o meio ambiente."
Mulher, dona de casa, 39 anos

"O despertar para novos hábitos é o mais importante para repensar muitas coisas na minha casa e na vida da minha família."
Mãe, dona de casa, 40 anos

O QUE ELA ESCUTA?

O QUE ELA VÊ?
- O consumo consciente é apontado como uma tendência mundial do mercado
- Marcas de associação: Natura, Mãe Terra, Joya da Terra
- Não enxerga as marcas sendo representadas por um famoso. Prefere uma pessoa comum.

O QUE ELA FALA E FAZ?
- Usa fralda ecológica
- É fiel à marcas no geral
- Usa a Internet para ficar antenado
- Adora assistir séries
- Compra na Internet
- Cria presentes sustentáveis para os amigos
- Usa mais o Instagram e WhatsApp

QUAIS SÃO AS DORES?
- Não consegue ser 100% ecológica
- Reclama da falta de produto nos pontos de venda (RJ)
- Controlar o consumo compulsivo
- As marcas sustentáveis são mais caras
- Não sabe por onde começar um negócio

QUAIS SÃO OS OBJETIVOS?
- Novos produtos sustentáveis
- Ajudar outras mães
- Baratear o acesso a práticas e produtos sustentáveis
- Busca comunidades e blogs para buscar dicas e trocar experiências

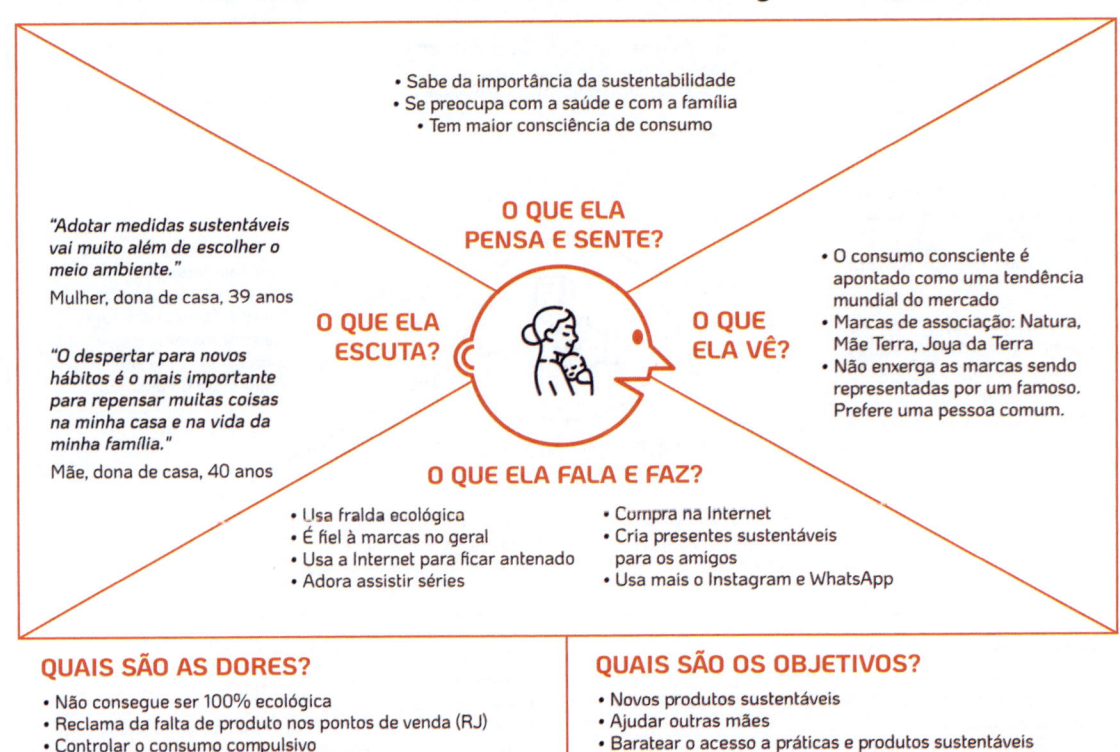

Figura 30 – Mapa de empatia da persona principal da Ton Verde

Além dessas informações, eu julgo extremamente importante extrair algumas outras informações para completar a visão das personas. Informações como:

- **Sobre o trabalho**: um resumo das informações sobre sua função, indústria, tamanho da empresa etc.;
- **Caso de uso**: um resumo de como elas usam seu produto, o que estão tentando alcançar com ele etc.;
- **Solução anterior**: um resumo de como elas estavam conseguindo resolver os pontos de dores antes do seu produto;
- **Trigger de compra**: um resumo do que as leva a procurar um produto como o seu;
- **Fatores de escolha**: uma visão geral do tipo de coisas que elas procuram em um produto como o seu.

Para forjar a persona, você deve chegar ao nível ficcional de dar um nome a ela, contando uma história relacionada ao contexto do seu negócio, contendo suas motivações, desafios e preocupações. Isso facilitará o processo de pensar no conteúdo, nos diferentes canais de comunicação, serviços on-line etc. Veja nas figuras 31 e 32 um exemplo.

Conheça a
ROBERTA

Roberta tem 29 anos, é diabética há dezesseis anos, mas leva a vida com bom humor e sonha em ser mãe. Ela quer se corresponder com outras mulheres diabéticas que vivem o sonho da maternidade.

"Uso adoçante desde os 13 anos. Claro que passei por todos os conflitos possíveis em relação à doença, sendo imprescindível conhecê-la cada dia mais, através de pesquisas, leituras e contato com pessoas que entendam sobre a doença.

Tive fases deprê, fases de 'morrer de vontade' de comer o que não podia, fases de 'comer e morrer de culpa', fases de me comparar com pessoas sem a doença, fases questionadoras da minha fé, enfim, viver e vencer as variantes fases da vida de um diabético é a primeira credencial para 'entrar no time'!

Claro que somos cobrados muito mais pela constante vigilância da nossa saúde plena, mas, em contrapartida, é maravilhosa a certeza de que se vencermos essas fases, respeitando nossas dores, podemos ter uma vida normal, e de repente percebemos que nossa 'doçura' nos fez mais fortes e fez nossas vitórias serem muito maiores do que as conquistas de qualquer uma daquelas 'pessoas normais'! E esse gosto, ah, é muito bom! O doce gosto (diet) da vitória!

Atualmente, meu mais novo e precioso sonho é a maternidade! Graças ao meu filho, que, se Deus quiser, já está 'reservado' para mim, tenho conseguido encarar a diabetes e tudo o que ela exige de mim com maior determinação! E acreditem, nunca tive tão bons resultados clínicos!"

Figura 31 – Persona 1 da marca de adoçantes personificada pela Roberta

Conheça a ANA

Ana tem 29 anos, é mãe do Arthur há dois anos, leva a vida com bom humor e sonha em ter seu próprio negócio. Ela quer se corresponder com outras mulheres empreendedoras, mães, que se preocupam com a sustentabilidade.

> *Eu nasci e cresci no Rio de Janeiro. Comecei a ser mais conectada a partir dos meus 23 anos. De lá pra cá, tive uma visão de que o mundo é a nossa casa e precisamos cuidar dele. Tento fazer a minha parte.*
>
> *Eu estimulo o consumo consciente e compartilho as minhas inquietações a respeito do lixo, de um mundo mais saudável e de meu comprometimento com as questões ambientais enquanto mãe.*
>
> *Quero muito realizar meu sonho de abrir um negócio virtual que reúna informações pra cumprir esse desafio e fornecer as ferramentas pra que outros pais e mães também o façam!"*

Figura 32 – Persona principal da marca Ton Verde personificada pela Ana

No entanto, apesar de muitas literaturas incorporarem a persona nesse nível, em minha experiência, isso nunca se mostrou muito útil. Na prática, o que queremos é encontrar a composição de características do perfil de cliente ideal, para saber tanto a quem vender, mas, principalmente, a quem não vender (antipersona).

Outra coisa que a maioria das literaturas sobre personas não mostra é sobre as características que os clientes mais saudáveis têm em comum.

- Quais são as características em comum que seus clientes mais fiéis têm?
- Quais são as características em comum que seus clientes mais rentáveis têm (LTV)?
- Quais são as características em comum que seus clientes que dão menos suporte têm?
- Quais são as características em comum que seus clientes mais engajados com o produto têm?

Esses são exemplos de perguntas que realmente trarão informações ricas para a composição das suas personas, sobretudo para saber quem você não quer como cliente, pois, ao responder a essas perguntas, você será capaz de identificar também quem são os detratores. Muitas vezes, ao querer vender para todos, você traz para dentro do negócio clientes tóxicos, que não enxergam valor na sua solução, fazendo com que todos os KPIs, como LTV, taxa de cancelamento, satisfação no suporte, reputação da marca nas mídias sociais, entre outros, sejam prejudicados.

Por isso, em minha opinião, a persona não deve detalhar uma pessoa específica e nunca deve ser baseada em um indivíduo específico. Em vez disso, deve ser uma representação do perfil ideal do cliente.

A partir da persona, tendo em mente o verdadeiro perfil ideal do cliente, você pode definir o público-alvo a ser usado nas campanhas e escalar o alcance da sua comunicação. O objetivo é representar um segmento dentro do seu mercado-alvo, não o mercado todo, pois dificilmente você terá a capacidade financeira de falar com todo mundo.

Figura 33 – Público-alvo baseado na persona dos diabéticos – exemplo da marca de adoçantes premium

Figura 34 – Público-alvo baseado na persona das mães sustentáveis – exemplo da marca Ton Verde

O público-alvo extrai da persona as variáveis de segmentação, ampliando o alcance potencial por meio de dados demográficos, localização, escolaridade, renda, tamanho de empresa, interesses em comum, entre outras variáveis possíveis de acordo com cada veículo de mídia. Mas o mais importante é saber limitar o público, para que o público-alvo não fique muito amplo.

Por exemplo, na mLabs, não podemos simplesmente extrapolar a persona do pequeno empreendedor no público-alvo "pequenos negócios", que abarca potencialmente 17 milhões de pessoas. Nesse caso, é necessário ter várias personas de profissionais de marketing divididas por maturidade da pequena empresa no ambiente digital, para, assim, limitar o público potencial e entregar uma experiência adequada para cada um, ou mesmo fazer uma escolha de qual priorizar, dadas as características de quem é mais saudável para o negócio.

É importante definir as personas e compreender esses conceitos para traçar a jornada de cada um dentro do seu contexto de negócio. Essa jornada é a visão geral do processo típico pelo qual as personas passam para comprar seu produto e será a espinha dorsal para a criação das ações estratégicas dentro da metodologia do Unbound Marketing.

Jornada do cliente

Agora que temos a brand persona e as personas bem definidas, podemos avançar em estruturar as ideias do funil de ideação em cima dos pilares de conteúdo e canais, projetos web e mídia, usando a jornada do cliente como estrutura.

A jornada do cliente na metodologia do Unbound Marketing tem cinco etapas e uma missão: transformar clientes em promotores da marca criando resultados exponenciais para o negócio de forma contínua. Veja a ilustração da Figura 35.

Figura 35 – Jornada do cliente na metodologia do Unbound Marketing

Imagine um bumerangue: todas as vezes que você o arremessa, ele volta. O bumerangue é um objeto que armazena energia cinética. Quanto mais energia você gasta no arremesso (e menos atrito você tem ao longo da jornada), mais rápido e mais longe ele vai, girando de volta na mesma intensidade. Depois que o bumerangue é arremessado, menos energia do seu corpo é necessária para fazê-lo voltar.

O bumerangue é uma metáfora para exemplificar o que acontece quando a estratégia de marketing está focada em gastar energia para que o cliente tenha uma excelente experiência sem atritos ao longo da sua jornada. É um modelo eficiente que se alimenta de seu próprio cliente. Nessa equação, a força equivale às ações de marketing para alcançar o potencial público-alvo e clientes. A energia equivale à quantidade de contatos com esse público — a frequência de impactos. O atrito equivale a experiências ruins, falta de informação, interrupção, falta de personalização etc.

Na analogia com a jornada do bumerangue, a energia e a força não são perdidas. Elas mantêm o bumerangue girando para criar um círculo virtuoso dentro de um loop de influência pela experiência compartilhada.

O modelo do bumerangue instaura o cliente no centro de tudo, onde você atrai e envolve as personas, alcança-as como lead, converte e, depois, trabalha para que elas se tornem promotoras da marca. Assim procedendo, você terá um sinal positivo de que está conseguindo ir além do produto genérico esperado e entregando uma experiência.

Ao repetir esse processo, você cria experiências positivas centradas no cliente que fornecem os dados para otimização dos produtos, serviços e pontos de contato, para ter um desempenho ainda melhor. Conforme esse ciclo se repete, mais promotores de marca você terá, e mais rápido você crescerá de forma exponencial e saudável.

Portanto, entregar uma experiência positiva em todos os pontos de contato e etapas da jornada é o que fará o bumerangue funcionar. Isso significa ir além do funil de vendas que vimos no passo 2 dos objetivos (Figura 12): significa fazer dele um megafone que transforma clientes em promotores da marca, especialmente nas mídias sociais, para ter um alcance exponencial. Veja a Figura 36:

BUMERANGUE

Jornada do Consumidor

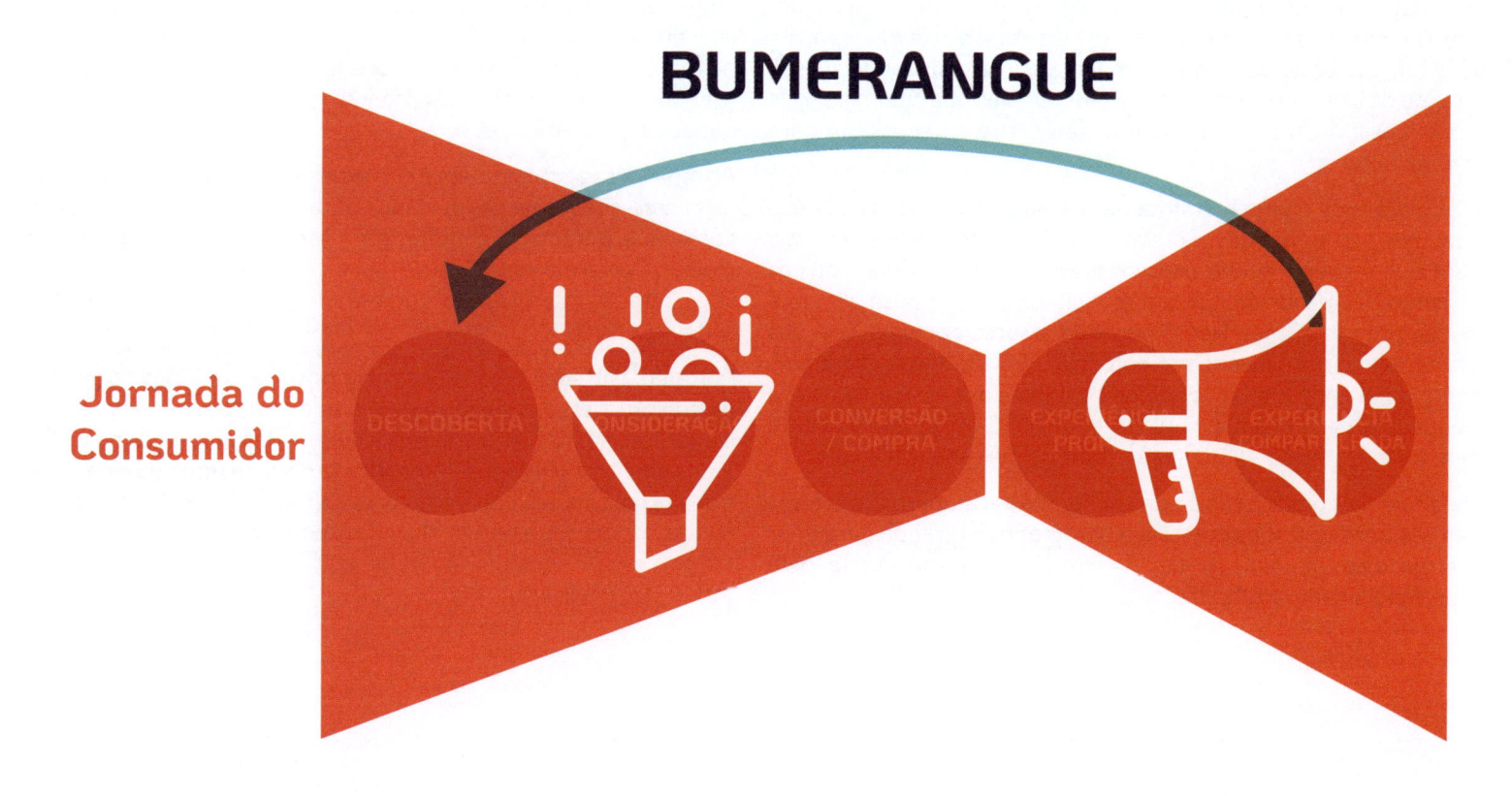

Figura 36 – Jornada do cliente e a missão de transformar o funil de vendas em megafone para criar promotores de marca

Para uma melhor compreensão de qual é a experiência esperada, vamos discorrer sobre cada etapa da jornada do cliente.

1. **Descoberta**

   A primeira etapa é a descoberta, que tem o objetivo de pôr a marca no radar do público-alvo. Aqui, você deve estimular que o público se identifique com a marca, pois será o primeiro contato com ela. A melhor forma de fazer isso pode ser através de conteúdo relevante que ajude as pessoas em seus objetivos pessoais, assim como ativações de marca com macroinfluenciadores e até mesmo ações de sampling (amostra grátis) em pontos de venda. Lembre-se de que precisamos estar onde a nossa persona está, portanto, uma das maneiras mais eficientes de cumprir com esse objetivo é fazendo uso de mídia paga para alcançar o maior número de pessoas dentro do público-alvo.

2. **Consideração**

   A segunda etapa é a consideração, que tem o objetivo de posicionar a marca na mente da persona. Aqui, você deve encantar o público para que ele tenha uma compreensão maior sobre a qualidade daquilo que você oferece, sobre a sua especialidade, seus diferenciais, e passe a consumir mais conteúdo de valor da sua marca até formar uma posição clara de como você pode ajudá-lo em suas dores, objetivos, ou seja, necessidades e desejos. O posicionamento acontece a partir da frequência com que a persona tem contato com a marca. Quanto maior a frequência, mais claro será para o público onde você se encaixa dentro das possibilidades de soluções em sua vida e como você se compara em relação aos seus concorrentes.

3. **Conversão / Compra**

   A terceira etapa é a conversão e/ou compra, que tem o objetivo de qualificar o lead e transformá-lo em cliente. Aqui, você deve ajudar o lead a validar sua solução, o que significa mostrar o que acontece com quem compra seu produto, não apenas falar de si e como você é o melhor do mercado. A prova social é uma das formas mais eficientes para cumprir esse objetivo. Depoimentos e casos de sucesso por persona devem ser protagonistas nesta etapa. Você deve mostrar a experiência de marca através dos olhos de quem já é cliente, mas de uma maneira direcionada para as particularidades do lead. Quanto mais personalizada for a abordagem nessa etapa, melhor, pois isso ajudará você a quebrar as objeções do lead.

4. **Experiência própria**

   A quarta etapa é a experiência própria, na qual o cliente tem a sua primeira impressão sobre o produto e com a própria marca após a compra. Invariavelmente, essa impressão é comentada com pessoas próximas e pode aparecer nas mídias sociais por meio de comentários em posts, mensagens diretas no inbox de alguma rede social e avaliações em sites como o Google Meu Negócio e até mesmo o Reclame Aqui, caso a impressão tenha sido negativa. Nesta etapa, é fundamental monitorar as mídias sociais e o SAC, caso você tenha. Pois isso lhe dará dados para entender a experiência que os clientes estão tendo, e você terá a possibilidade de agir para corrigir os pontos negativos. Isso tem que ser um processo de melhoria contínua para funcionar e aumentar as chances de os clientes passarem para a próxima etapa da jornada.

5. **Experiência compartilhada**

   A quinta etapa é a experiência compartilhada, destino tão almejado na jornada do cliente. Se a experiência da persona foi positiva em todas as etapas anteriores, a probabilidade de ela chegar a esta etapa e compartilhar a experiência que teve com a marca é grande. Mas você não pode ficar parado esperando que os clientes compartilhem sua experiência; você deve estimular isso a partir de ações que enalteçam e reconheçam a persona como um cliente importante. A experiência objetivada aqui é estimular que o cliente se expresse através da sua marca, ou seja, use a sua marca como forma de mostrar para a sua própria rede de relacionamento como ela é a melhor. Programas de indicação e marketing de relacionamento são exemplos de ações nesta etapa.

Podemos resumir a experiência objetivada em cada etapa da jornada do cliente na Figura 37.

BUMERANGUE

Experiência compartilhada é o novo estímulo

Jornada do Consumidor

- DESCOBERTA — ESTÍMULO PARA IDENTIFICAÇÃO
- CONSIDERAÇÃO — COMPREENSÃO E ENCANTAMENTO
- CONVERSÃO / COMPRA — VALIDAÇÃO
- EXPERIÊNCIA PRÓPRIA — IMPRESSÃO E REFLEXO
- EXPERIÊNCIA COMPARTILHADA — EXPRESSÃO

Experiência com a marca

Figura 37 – Experiência com a marca esperada em cada etapa da jornada do cliente

O entendimento de todos os conceitos que vimos até aqui é de extrema importância para construir a versão preliminar do framework do Unbound Marketing, que reúne tudo o que precisamos fazer em um único mapa.

Com a jornada do cliente em mente, entendendo a missão do Unbound e os objetivos de cada etapa, você pode rever as iniciativas do funil de ideação e distribuí-las usando o framework do Unbound Marketing da Figura 38.

ESFORÇO	30%	35%	20%	5%	10%
ETAPA	DESCOBERTA	CONSIDERAÇÃO	CONVERSÃO	XP PRÓPRIA	XP COMPARTILHADA
INICIATIVAS	**INICIATIVAS DE CONTEÚDO** • Infográficos • Pesquisas • Editoria A • Editoria B **INICIATIVAS DE PROJETOS WEB** • Landing pages de apoio à imprensa • Microsite de estatísticas **INICIATIVAS DE MÍDIA** • Sampling com QR Code • Mídia OOH • Ação com influenciador X • Publicidade nativa • Campanha no Instagram	**INICIATIVAS DE CONTEÚDO** • E-books de meio de funil • Editoria C • Editoria D • Editoria E **INICIATIVAS DE PROJETOS WEB** • Blog • Revisão do SEO • Landing pages de meio de funil • Ferramentas grátis • Adoção de automação de marketing **INICIATIVAS DE MÍDIA** • Campanha no Google Ads • Campanha no Instagram • Ação com influenciador especialista • Patrocínio do evento X	**INICIATIVAS DE CONTEÚDO** • Webinários de fundo de funil • Editoria F • Editoria G • Depoimentos • Cases de sucesso **INICIATIVAS DE PROJETOS WEB** • Novo website • E-commerce • Adoção de um business intelligence • Chatbot de vendas **INICIATIVAS DE MÍDIA** • Campanha de remarketing no YouTube • Remarketing via e-mail • Mídia geolocalizada	**INICIATIVAS DE CONTEÚDO** • Grupo no Facebook • Melhores amigos no Instagram • Editoria exclusiva H • Editorial distribuída através de podcast **INICIATIVAS DE PROJETOS WEB** • SaaS • App mobile • Programa de fidelidade • Adoção de CRM • Chatbot de atendimento 24x7 **INICIATIVAS DE MÍDIA** • Campanha no Instagram • Campanha de up-selling • Campanha de cross-selling • Ações com microinfluenciadores • Evento próprio Y	**INICIATIVAS DE CONTEÚDO** • Grupo no Telegram • Artigos dos clientes • Editoria exclusiva J • UGC (User Generated Content) **INICIATIVAS DE PROJETOS WEB** • Programa de indicação • Comunidade em torno da marca • Ambiente de ideação com clientes • Programa de embaixadores **INICIATIVAS DE MÍDIA** • Campanha por e-mail • Campanha por push em app • Campanha com nanoinfluenciadores
EXPERIÊNCIA	IDENTIFICAÇÃO	ENCANTAMENTO	VALIDAÇÃO	IMPRESSÃO	EXPRESSÃO

Figura 38 – Framework do Unbound Marketing com um exemplo fictício de iniciativas

Olhando o framework do Unbound Marketing, você conseguirá identificar o conceito do bumerangue e o esforço inicial na jornada. Seu investimento em tempo e dinheiro deverá ser maior nas etapas iniciais, pois é onde você precisará se comunicar com todo o público-alvo numa frequência maior. À medida que esse público de topo de funil vai se mostrando interessado e maduro na jornada, você terá uma lista cada vez mais qualificada com a qual se comunicar. É possível observar também que as ações não param no funil de vendas, correspondentes às três primeiras etapas da jornada. As ações vão além, estimulando as experiências próprias e compartilhadas. É a ideia de transformar o funil de vendas em um megafone.

A metodologia do Unbound Marketing entende o consumidor em sua realidade *on-life*, a partir do pressuposto de que a persona é a mesma, seja no off-line, seja no on-line, e que ambos os universos andam juntos na jornada do cliente. Por isso, você pode ver ações como "sampling com QR Code" ou mesmo uso de mídias tradicionais como a OOH (Out of Home, por exemplo: TV em elevador) no exemplo do framework. Boa parte da missão do Unbound Marketing tem a ver com a necessidade de fazer ações integradas, para conseguir estar onde a persona está e levá-la para o próximo passo da sua jornada com a marca até o destino de torná-la uma promotora do seu negócio.

JORNADA ON-LIFE

O conceito de jornada *on-life* descreve o comportamento do consumidor na era digital e como ele trafega entre os universos off-line e on-line. Já falamos um pouco a respeito, mas é importante aprofundar, porque isso realmente representa uma nova realidade e, portanto, uma mudança definitiva para nós e para o marketing.

Pare para pensar: atualmente, nós estamos conectados o tempo todo através dos mais diversos tipos de dispositivos, como TVs, smartphones, relógios, caixas de som inteligentes com assistentes de voz, óculos, geladeiras etc. Conforme a tecnologia evolui, o comportamento do consumidor muda rapidamente em função dela. Nesse contexto, impactar e atrair novos clientes tem sido um verdadeiro desafio para muitas marcas.

O funil de marketing que vimos na Figura 11 não se resume mais aos pontos de contato que uma pessoa tem com uma marca até a compra de forma controlada e linear, considerando que uma pessoa que acabou de entrar em contato deve ser tratada como topo de funil, como se ela estivesse descobrindo a marca naquele momento.

Tais dispositivos conectados e as mídias sociais viraram protagonistas da vida *on-life* do cliente, tornando-a muito mais dinâmica. Veja a Figura 39.

FUNIL DINÂMICO DE MARKETING

▶ Pontos de entrada

Mobile
Web
Website
Eventos
Vendas
Assistentes de voz
Mídias sociais
App de mensagem
OOH
...

DESCOBERTA
INTERESSE
CONSIDERAÇÃO
COMPRA
FIDELIDADE
ADVOCACIA

NAVEGA · PESQUISA · VÊ NAS REDES · INDICAÇÃO · PESQUISA · COMPARTILHA · DECIDE · TRANSACIONA · COMPARA · APRENDE · COMPARTILHA · CONFIA · ENGAJA

Figura 39 – Funil dinâmico de marketing

Tradicionalmente, o caminho do funil de marketing é traçado pela empresa, ou seja, a estratégia de marketing conduz o usuário, levando-o do topo para o fundo do funil, até chegar à conversão. Porém, com a evolução da tecnologia e do ambiente digital em que vivemos, nem todas as pessoas que compram de uma marca passam por todas as etapas do funil de forma controlada por ela. Há casos, por exemplo, em que um visitante de um site chega já decidido a comprar, pois as etapas anteriores do funil aconteceram alheias à vontade da marca. Alguém pode ter indicado tal produto por WhatsApp, por exemplo, com um áudio superdetalhado de como o produto é bom ou até mesmo encaminhando um vídeo de uma pessoa usando. Por isso, atualmente temos um funil dinâmico de marketing.

Esse funil tem que receber a persona em qualquer etapa da sua decisão de compra. Isso significa que as empresas agora precisam desenvolver campanhas para pessoas que se encontram em etapas distintas do funil, sem a necessidade de fazê-las passarem por todas as etapas desde o início.

Por isso é tão importante entender bem o comportamento da persona, conhecer as necessidades e desejos, mas entender também a jornada dela ao longo do dia, quais dispositivos ela prefere e em quais momentos está mais propensa a receber informações sobre o seu negócio.

Um fato é claro sobre a jornada *on-life*. As pessoas estão conectadas o tempo todo atualmente através de seus smartphones (Figura 40), em função dos aplicativos de mensagens e mídias sociais. Elas estão *always on*. Sabendo disso, como podemos pensar em ações integradas que levem uma pessoa do off-line para o on-line para dar continuidade à jornada dela com a marca?

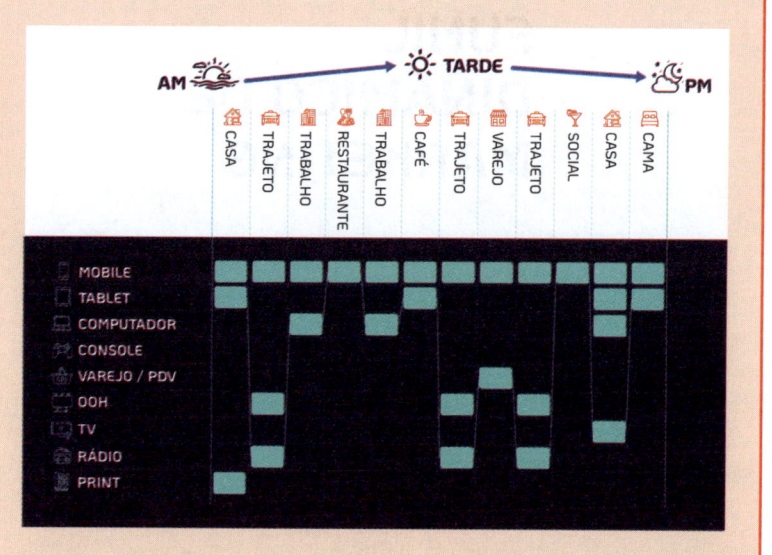

Figura 40 – Jornada on-life

Pensar em ações integradas, portanto, passa por entender que as pessoas são *always on*, sabendo que elas estarão em uma gôndola de supermercado com o celular na mão, assistindo à TV com o celular na mão, usando elevador com o celular na mão; provavelmente, a qualquer momento do dia, elas vão estar com o smartphone ou um dispositivo móvel conectado junto delas.

Assim como na questão do outbound vs inbound, o mindset do Unbound Marketing na jornada *on-life* do cliente é permitir que você possa fazer ações tanto no universo off-line quanto no on-line, sem ter que escolher entre fazer um ou outro, mas, sim, usando ambos de maneira integrada em um framework estratégico que faça sentido para levar o cliente percorrer a jornada completa. O problema quando essas coisas estão desintegradas é que as ações off-line não conseguem identificar a pessoa impactada, muito menos saber se ela avançou na jornada com a marca. Nesse caso, a probabilidade de estar gastando tempo e dinheiro em iniciativas erradas é enorme. Sem levar em conta a perda de aprendizado através dos dados gerados nesse caminho, para evoluir a experiência da marca como um todo.

Por exemplo, em uma ativação de sampling de produto na praia, como fazer para que as pessoas continuem sua jornada com a marca de forma direcionada? Como levar uma pessoa do off-line para o on-line nessa ação, para poder dar continuidade ao diálogo?

Na Focusnetworks, agência da qual sou fundador, fizemos uma ação para a marca Crocantíssimo, que é um snack salgado panificado. Mapeamos a jornada do consumidor para verificar em que momento ele estaria mais suscetível a receber mensagens da marca para um lançamento de um produto integral. Na ocasião, estávamos lançando o Crocantíssimo Integral.

Vimos que a praia era um ambiente interessante na jornada, principalmente por ser verão na época; é um local onde as pessoas consomem snacks mais pesados. O Crocantíssimo Integral parecia muito adequado por ser uma alternativa mais leve, além de as pessoas estarem mais receptivas para conhecer novos alimentos.

O que fizemos? Criamos guarda-sol e cadeira de praia personalizados da marca. As pessoas podiam pegar emprestado no ponto de ativação. Ao abrirem o guarda-sol, elas viam um QR Code do Facebook Messenger com as instruções para experimentar o novo Crocantíssimo Integral (Figura 41). A partir do escaneamento, um chatbot no Facebook Messenger abria pedindo para a pessoa ligar o GPS. Com isso, enviávamos um drone que despejava um Crocantíssimo exatamente no local onde ela estava.

Figura 41 – Case Chuva de Crocantíssimo – QR Code com instruções para obter o sampling do produto

Essa ação é on-line ou off-line? Isso é *on-life*.

O benefício é que a relação com o consumidor não terminava ali. Fizemos as pessoas entrarem em contato com a marca através do Facebook Messenger. A partir daí, sabíamos exatamente quem elas eram e podíamos manter um diálogo direto. Nós as levamos do off-line para o on-line. Integramos as duas coisas. Criamos uma experiência em torno da marca e fizemos as pessoas avançarem na jornada.

A experiência do cliente = X

Você já percebeu que a chave para o sucesso de qualquer negócio é entregar uma experiência positiva por toda a jornada da persona, certo?

Por isso, não podemos criar uma estratégia em ambiente digital que foque somente em comunicação, achando que campanhas de performance e marketing de conteúdo nas redes sociais irão resolver os problemas do negócio.

Não há publicidade e propaganda que salvem um produto ruim, um atendimento ruim, falhas de processo, falhas logísticas, incoerência de discurso entre os pontos de contato, falta de preparo para mobile etc. Ou seja, a preocupação com a experiência do cliente no centro da estratégia em ambiente digital forçará você a arrumar todas as deficiências e gaps do negócio no processo. Essa é uma das razões pelas quais a metodologia do Unbound Marketing se mostrou ser um sucesso ao longo da última década para os negócios em que eu a apliquei.

Nesse sentido, é importante ficar claro o que é a tal experiência. Veja a equação[22] abaixo:

$$X = BX + CX + UX$$

Nessa equação, o X é a experiência integral da persona, que por sua vez é composta por três níveis de experiência, sendo: brand experience (BX), consumer experience (CX) e user experience (UX).

Brand Experience (BX): é a experiência que a persona tem com os pontos de contato da marca ao longo da jornada. O BX está relacionado à preocupação da marca com a sua comunicação de um modo geral em todos os canais e campanhas; tem a ver com a coerência da brand persona, lugar de fala, como se cumpre o propósito e qual é a percepção do valor da marca no mercado.

Consumer Experience (CX): esse nível de experiência está relacionado ao contexto no qual o produto está sendo oferecido, comprado ou consumido, e a forma como a marca interage com a persona ao longo da sua jornada. Por exemplo, o consumo de um salgadinho fedido em um ambiente de trabalho fará com que a experiência do consumidor seja ruim, por mais que o produto em si seja bom. Nesse contexto, o consumidor provavelmente ficará constrangido. Outro exemplo é como a marca atende o consumidor no SAC e nas redes sociais. Até mesmo como o produto é posicionado em uma gôndola ou em um marketplace on-line tem a ver com CX.

User Experience (UX): esse nível de experiência está relacionado à usabilidade das coisas, ou seja, a forma como as pessoas usam e manipulam seu produto, site,

---

[22] X: The Experience When Business Meets Design – por Brian Solis

SaaS, app mobile etc. Usando o exemplo do salgadinho, a forma como as pessoas abrem o saco e manipulam cada item tem a ver com UX. O formato do salgadinho tem a ver com UX, assim como a quantidade de ar no saco para não quebrar cada item também. No caso de produtos digitais, a usabilidade da interface, a quantidade de interações ou processos para concluir uma atividade e a acessibilidade digital são exemplos de UX.

No passo do diagnóstico, ao coletar dados para o ambiente interno, você será capaz de observar os pontos fortes e fracos da marca nesses três níveis de experiência. Daí a importância de se monitorar as mídias sociais, usar a pesquisa NPS, aplicar métricas de produtos em SaaS, monitorar a usabilidade dos sites e apps, entre outros. Lembre-se de observar esses níveis de experiências por persona. Assim, você evita alterar alguma experiência que estava boa para um, mas ruim para outro.

Por isso, se a experiência do cliente (X da equação) for boa, a probabilidade de ele continuar comprando e se relacionando com a marca será alta, assim como a probabilidade de ele se tornar um promotor da marca. Da mesma forma que, se for ruim, ele pode compartilhar sua experiência negativa e se tornar um detrator da marca.

Qual história você quer que o cliente conte?

Storytelling

A aplicação das técnicas de storytelling no framework do Unbound Marketing é uma das melhores formas de criar a narrativa almejada e nortear as ações em cada etapa da jornada do cliente, pois torna claro o momento em que a persona está na história com a marca e o que devemos fazer, decidir, criar, em termos de conteúdo, de campanhas, ou até mesmo escolher quais eventos devemos patrocinar.

Isso significa usar uma narrativa para comunicar a mensagem no momento certo da história. O objetivo é fazer a persona sentir algo — o suficiente para inspirá-la a agir e avançar na história. Isso ajuda a persona a entender por que ela deve tomar uma ação e funciona para humanizar sua marca.

Usar storytelling na estratégia em ambiente digital não se limita ao conteúdo; a narrativa pode ser contada em cada ponto de contato da persona com a sua marca ao longo da sua jornada, através de conteúdo, propaganda, interações nas mídias sociais, eventos, ativações *on-life* etc.

Mas o conteúdo tem uma parte importante nisso. Falar em conteúdo é, sem dúvida, falar em histórias, porque contar boas histórias desperta interesse nas pessoas e gera engajamento.

A melhor forma de entender isso é ter como base o arco da história em três atos — partida, iniciação e retorno[23]—, pensando no roteiro da jornada do herói, mais conhecido na indústria do cinema por roteiro da

23 Três atos baseados na jornada do herói, usada em referência ao monomito de Joseph Campbell.

"viagem e retorno", que é um roteiro clássico presente em filmes como *Duro de matar* (1988, Roderick Thorp), *Harry Potter* (2001, J. K. Rowling) e *Matrix* (1999, Lilly Wachowski e Lana Wachowski).

Quase todos os grandes filmes de herói ou de ação fazem com que o personagem principal saia de seu status quo, saia do mundo atual dele e receba um chamado para conhecer um mundo novo. Ele é testado nesse novo mundo e, depois de vencer, volta transformado, com algum tipo de ganho material, espiritual ou uma grande sabedoria.

Harry Potter tinha uma visão limitada sobre o mundo, saiu de casa a partir de um chamado, descobriu um mundo novo, foi testado, foi relutante, aprendeu coisas novas, amadureceu e, depois que virou mestre, voltou transformado passando adiante sua sabedoria. Em *Matrix*, acontece a mesma coisa. Mr. Anderson, um trabalhador do mundo atual, recebeu o chamado: tomar a pílula vermelha para saber o que era a Matrix, ou tomar a pílula azul para continuar em seu status quo. Escolheu a vermelha, foi conhecer a Matrix, um mundo novo, foi testado, aprendeu kung fu, quebrou a cara, foi relutante, tentou de novo e, depois de virar mestre dentro daquele mundo novo, voltou transformado.

É isso o que devemos fazer com a nossa persona: tirar o potencial cliente do mundo dele (etapas de descoberta e interesse), levando-o a conhecer o mundo novo da marca (etapa de conversão/compra), testar e vivenciar uma experiência com a marca (etapa de experiência própria), para que ele seja transformado em um promotor dela (etapa de experiência compartilhada). A aplicação do storytelling é, portanto, uma camada conceitual importante para esse processo dentro da metodologia do Unbound Marketing. Veja a Figura 42.

BUMERANGUE

Experiência compartilhada é o novo estímulo

Jornada do Consumidor

Experiência com a marca: IDENTIFICAÇÃO — ENCANTAMENTO — VALIDAÇÃO — IMPRESSÃO — EXPRESSÃO

Arco da história: { MUNDO ATUAL } { CHAMADO - MUNDO NOVO } { TRANSFORMAÇÃO }

Figura 42 – Arco da história aplicado à jornada do cliente na metodologia do Unbound Marketing

Com base nesse arco e nos três atos, podemos pensar nos momentos da persona ao longo da jornada do herói. Enxergue a sua marca como mentor nessa história, que pegará nas mãos do protagonista (persona) e o conduzirá até o final da sua jornada. Para cada momento, você deve se preparar para corresponder como mentor. Elenquei quinze momentos que, em geral, acontecem em todas as histórias numa jornada do Unbound Marketing. Veja a Tabela 6:

Tabela 6 – Momentos da jornada do herói aplicado na metodologia do Unbound Marketing

ATO	ETAPA	MOMENTOS	CORRESPONDÊNCIA ESTRATÉGICA
Partida do mundo atual	Descoberta	Ócio no modo *always on*, sempre aberto a novas descobertas	▫ Conteúdo impulsionado nas plataformas de mídias sociais ▫ Publicidade nativa
		O impulso pela descoberta	▫ Visita à bio das redes sociais da marca e ao feed para ver outros conteúdos ▫ Feed limpo de propagandas
		Rejeição à propaganda	▫ Propaganda simples, rápida e curta impulsionada nas plataformas de mídias sociais ▫ Relações públicas com macroinfluenciadores e especialistas
	Consideração	Impulso pela necessidade ou desejo	▫ Artigos em blog e anúncios em buscadores para corresponder à procura ▫ Dominar o SEO
		Encontro com o mentor	▫ Frequência de impactos com conteúdos de meio de funil. Landing pages para material rico. Dominar o inbound marketing
		Quebra da resistência à propaganda da marca	▫ Frequência de impactos com propaganda sobre o que você vende ▫ Publipost com influenciadores especialistas
Iniciação ao mundo novo	Conversão / Compra	Caminho para validação	▫ Quebrar as objeções com prova social (depoimentos e cases de sucesso por persona) ▫ Cocriação com influenciadores especialistas
		Caminho para o teste	▫ Caso o produto seja digital, permitir teste sem compromisso ▫ Caso o produto seja da economia real, resolva com uma amostra
		A compra	▫ Garantia condicional ou incondicional ▫ Atendimento mais próximo ▫ Onboarding
	Experiência própria	O encontro com a expectativa	▫ Uso de pesquisa NPS ▫ Monitoramento de mídias sociais e SAC. Contato ativo para sanar dúvidas e problemas

ATO	ETAPA	MOMENTOS	CORRESPONDÊNCIA ESTRATÉGICA
O retorno para a transformação	Experiência própria	Travessia da resistência à recorrência	▫ Incentivo à recompra ▫ Campanha de remarketing ▫ Relacionamento ativo através de e-mail ▫ Conteúdo exclusivo para quem é cliente
		A recompensa	▫ Uso de métricas de produtos e dados do cliente para mostrar o benefício de usar seu produto ▫ Uso de microinfluenciador para contar a recompensa por outra ótica. ▫ Programa de fidelização
	Experiência compartilhada	Travessia da resistência em ser um promotor	▫ Programa de indicação ou programa de incentivo ▫ Primeiro nível do programa já dá benefícios tangíveis
		O voo mágico	▫ Benefícios que enaltecem os clientes como promotores ▫ Presentes da marca ▫ Benefícios em produtos ▫ Comunidade exclusiva
		O retorno com o reconhecimento	▫ Transforma clientes em nanoinfluenciadores da marca ▫ UGC (user generated content) ▫ Criação de banco de conteúdo autêntico por persona

Para a nossa persona da história, ser herói significa alcançar um equilíbrio entre as recompensas material e espiritual. A pessoa se torna confortável em ser promotora quando tem benefícios tangíveis, como produtos e presentes da marca, assim como intangíveis, ao ser reconhecida com algum tipo de exclusividade, distinção ou nível.

Vamos agora entender como as dimensões de mídia atuam sobre o framework do Unbound Marketing e a sua relação com a jornada.

Dimensões de mídia

Aos poucos, estamos construindo a lógica por trás do framework do Unbound Marketing. Até o momento, você entendeu que ele é composto pelas seguintes camadas, não necessariamente nesta ordem:

1. Etapas da jornada do cliente
2. Objetivos de experiência com a marca
3. Arco da história e os três atos da jornada do herói
4. Iniciativas
5. Esforço
6. Funil de marketing e vendas
7. Megafone

Agora, iremos adicionar mais uma camada, a de mídia.

Como você já sabe, ao longo de todo o framework estratégico, há três pilares ou grupos de iniciativas: conteúdo e canais, projetos web e mídia.

O que você talvez não saiba é que esses três pilares são parte das dimensões de mídia. Todos os pilares podem e devem se tornar canais para mídia e atuar em conjunto como a força que faz girar o bumerangue. Veja a Figura 43.

DIMENSÕES DE MÍDIA

Propaganda
- Facebook Ads
- Instagram Ads
- Google Ads
- YouTube Ads
- Rádio
- TV
- Revista
- OOH
- Flyers
- Telemarketing
- SMS

Incentivo
- Programas de incentivo
- E-mail-marketing
- Mala direta

Influenciadores
- Publipost
- Conteúdo
- Eventos
- Afiliados

Propriedades
- Site
- Blog
- App
- Bot
- E-commerce

Parcerias
- Cobranding
- Link building

Embaixadas
- Facebook
- Instagram
- ...

Social
- Mídias sociais
- UGC
- Avaliações

Relações Públicas
- Compartilhamento nas redes
- Imprensa

Mídia PAGA · Mídia PRÓPRIA · Mídia GANHA

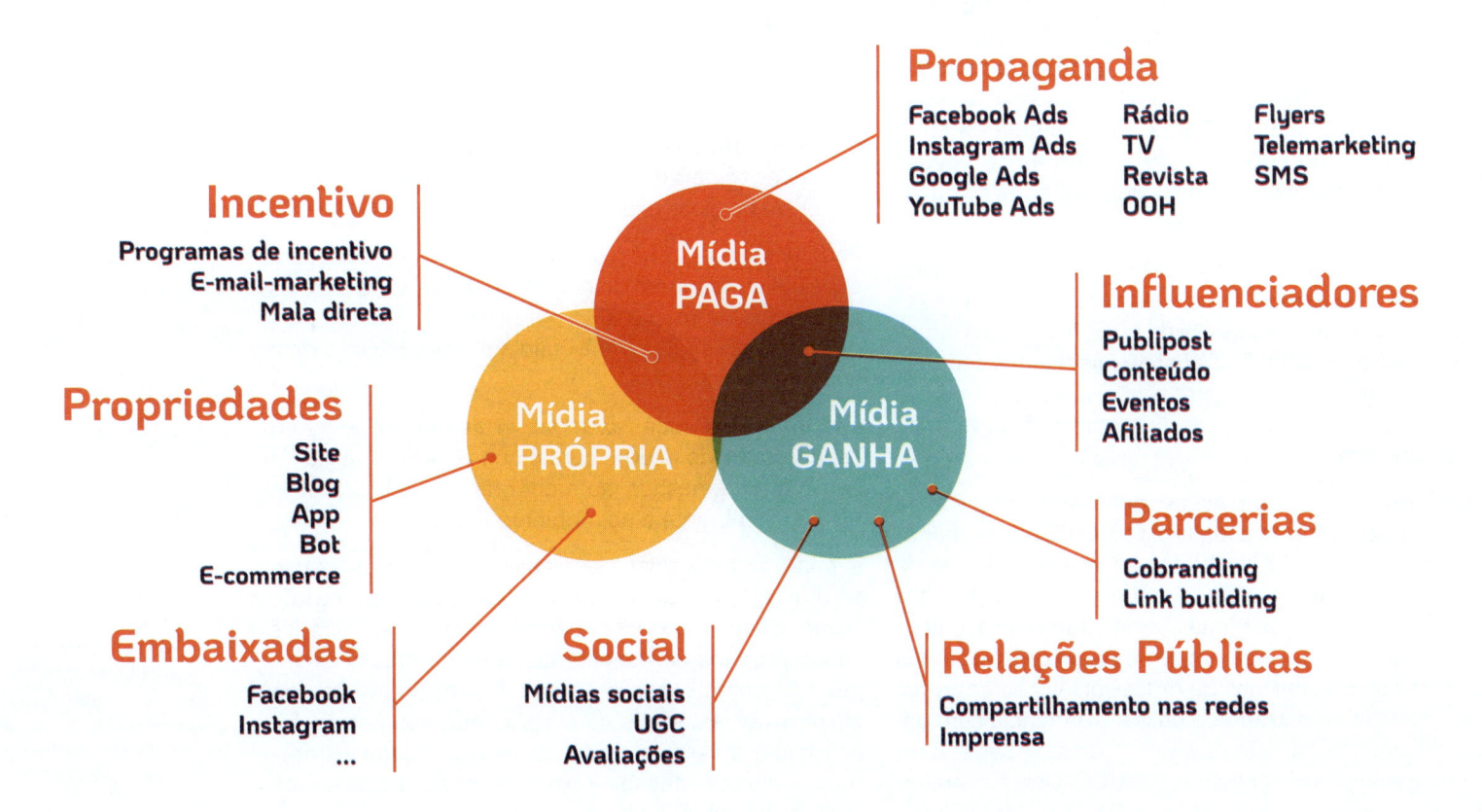

Figura 43 – Dimensões de mídia

A dimensão da mídia paga é a mais conhecida. Provavelmente, você imaginava que mídia se resumia a ela, não é mesmo? Como o próprio nome diz, é quando pagamos para aparecer, para propagar uma mensagem, principalmente na primeira etapa da jornada do cliente. É muito mais rápido e fácil pôr um produto no radar usando mídia paga em Facebook, Instagram, Google, YouTube e mídias tradicionais. A estratégia de prospecção ativa do outbound se aproxima mais dessa dimensão, pois no outbound você usa o perfil do público-alvo para abordá-lo.

Já a mídia ganha está mais relacionada à publicidade do que à propaganda. Ela é mais parecida com a estratégia de prospecção passiva do inbound, na qual temos mecanismos de atração de potenciais clientes por meio de conteúdo, influenciadores digitais, imprensa, mídias sociais e ações de cobranding com outras marcas não concorrentes.

Vale destacar o grupo "social" dentro da dimensão da mídia ganha, pois cada pessoa tem centenas ou milhares de amigos hoje em dia, com a possibilidade de propagar uma mensagem exponencialmente pelo efeito de rede. Por isso, as mídias sociais também são consideradas mídias. Cada um de nós é um canal de mídia dentro das plataformas de redes sociais. Ao criarmos um conteúdo mostrando a nossa experiência com um produto ou marca, estamos exercendo esse papel. Esse tipo de conteúdo é conhecido por UGC (User Generated Content), sobre o qual falamos bastante neste livro. Trata-se do conteúdo gerado pelo usuário nas experiências própria e compartilhada da jornada do cliente.

Outro destaque vai para as parcerias, outras marcas com as quais podemos fazer cobranding. Por exemplo, temos, de um lado, uma marca de pão e, de outro, uma marca de requeijão. São duas marcas diferentes que podem se unir, aproveitando a sinergia entre os dois produtos para criar um conteúdo mais rico e divulgá-lo nas redes sociais de ambas para alcançar um número maior de pessoas organicamente.

Podemos fazer também um e-book cocriado com algum especialista parceiro do negócio e distribuí-lo para as audiências da marca e do parceiro. Veja que as parcerias de cobranding e link building[24] para SEO residem aqui, na mídia ganha.

Recomendo a você fazer parcerias com marcas ou especialistas de acordo com o que você descobriu no passo do diagnóstico, ao monitorar as mídias sociais no microambiente e no ambiente interno.

A mídia própria pode ser website, blog ou aplicativo da marca. Listas de e-mail-marketing e programas de fidelidade ou incentivo também podem ser considerados canais próprios. O Facebook ou o Instagram, por exemplo, são como casas de aluguel, com limitações de alcance por estarmos na propriedade dos outros. Se acaso eles quiserem mudar as regras do jogo, estaremos à mercê dessas regras e nada poderemos fazer a respeito.

---

[24] Link building se resume em conseguir backlinks, ou seja, links em outros sites apontando para o seu site, de maneira natural ou não, para aumentar a sua autoridade junto aos mecanismos de busca.

Por isso, é estratégico criar uma audiência em torno de uma propriedade própria, um blog, por exemplo, porque se você conseguir um alcance de milhares de acessos por mês, já terá um canal de mídia próprio.

Os aplicativos oferecidos gratuitamente também trazem uma boa audiência. Você pode usar esse canal para prestar um serviço e poder se comunicar com todos os usuários através de notificações, por exemplo.

Como você pode perceber na Figura 43, existe uma interseção entre a mídia paga e a mídia ganha, na qual, geralmente, os influenciadores residem. Por quê? Porque podemos pagar a um influenciador, ter um contrato remunerado para ele falar do produto. Seja qual for a forma de negociação, uma coisa é certa: não pense no valor do influenciador como se ele se resumisse às mesmas variáveis de uma mídia paga, como alcance e cliques. Pense no influenciador como um criativo, que cocriará um conteúdo ou uma ação com a marca. Isso tem um valor diferente.

O influenciador tem capacidade de fazer com que a mensagem seja passada para milhares ou milhões de pessoas, mas não tem como prever esse alcance, a não ser que você feche um contrato por uma entrega — um post, um e-book ou um vídeo — e crie uma campanha com mídia paga para promover tais conteúdos para a audiência dele.

Diferentemente da equação de uma mídia paga, em que calculamos a mídia em função do alcance, em geral custo por mil impressões, com o influenciador pode ser que alcancemos muito mais pessoas do que imaginamos, ou o inverso. Não negocie somente com base na entrega em termos de alcance potencial, mas, sim, com base na produção criativa em si. Por isso, a ação com influencer reside na interseção entre a mídia paga e a mídia ganha.

Muita gente trabalha com influenciadores digitais usando somente a arte das relações públicas. Essas pessoas enviam um kit, e o influencer pode, espontaneamente, falar sobre o kit que recebeu. Nesse caso, trata-se, portanto, somente de uma mídia ganha.

Outra interseção é a da mídia paga com a mídia própria, na qual temos os programas de incentivos, e-mail-marketing e mala direta. São ações que, por sua vez, envolvem pagamento para alcance ou incentivo, porém a base de contatos é própria.

Com as dimensões de mídia em mente, vamos entender como elas se conectam ao framework do Unbound Marketing através dos objetivos de mídia. Veja a Figura 44.

BUMERANGUE

Experiência compartilhada é o novo estímulo

Jornada do Consumidor

Experiência com a marca: IDENTIFICAÇÃO — ENCANTAMENTO — VALIDAÇÃO — IMPRESSÃO — EXPRESSÃO

Objetivos de mídia: { ALCANCE } { FREQUÊNCIA } { CONVERSÃO } { ENGAJAMENTO }

Figura 44 – Jornada do cliente e os objetivos de mídia na metodologia do Unbound Marketing

É um erro muito comum achar que engajamento é sinônimo de sucesso absoluto nas estratégias em ambiente digital, particularmente nas plataformas de mídias sociais. Sim, engajamento é importante, mas likes não pagam a conta, vendas, sim.

A maioria das pessoas não tem a jornada do cliente em mente ao criar uma estratégia, ou nem mesmo tem uma estratégia, só parte para a tática. Por isso, pensa somente em engajamento. No entanto, uma pessoa que não conhece a marca e está no começo da jornada dificilmente se engajará em algo que ela faça, certo?

Por isso, é importante focar no objetivo certo para não frustrar a expectativa e parar de rasgar dinheiro. No começo da jornada, o mais importante é alcançar o maior número de pessoas possível dentro do público-alvo. No meio, o foco é conversão, usando listas de quem já comprou para entender o que esses consumidores têm em comum e otimizar a entrega de mídia para quem provavelmente converte. Por último, na jornada, vem o objetivo de engajamento, pois é exatamente o que precisamos, compartilhamento, e o público que está nas etapas de experiência própria e experiência compartilhada já conhece a marca, identificou-se com ela e comprou, e a probabilidade de ele engajar é muito maior.

Em qualquer uma das etapas, pode haver engajamento como consequência, e isso será um sinal positivo de interesse, mas definitivamente não pode ser o foco primário de tudo.

Não é somente uma questão de objetivos, é uma questão de otimização de mídia para ter relevância nas campanhas, gastar corretamente e ter maior correspondência do público.

A maioria das plataformas de mídia paga como o Facebook Ads trabalha com a variável relevância em seu algoritmo de entrega e equação de leilão pela ação desejada. Por exemplo, se você escolher o objetivo de engajamento em uma campanha no Facebook, mas ao entregar os anúncios não houver engajamento, o próprio modelo vai entender que o índice de relevância do anúncio é baixo e irá penalizar sua entrega, aumentando o CPM (custo por mil impressões) e até mesmo interrompendo a campanha.

Portanto, ao escolher um objetivo para sua campanha, certifique-se de que os anúncios (criativos) estejam estimulando a ação correspondente, posicionada na etapa certa da jornada. Se você quer tráfego para o blog, estimule o clique em seu criativo e posicione essa campanha na etapa de consideração, por exemplo.

Veremos mais detalhes dos objetivos por etapa da jornada do cliente a seguir.

Objetivo de mídia na etapa da descoberta

Na etapa de descoberta, a mídia paga é fundamental como estímulo, bem como o uso do outbound marketing. Assim podemos acelerar a entrada do público-alvo na jornada.

Veremos como segmentar o público-alvo e criar uma campanha no passo 4 da tática. Por ora, o mais importante é olhar o diagnóstico, principalmente o mapa de empatia, para definir em que canais você irá anunciar.

Lembrando que, nessa etapa, temos que focar em pôr a marca no radar do público-alvo. A persona ainda não precisa saber a fundo o que a marca vende, diferenciais, se é vantajoso ou não etc. O objetivo é mostrar que ela existe por meio de conteúdo topo de funil, com propaganda simples e rápida, para despertar interesse.

Por isso, o objetivo de mídia nessa etapa, de um modo geral, deve ser o de alcance. Precisamos aparecer para o maior número de pessoas possível dentro do público-alvo. Aparecer principalmente no feed das personas dentro das plataformas de mídias sociais, para que elas descubram que a marca existe, e fazer com que elas se interessem por um assunto relativo ao que essa marca sabe, ou seja, sua expertise.

A partir daí, ao se interessarem, elas passam a fazer buscas ativas, visitando as propriedades e embaixadas da marca, buscando no Google; portanto, temos que estar preparados para corresponder com mais conteúdo de valor na etapa de consideração.

Objetivo de mídia na etapa de consideração

Na etapa de consideração, a mídia paga continua sendo fundamental, não mais como estímulo, mas, sim, para impactar com uma maior frequência quem se mostrou interessado na primeira etapa. Isso aumentará a probabilidade de esse público lembrar-se da marca, posicionando-a em sua mente.

Os sinais para saber quem se interessou na primeira etapa podem ser:

- Taxa de visualização — quem visualizou pelo menos 70% de um vídeo
- Visitou a bio do Instagram
- Tomou alguma ação de engajamento no conteúdo nos últimos sete dias
- Clicou para acessar o website
- Acessou um website ou landing page
- Arrastou para cima em um story
- Mandou uma mensagem no inbox

Em todos esses casos, é possível criar uma lista de pessoas correspondentes para impactar novamente através de mídia paga.

O que manda aqui é o objetivo de frequência de impactos. Não necessariamente com o mesmo criativo ou pelo mesmo canal. A ideia de frequência é fazer a mesma pessoa ser impactada diversas vezes pela mensagem da marca dentro de um período adequado, de acordo com o ciclo de decisão de compra do seu negócio (Equação 1).

Equação 1 – Fórmula da frequência de mídia

$$Frequência = \left(\frac{Total\ de\ impressões}{Total\ de\ usuários\ únicos}\right) por\ período$$

Total de impressões: número de vezes que um criativo (anúncio, post, vídeo etc.) foi exibido e contabilizado pelo servidor da plataforma de anúncios.

Total de usuários únicos: número de pessoas que viram o criativo.

Período: período usado para a análise, por exemplo, sete dias.

Portanto, quanto maior o alcance, mais pessoas verão a sua mensagem. Quanto mais alta a frequência, mais vezes as pessoas verão sua mensagem. Alcance e frequência estão inversamente relacionados — ao aumentar a frequência, o alcance é reduzido, e ao aumentar o alcance, a frequência é reduzida. Isso acontece porque todo orçamento é limitado — são raros os anunciantes que têm dinheiro para cobrir todo o público-alvo potencial na frequência certa dentro do período de uma campanha. No entanto, é o principal objetivo de qualquer plano de mídia, nessa etapa da jornada, chegar a essa exposição ideal. Como? Diminuindo o tamanho do público potencial, para alcançar 100% dele na frequência certa.

E qual seria essa frequência certa?

Segundo um estudo da Nielsen,[25] a exposição de cinco a nove vezes à publicidade digital é a frequência ideal para melhorar o *brand lift*[26] geral da campanha — aumentando a ressonância da marca em 51% em média. Veja a Figura 45.

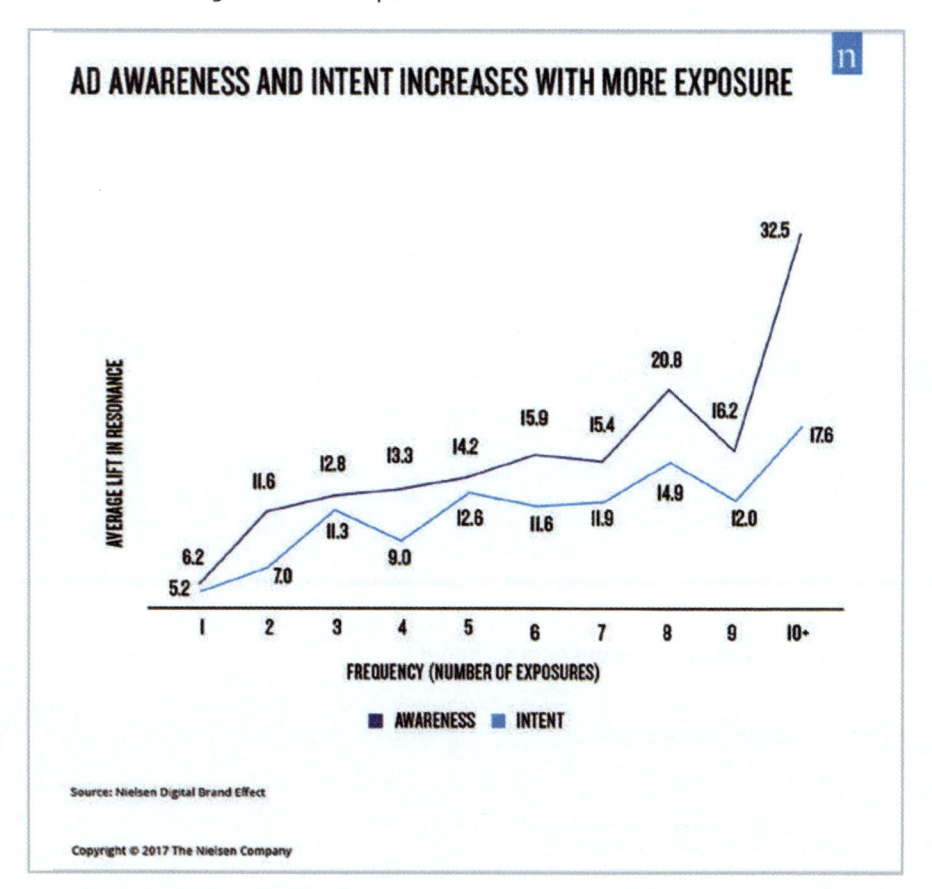

Figura 45 – Estudo da Nielsen de como maiores frequências de mídia impactam positivamente a lembrança de marca

---

25 Gabrijela Okadar, How Frequency of Exposure Can Maximise the Resonance of Your Digital Campaigns, *Nielsen*, 30 jul. 2017. Disponível em: https://www.nielsen.com/au/en/insights/article/2017/how-frequency-of-exposure-can-maximise-the-resonance-of-your-digital-campaigns/. Acesso em: 11 fev. 2021.

26 *Brand lift* é um aumento na lembrança de uma marca como resultado de uma campanha publicitária, usado principalmente para identificar uma mudança positiva na consciência e na percepção do cliente sobre tal marca.

Uma pesquisa do Facebook indicou de uma a duas exposições por semana, durante dez semanas, como uma média ideal de frequência. Isso dá uma frequência média de dez vezes por mês. Veja a Figura 46.

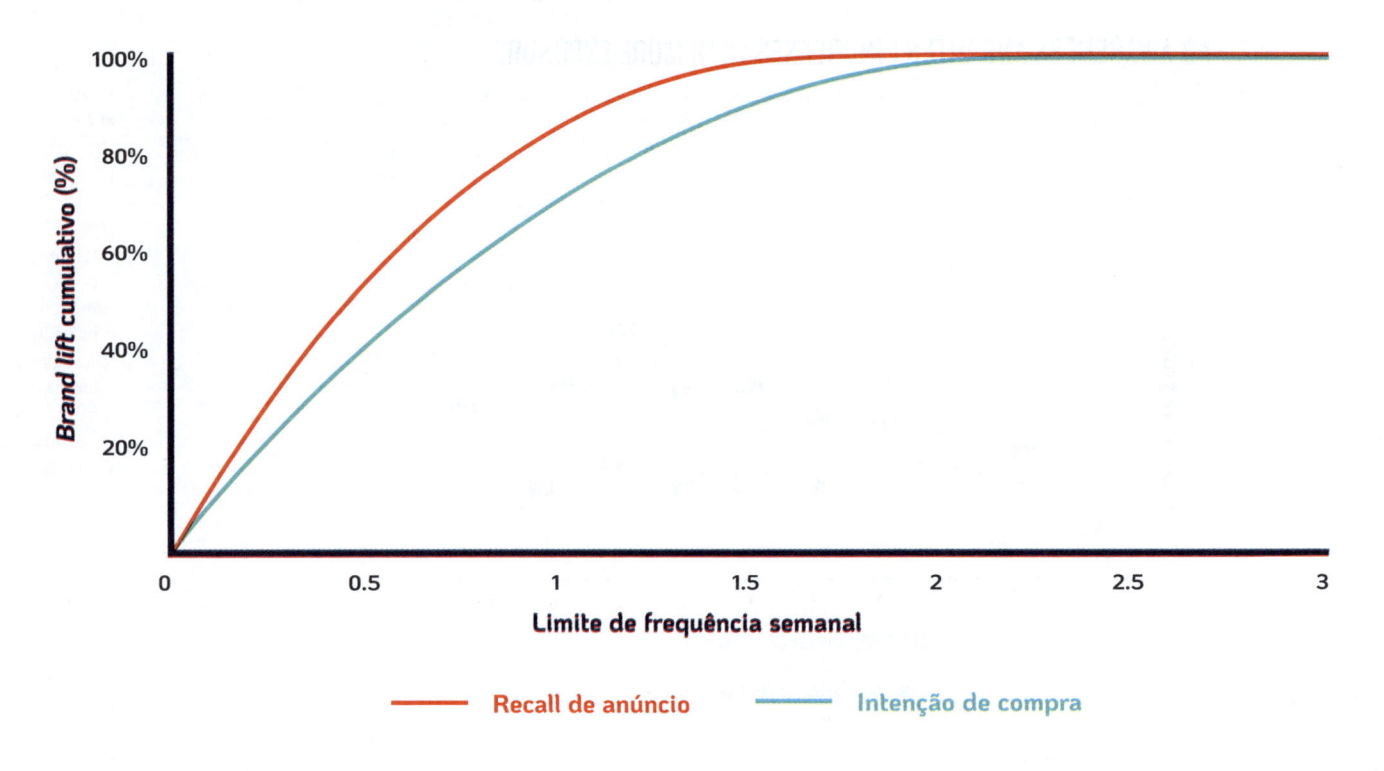

Figura 46 — Estudo do Facebook sobre o impacto da frequência no brand lift e intenção de compra

Para a TV, uma resposta racional e cognitiva é criada após três a dez exibições, enquanto uma conexão emocional mais profunda, após dez exibições do comercial.[27]

Um artigo da *News America*[28] revela que a frequência de cinco a nove exposições é considerada a ideal para impulsionar o reconhecimento da marca, enquanto a frequência de mais de dez exposições é considerada a ideal para impulsionar a intenção de compra.

Portanto, é possível notar uma semelhança na conclusão de todos os estudos sobre a frequência ideal para impactar positivamente no reconhecimento de marca. Por convenção, eu considero de oito a dez impactos como a média de frequência para a etapa de consideração, mas dentro do período do ciclo de compra. Ou seja, não adianta fazer essa frequência ao longo do ano, pois isso dará menos de um impacto por mês na mesma pessoa. É muito pouco para ela se lembrar da sua marca ou do seu produto na hora da decisão de compra. Ao contrário disso, ao fazer essa frequência dentro de um mês, caso o ciclo de compra do seu produto seja mensal, por exemplo, você será capaz de aumentar a probabilidade de a persona lembrar-se de você quando ela precisar.

Mas há alguns fatores que influenciam a frequência no sucesso das campanhas digitais. Veja na Figura 47 quais são esses fatores e como você pode adicionar ou subtrair uma frequência em sua campanha de acordo com elas.

27 Jack Neff, What's the Frequency? Advertisers Deal with Conflicting Data, *AdAge*, 7 nov. 2018. Disponível em: *https://adage.com/article/cmo-strategy/frequency-advertisers-deal-conflicting-data/315496*. Acesso em: 11 fev. 2021.

28 How Do We Determine the Optimum Mix of Reach vs. Frequency?, *News America*, 22 abr. 2019.

← Otimizar para alcance ——————————————————— Otimizar para frequência →

FREQUÊNCIA MAIS BAIXA	FREQUÊNCIA-BASE (Valor > 1-2 por semana)	FREQUÊNCIA MAIS ALTA
• Marca estabelecida • Maior participação de mercado • Jornada de compras longa • Produto de uso menos frequente • Alta popularidade	FATOR MERCADO	• Marca nova • Pouca participação de mercado • Jornada de compras curta • Produto de uso frequente • Baixa popularidade
• Mensagem menos complexa • Mensagem mais única • Campanha / mensagem existente	FATOR MENSAGEM	• Mensagem mais complexa • Mensagem menos única • Campanha / mensagem nova
• Baixa temporada • Campanha longa • Agendamento contínuo • Múltiplos canais de mídia	FATOR MÍDIA	• Alta temporada • Campanha curta • Agendamento sazonal • Apenas um canal

Figura 47 – Fatores a serem considerados ao calcular a frequência da campanha digital.
Tabela inspirada no whitepaper do Facebook sobre frequência

Os fatores mostrados fornecem uma estrutura útil para ajustar os limites de frequência a partir de mais ou menos um impacto por semana.

Objetivo de mídia na etapa de conversão/compra

Na etapa de conversão ou compra, o foco das campanhas digitais está em aumentar a intenção de compra, assim como em ajudar diretamente a trazer pessoas qualificadas para realizar a ação principal de conversão. Essa ação pode ser um download, assinatura, compra, cadastro ou qualquer ação tangível que queira usar como principal fator de conversão.

Um dos principais elementos para o sucesso dessa etapa é usar um script rastreador de ações de conversões em seu website, e-commerce, landing page ou app. No Facebook, é chamado de "Facebook Pixel", e no Google, de "Google Analytics Conversions".

Vamos usar o caso do Facebook Pixel para exemplificar essa seção. Pixel é um código incorporado em um site que vincula o comportamento dos visitantes aos perfis de usuário do Facebook, incluindo o Instagram. Essa sincronização entre um visitante do site e sua conta do Facebook/Instagram permite que a plataforma de mídia social redirecione a esses indivíduos anúncios mais relevantes. Nas próprias palavras do Facebook, esse código "é uma ferramenta analítica que permite medir a eficácia da sua campanha ao compreender as ações que as pessoas realizam em seu site".

Isso significa que é possível reimpactar quem entrou nas suas propriedades digitais, quem se mostrou interessado e ainda não comprou, aumentando, assim, a intenção de compra. Da mesma forma, é possível criar uma lista de pessoas semelhantes às que compraram para retroalimentar automaticamente as campanhas da etapa anterior, a de consideração, para maior eficiência na entrega dos anúncios. Automatizando esse processo, suas campanhas serão cada vez mais otimizadas e eficientes em trazer pessoas que convertem.

Nessa etapa, é essencial compreender a diferença entre o rastreamento baseado em pessoas e o rastreamento baseado em cookies.

O Facebook Pixel pode rastrear pessoas em dispositivos e navegadores, desde que estejam logadas no Facebook. Como resultado, o Facebook pode informar com dados determinísticos se um usuário clica em um anúncio para mobile, mas converte depois em um desktop.

Já as conversões do Google Analytics, no entanto, são baseadas em cookies; ele vê o visitante do mobile e do desktop como dois usuários separados.

O importante é usar uma ferramenta de rastreamento e análise para ter insights sobre seu público, entregar anúncios para quem se mostrar interessado em seu negócio e melhorar a eficiência geral das suas campanhas digitais.

Objetivo de mídia nas etapas de experiência própria e experiência compartilhada

Nas últimas etapas da jornada do cliente, o objetivo principal da mídia é o engajamento. As pessoas nessas etapas estão mais propensas a engajar em algo que a marca faça. E, portanto, corresponder ao objetivo de campanha. Além disso, engajamento é exatamente o que precisamos para fazer a mensagem da marca ser passada adiante. Precisamos, sobretudo, de prova social via comentários, marcações de conhecidos e compartilhamentos.

As editorias de conteúdo pensadas para a etapa de experiência compartilhada devem ser impulsionadas apenas para quem já é cliente; assim, o índice de relevância desses conteúdos será mais alto, beneficiando o modelo de leilão e cobrança por engajamento.

Lembre-se de que aqui não importa o alcance do público-alvo e a frequência, *brand lift* ou intenção de compra, como nas etapas anteriores. Aqui, o mais importante é a taxa de engajamento da lista de clientes, reputação da marca e ressonância dela através de compartilhamentos. Veremos mais sobre as métricas e KPIs no passo 5 do Unbound.

Use sempre uma lista atualizada de clientes como audiência personalizada em suas campanhas de engajamento nessas etapas. Planeje a verba de mídia paga para impactar 100% dessa lista, se possível.

Caso você crie um programa de fidelidade ou indicação em sua estratégia, posicione suas campanhas de adesão nessas etapas.

Use o e-mail como canal de comunicação, concomitante com outros canais de comunicação direta, como um chat dentro do sistema para clientes, por exemplo.

Ao longo da jornada na metodologia do Unbound Marketing, fazemos cada vez menos propaganda e cada vez mais publicidade. A grande diferença entre essas duas coisas é que a propaganda é a mensagem que pagamos e, de certa forma, empurramos, para as pessoas terem consciência da marca, e a publicidade está mais ligada ao relacionamento com as pessoas e a mensagem que elas propagam sobre a marca de maneira espontânea ou estimulada, construindo a credibilidade para ela.

O algoritmo humano e os 3Hs

Para promover uma experiência e ter iniciativas que realmente conectem a persona ao longo da jornada, eu fui estudar sobre comportamento humano e responder a perguntas como:

- Por que as pessoas compartilham algo nas mídias sociais?
- O que engaja mais as pessoas?
- O que faz as pessoas se conectarem mais a uma marca?

E cheguei à conclusão de que, de certa forma, o comportamento humano é previsível com relação a essas questões. Consegui identificar que o ser humano é regido por quatro forças psicológicas. Veja a Figura 48:

Gravitamos em torno daquilo que:

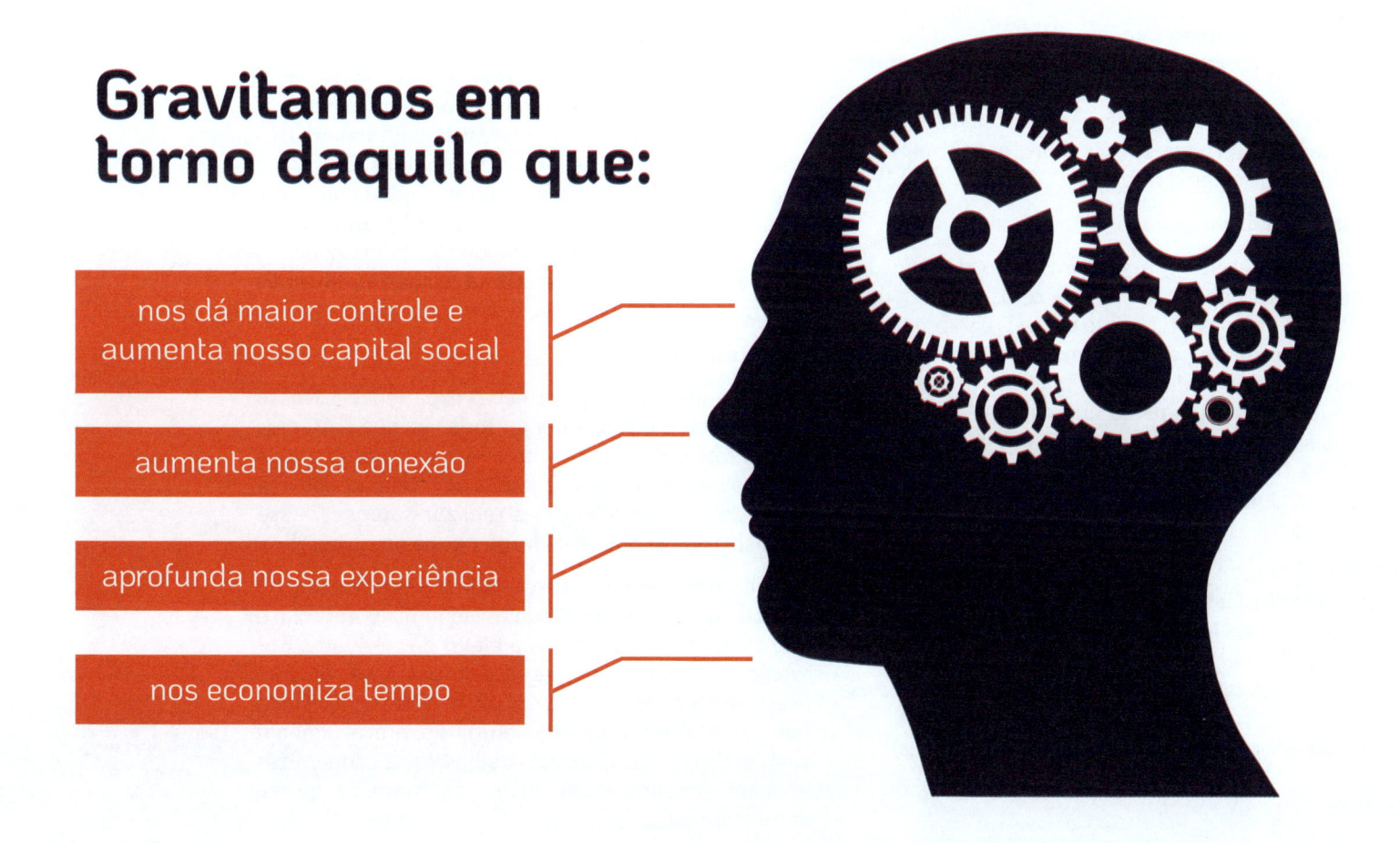

- nos dá maior controle e aumenta nosso capital social
- aumenta nossa conexão
- aprofunda nossa experiência
- nos economiza tempo

Figura 48 – As quatro forças psicológicas

Chamei isso, deliberadamente, de algoritmo humano dentro do contexto do Unbound Marketing. Veremos, com mais precisão, que pensar em ações e criar conteúdo não é só saber de copy,[29] cores, formatos e algoritmos das redes sociais. Mas, essencialmente, entender a psicologia humana.

Capital social

O ser humano sempre age em torno daquilo que aumenta seu capital social, que o faz parecer mais inteligente, importante, famoso e feliz. O cérebro parece estar programado para responder a alguns gatilhos de forma idêntica e de modo inconsciente. Isso explica por que compartilhamos o que compartilhamos nas mídias sociais — por exemplo, uma foto tomando um drink na praia ou um vídeo subindo no palco para palestrar. Queremos o tempo todo aumentar o nosso capital social.

No livro *Marketing na era digital*,[30] do qual sou coautor com a Martha Gabriel, definimos o capital social como o valor que cada indivíduo adquire por meio das redes sociais a que pertence. O capital social é composto de vários valores decorrentes das relações entre as pessoas (capital social relacional) e das percepções que elas têm sobre os outros (capital social cognitivo).

Conexões e tribo

Agimos também em torno daquilo que aumenta a nossa conexão: queremos conhecer novas pessoas e fortalecer os relacionamentos existentes. Nós temos uma tendência a querer ampliar nossa rede de conexões. Buscamos o tempo todo nos identificar na sociedade, achar a nossa tribo, para sermos aceitos e poder expressar a nossa identidade, valores e bandeiras. Por isso, torcemos para times, escolhemos uma religião, praticamos uma modalidade esportiva, e assim por diante.

Novas experiências

Somos também ávidos por novas experiências. Nosso cérebro é como uma esponja. Toda vez que entramos em contato com algo pela primeira vez, nossa pupila dilata, o cérebro abre uma janela de retenção, começa a armazenar informações e realizar sinapses. Essa sinapse é quase que uma droga para o nosso cérebro.

Depois de um tempo, tal experiência vira um atalho no cérebro, pois ele é orientado a economizar energia, e não sentimos mais o mesmo efeito da novidade. Por exemplo, a primeira vez que você dirigiu provavelmente prestava atenção em tudo em um nível de consciência bem claro. Após vinte anos dirigindo, provavelmente seu cérebro criou diversos atalhos para economizar energia, fazendo você dirigir de maneira quase que automática.

---

29 O copy ou redação criativa é um termo frequente no marketing e se refere aos textos de anúncios, slogans, landing pages e conteúdos de uma marca em geral.

30 Gabriel e Kiso, op. cit.

Economia de tempo

A última força, mas não menos importante, é que nós, seres humanos, sempre giramos em torno daquilo que nos economiza tempo. Somos preguiçosos por natureza.

De fato, essa é uma das coisas que o dinheiro não pode comprar: tempo. Inconscientemente, o cérebro quer economizar energia, e, conscientemente, nós queremos ganhar tempo, seja pelo senso de urgência, seja pela comodidade.

Não por acaso, muitas empresas de sucesso entenderam essas forças e atuam nelas.

As iniciativas e o conteúdo que vamos planejar na estratégia em ambiente digital têm que girar em torno dessas quatro forças, que são traduzidas através da analogia com os três tipos de conteúdo, introduzidos pela primeira vez em 2015 pelo YouTube: help, hub e hero. Esses são os 3Hs. Veja a Figura 49.

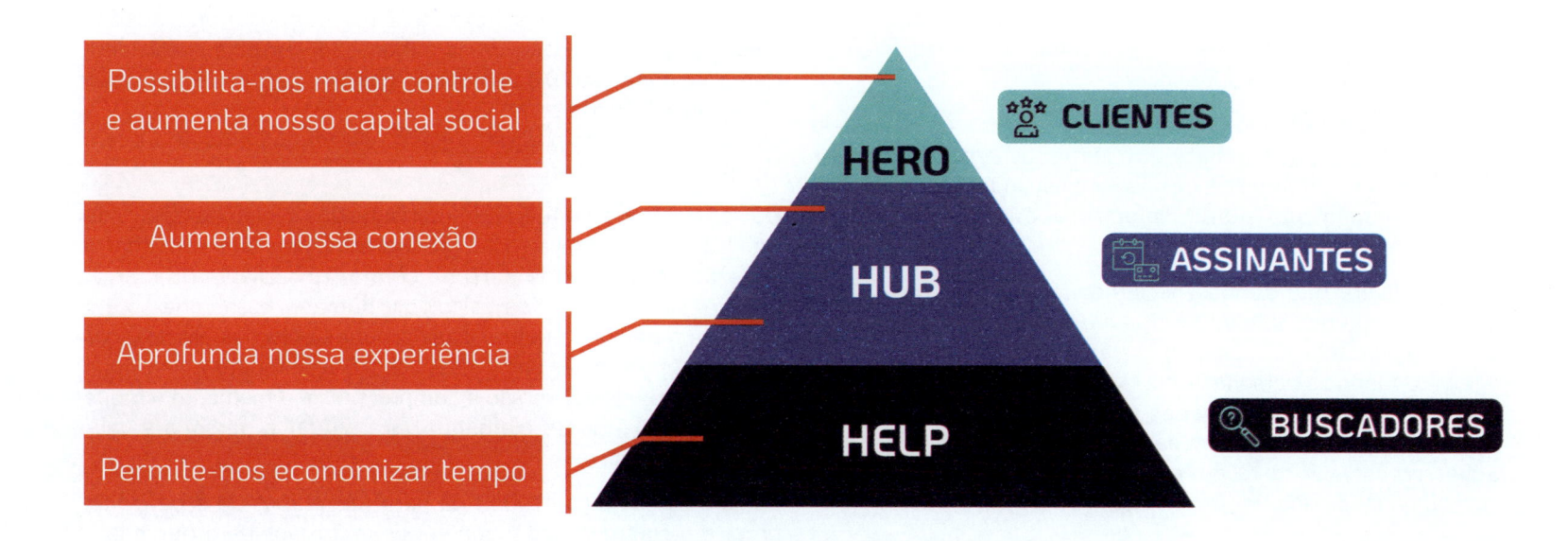

Figura 49 — 3Hs de conteúdo e as forças da psicologia humana

Vamos adicionar agora uma nova camada ao nosso framework do Unbound Marketing. Aqui entram conteúdos help, hub e hero.

Eu adaptei o conceito dos 3Hs, que era focado em vídeos para o YouTube, e o relacionei ao algoritmo humano para ajudar a formar a mentalidade para a criação de iniciativas e conteúdo dentro da jornada do cliente.

Nas duas primeiras etapas da jornada, as pessoas estão procurando algo que preencha uma necessidade ou desejo, ou seja, que as ajude a cumprir um objetivo pessoal, resolver uma dor etc. Elas não buscam necessariamente um produto. Sendo assim, ao criarmos iniciativas e conteúdos do tipo help, que correspondam ao que as pessoas estão buscando e as ajudem a economizar tempo nessa missão, teremos maior sucesso.

Para criar conteúdo tipo help, você deve usar o próprio modelo mental de busca que o público-alvo já tem, ou seja, quando fizer uma pesquisa na internet, você deve corresponder com conteúdo produzido pela sua marca, ajudando as pessoas a economizarem tempo.

O conteúdo tipo hub atende à necessidade do público de se aprofundar naquilo que sabemos enquanto especialistas no assunto do nosso mercado. Esse conteúdo é entregue na etapa de consideração, quando a persona visitou a sua bio no Instagram, já está seguindo sua marca nas redes sociais, assinou seu canal no YouTube, preencheu um formulário para baixar um material rico e quer receber mais conteúdo semelhante ao que encontrou quando buscou na etapa anterior da jornada.

É entre as etapas de consideração e conversão que temos a oportunidade de falar um pouco mais sobre a marca e sua solução. O conteúdo tipo hub sobre a própria marca deve ajudar a persona a ter novas experiências, pois é o início do convite ao novo mundo, conforme o arco da jornada do herói.

O hub é regido por uma sistemática de canal. Temos que entender que as pessoas estão dentro do nosso canal, e todo canal, para ter sucesso, precisa de regularidade, com uma programação previsível. Isso significa ter linhas editoriais específicas, manter a consistência da identidade e da linguagem visual, para que as pessoas passem a ser educadas no mundo novo da marca.

Essa sistemática de canal é importante também para criar uma expectativa nas pessoas, levando-as a assinarem seu canal para não perder as novidades. Portanto, é necessário ter uma agenda consistente (dias e horários de publicação), formato consistente (template por editoria) e elementos consistentes (hashtags, emojis, stickers etc.). Pense como se o seu canal fosse um canal de TV a cabo, em que cada programa passa em um dia e horário e tem sua própria identidade.

Outro fator importante na característica das iniciativas dentro do tipo hub é que a prova social precisa estar presente para criar a conexão necessária da persona com a tribo-cliente da marca. Lembre-se das forças da psicologia humana, essa conexão é o que fará a persona quebrar suas próprias objeções ao enxergar que seus semelhantes têm sucesso com o seu produto. Intensifique isso na etapa de conversão e compra, pois é o momento em que você precisará desse elemento para ajudar a persona a validar seu negócio.

Por fim, temos o conteúdo tipo hero nas etapas da experiência própria e compartilhada: conteúdos exclusivos para quem já é cliente, para elevar seu capital social.

Após a compra, temos que continuar nos comunicando com o cliente de forma ativa para superar as expectativas. Isso significa manter um relacionamento próximo com o cliente, para transformá-lo em um promotor da marca.

Por isso, temos que enaltecer o cliente e fazê-lo se sentir privilegiado. No final das contas, ele é o herói da nossa jornada e, portanto, merece ações do tipo hero. Exclusividade de conteúdo, eventos, promoções, benefícios etc., para que essas pessoas queiram, inconscientemente, compartilhar essa experiência para aumentar seu capital social nas redes sociais.

Observe que cada um dos Hs corresponde a uma força do algoritmo humano e está intrinsicamente ligado às etapas da jornada do cliente. Veja a Figura 50.

Figura 50 – Os 3Hs na jornada do cliente

Resumidamente, podemos definir os 3Hs na jornada do cliente da seguinte forma:

Help

- Força psicológica: economia de tempo
- Nível do funil de marketing: topo e meio
- Objetivo: ajudar as pessoas naquilo que elas procuram, fazendo-as economizar tempo. Se a persona procura a solução para um problema, necessidade ou desejo que tenha a ver com a especialidade da marca, esta deve oferecer um conteúdo ou iniciativa para ajudá-la

Hub

- Forças psicológicas: novas experiências, conexões e tribo
- Nível do funil de marketing: meio e fundo
- Objetivo: aprofundar a experiência da persona através de novos conteúdos e iniciativas, tendo em mente a sistemática de canal para assinantes, aproximando-a da tribo de clientes para aumentar a conexão com a marca

Hero

- Força psicológica: capital social
- Nível do funil de marketing: fundo
- Objetivo: aumentar o capital social dos clientes através de conteúdos e iniciativas exclusivas

Agora você entendeu como as forças psicológicas impactam a forma de pensar na estratégia de iniciativas por etapa da jornada. Porém, para completarmos o algoritmo humano, precisamos entender também como o cérebro funciona nesse contexto.

Sistemas do cérebro

Segundo o psicólogo americano Daniel Kahneman,[31] o nosso cérebro age com base em dois sistemas, o sistema 1 e o sistema 2. Na prática, o sistema 1 é responsável pela maior parte das nossas decisões, por ser mais rápido e mais emocional. Depois, entramos no sistema 2, com o qual prestamos mais atenção e somos mais racionais. Veja a Figura 51.

---

[31] Daniel Kahneman, *Rápido e devagar: duas formas de pensar*, trad. Cássio de Arantes Leite, Rio de Janeiro, Objetiva, 2012.

Sistemas do cérebro

Sistema 1
Emocional

95%

- Rápido
- Automático
- Decisões simples
- Associativo
- Intuitivo

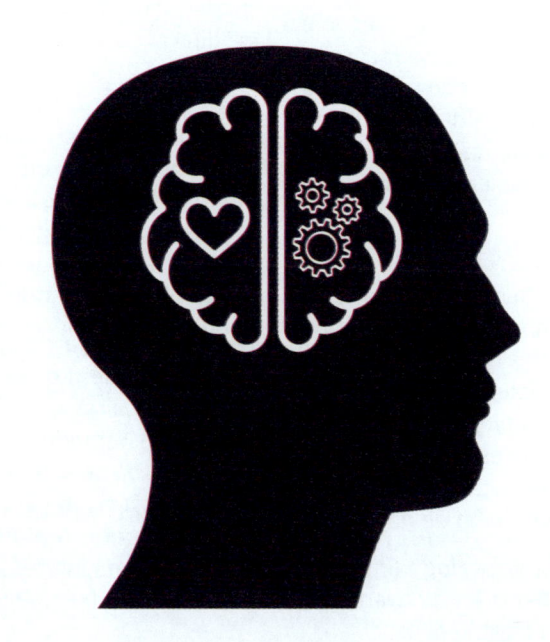

Sistema 2
Racional

5%

- Devagar
- Lógico
- Decisões complexas
- Deliberativo
- Consciente

Figura 51 – Sistemas do cérebro

O sistema 1 opera de forma automática e rápida, com pouco ou nenhum esforço e nenhuma sensação de controle voluntário. Alguns exemplos incluem detectar que um post no feed chama mais atenção do que outro, identificar um rosto amigo ou hostil em uma imagem ou mesmo achar que algo é barato em função do jogo de cores e números. Fazemos essas coisas rapidamente, sem pensamento intencional.

O sistema 2 atribui atenção às atividades mentais que a exigem, incluindo cálculos complexos. Trata-se do eu consciente e racional que tem crenças, faz escolhas e decide o que pensar e fazer. As operações altamente diversas do sistema 2 requerem atenção e são interrompidas quando a atenção é desviada. Alguns exemplos do sistema 2 incluem preencher um formulário na landing page, comparar opções de planos em um website ou ler um e-book de várias páginas.

Usamos os dois sistemas todos os dias em nossas vidas. No entanto, 95% das decisões são automáticas e feitas sem qualquer racionalidade. Outras decisões exigem mais tempo e esforço. Ambos podem ser afetados por noções preconcebidas e outros vieses de acordo com a cultura em que vivemos, a educação que tivemos e o que foi convencionado no mercado. Por exemplo, qualquer preço que termina com 99 parece ser mais barato, em especial se estiver associado a vermelho ou amarelo na comunicação. Assim como vermelho é negativo e azul é positivo num contexto de números.

Outro exemplo interessante são as ofertas por período limitado. As pessoas odeiam perder ofertas. Combinar a lei da aversão à perda com a escassez é matador para uma oferta eficaz.

> **Imagine que você quer comprar um carro, o que você prefere:**
>
> Ganhar 10% de desconto ou evitar um custo adicional de 10% ao valor promocional se não comprar até amanhã?
>
> A maioria das pessoas dirá que prefere evitar um custo adicional de 10%. Como você deve ter percebido, há uma pequena mudança na estrutura da oferta que faz toda a diferença. No entanto, ambas trazem o mesmo resultado.

Sabendo disso, enquanto todos os seus concorrentes tentam convencer o público através do sistema 2, no framework do Unbound Marketing vamos explorar ambos os sistemas, mas com o pensamento criativo do sistema 1, que está continuamente processando informações e moldando respostas em um nível subconsciente e pensando de forma mais intuitiva.

Pense na jornada do cliente e nas cinco etapas. No começo da jornada, ninguém que não conhece a sua marca e não está interessado em algo que ela tem para oferecer vai gastar tempo e energia consumindo um conteúdo denso ou participando de ações complexas. Já se a persona estiver no meio da jornada precisando tomar uma decisão, ela estará mais aberta a consumir um conteúdo mais denso que a ajude no processo. Ela gasta mais tempo e energia, pois há interesse, e o sistema 2 do cérebro passa a operar de forma mais frequente.

Ao final da jornada, quando a persona já é um cliente recorrente e queremos que ela compartilhe sua experiência com a marca, o sistema 1 volta a operar e é mais fácil compartilhar algo rápido e simples do que complexo.

Com base nesse entendimento, vamos adicionar ao framework do Unbound Marketing os sistemas do cérebro e a profundidade do conteúdo/iniciativas para cada etapa da jornada. Veja a Figura 52.

BUMERANGUE

Experiência compartilhada é o novo estímulo

Jornada do Consumidor	DESCOBERTA	CONSIDERAÇÃO	CONVERSÃO / COMPRA	EXPERIÊNCIA PRÓPRIA	EXPERIÊNCIA COMPARTILHADA
Experiência com a marca	IDENTIFICAÇÃO	ENCANTAMENTO	VALIDAÇÃO	IMPRESSÃO	EXPRESSÃO
Objetivos de mídia	{ ALCANCE }	{ FREQUÊNCIA }	{ CONVERSÃO }	{ ENGAJAMENTO	}
	{ HELP }		{ HUB }	{ HERO	}
Sistemas do cérebro	{ SISTEMA 1	}	{ SISTEMA 2 }	{ SISTEMA 1	}
Profundidade	{ MORDIDA }	{ LANCHE }	{ REFEIÇÃO }	{ LANCHE }	{ MORDIDA }

Figura 52 – Sistemas do cérebro e a profundidade das iniciativas associadas ao framework do Unbound Marketing

Profundidade das iniciativas e conteúdo

Ao pensarmos na densidade e na profundidade do que vamos entregar ao longo da jornada do cliente, fica mais fácil moldar as iniciativas e o conteúdo.

Há uma infinidade de possíveis iniciativas e formas de criar o conteúdo, mas a vontade do público-alvo de se envolver com a sua marca depende de uma variedade de fatores que estamos vendo nesta obra. Uma delas é como calibrar as iniciativas e o conteúdo para atender a persona em seus diversos estágios no funil de marketing e nas etapas da jornada dela como cliente.

A abordagem "mordida, lanche, refeição" ajuda você a se lembrar dos sistemas do cérebro para obter aderência máxima do público.

Eu defini como "mordida" as ações mais simples, rápidas e curtas. Pílulas de conteúdo, como infográficos, listas, campanhas com anúncios estáticos e iniciativas sem exigir racional algum do público, como no case da chuva de Crocantíssimo (Figura 41), que entregou uma experiência simples e divertida, mas que pôs o produto no radar.

Na etapa de descoberta, não é hora de aprofundar e ficar falando dos diferenciais da marca, por exemplo; é hora de pôr o produto no radar, através de entregas do tipo help ao nível do sistema 1 do cérebro.

Muitas das iniciativas na etapa de descoberta acontecerão no feed das redes sociais, em que temos milissegundos para atrair a atenção. Uma equipe de neurocientistas do MIT descobriu que o cérebro humano pode processar imagens inteiras que o olho vê em apenas 13 milissegundos.[32] O cérebro humano pode reconhecer um objeto familiar em apenas 100 milissegundos,[33] tornando o conteúdo curto a maneira perfeita de se comunicar no mundo da atenção de hoje.

Um estudo da Microsoft[34] descobriu que, desde o ano de 2000 (início aproximado da revolução da internet), o tempo médio de atenção caiu de 12 segundos para 8 segundos. Não por acaso, os vídeos de 6 segundos estão fazendo sucesso. Um estudo[35] recente da Universidade da Dinamarca afirma que a nossa atenção está se estreitando devido à abundância de informações que nos são apresentadas, principalmente por causa das mídias sociais. E que só podemos nos concentrar em cada nova "informação" por um curto período.

Já a profundidade "lanche" oferece ações com um pouco mais de informações, mas ainda sem a necessidade de fazer a persona parar para racionalizar sobre algo. Na etapa

---

[32] Anne Trafton, In the Blink of an Eye, *MIT News*, 16 jan. 2014. Disponível em: https://news.mit.edu/2014/in-the-blink-of-an-eye-0116. Acesso em: 22 fev. 2021.

[33] Human Brain Can Recognize Objects Much Faster Than Some Have Thought, *Science News*, 4 maio 2009. Disponível em: https://www.sciencedaily.com/releases/2009/04/090429132231.htm. Acesso em: 22 fev. 2021.

[34] Microsoft Canada, Attention Spans, 2015. Disponível em: http://dl.motamem.org/microsoft-attention-spans-research-report.pdf. Acesso em: 22 fev. 2021.

[35] Abundance of Information Narrows Our Collective Attention Span, *Science News*, 15 abr. 2019. Disponível em: https://www.sciencedaily.com/releases/2019/04/190415081959.htm. Acesso em: 22 fev. 2021.

de consideração, vídeos de até 30 segundos, landing pages com um único call-to-action (CTA), InMail no LinkedIn, stories patrocinados e artigos de blog com títulos de lista são exemplos.

Na etapa de conversão e compra, temos as iniciativas do tipo "refeição". Nesse momento, a persona já está mais envolvida com a marca e interessada em seu produto. Portanto, podemos entregar algo maior, como um vídeo de 1 minuto, vídeo de depoimento, um comparativo, relatório, webinário, estudos de caso ou e-book de fundo de funil, pois elas estão mais convencidas de que vale a pena investir tempo e energia para tomar uma decisão consciente e inteligente.

A partir do momento em que a persona se tornou cliente, podemos gerar estímulos para que ela se torne promotora da marca. Entramos, portanto, na etapa da experiência própria, que pede iniciativas e conteúdo do tipo "lanche", porém exclusivo.

Na etapa da experiência compartilhada, temos que entregar iniciativas e conteúdo do tipo "mordida", para estimular que o cliente engaje sem pensar. Tem que ser algo natural para o cliente e que se torne benéfico para seu capital social. Você pode perceber que a maioria dos conteúdos compartilhados no WhatsApp ou no Facebook, principalmente o que viraliza, é mais simples, rápido e curto.

Em resumo, esse modelo de sistemas do cérebro e a profundidade aplicada no framework do Unbound Marketing visam aumentar a probabilidade de atrair e reter a atenção da persona ao longo da jornada dela.

Essas quedas de atenção estão fortemente relacionadas à adoção da banda larga, dos smartphones, ao crescimento das mídias sociais e do consumo de *video on demand*.

Atualmente, as pessoas usam diversos dispositivos, o que significa que elas têm infinitas opções de qual conteúdo consumir e a forma de fazê-lo. Essa é uma das razões pelas quais nos tornamos imediatistas.

Vivemos hoje a "síndrome do dedo nervoso", arrastando o feed das redes sociais o tempo todo, e praticamente não usamos o sistema 2 para nada.

A competição para captar a atenção por meio da publicidade só ficará mais intensa. Por isso, as marcas mais bem-sucedidas serão aquelas capazes de fortalecer seus relacionamentos com o consumidor e depender cada vez menos da mídia paga.

O que você vende vs o que você sabe

Como você já deve ter percebido a esta altura do livro, uma estratégia bem-sucedida em ambiente digital vai muito além de ficar fazendo propaganda ostensiva nas redes sociais, focada apenas em vender para o próximo cliente.

Para que a estratégia baseada no framework do Unbound Marketing funcione bem, é necessário aplicar a proporção da Lei de Pareto — 80/20 — na distribuição do teor das iniciativas.

Do total de iniciativas, 80% delas precisam ter o teor daquilo que sabemos para entregar valor, porque as pessoas se interessam pelo que conhecemos e não pelo que vendemos. Isso vai garantir uma frequência de exposição que ajudará a aumentar o reconhecimento de marca. Nos 20% restantes, aí sim temos que falar daquilo que vendemos e pedir valor, em paralelo, para poder posicionar a marca e fazer a frequência necessária para aumentar também a intenção de compra. Veja a Figura 53.

BUMERANGUE

Experiência compartilhada é o novo estímulo

Jornada do Consumidor: DESCOBERTA — CONSIDERAÇÃO — CONVERSÃO / COMPRA — EXPERIÊNCIA PRÓPRIA — EXPERIÊNCIA COMPARTILHADA

Experiência com a marca: IDENTIFICAÇÃO — ENCANTAMENTO — VALIDAÇÃO — IMPRESSÃO — EXPRESSÃO

Arco da história: { MUNDO ATUAL } { CHAMADO – MUNDO NOVO } { TRANSFORMAÇÃO }

Sistemas do cérebro: { SISTEMA 1 } { SISTEMA 2 } { SISTEMA 1 }

O QUE EU SEI
O QUE EU VENDO

Figura 53 – Lei de Pareto e a distribuição sobre o que se sabe vs o que se vende

Por que 80%? Porque, na maior parte do tempo, as pessoas estão buscando informação, conteúdo, conhecimento, em suma, uma solução para um problema, ou cumprir um objetivo. E nós, enquanto criadores do nosso produto, somos especialistas no assunto daquilo que vendemos. Qual é a dor que o seu negócio resolve? É entender dessa dor que fez você ter fit de mercado em primeira instância. Por que você é a melhor empresa ou pessoa para falar desse assunto? Se você vende algo, deveria ser especialista no mercado em que está inserido e na dor que resolve. Isso é sobre o que você sabe.

Por exemplo, a mLabs é uma plataforma de gestão de redes sociais, modelo SaaS (software as a service/software como serviço). Para criar a mLabs, tive que estudar muito sobre como as plataformas de redes sociais operam, seus algoritmos, métricas, o que funciona ou não, para poder inserir esse conhecimento dentro do produto. Portanto, em vez de ficarmos falando de como a mLabs é completa, com o melhor custo-benefício, com os diferenciais A ou B, falamos sobre como ter mais resultados através de marketing em redes sociais em 80% do tempo em nossa comunicação, pois somos especialistas nisso.

Dentro desse contexto, podemos até falar do produto, da marca e dos seus diferenciais, mas priorizamos a criação de conteúdo relevante em redes sociais, blogs, canais de YouTube etc. Isso é o que atrai a atenção e retém o público em primeira instância, pois é exatamente a dor que a nossa persona tem.

Em 20% do tempo, fazemos campanhas com propaganda do produto dentro das redes sociais, tendo como premissa impactar as mesmas pessoas, conforme a frequência que abordamos no capítulo sobre dimensões de mídia.

Como você pôde observar na Figura 53, somente na etapa de conversão e compra as linhas se invertem. Isso acontece porque, nessa etapa, a persona está mais aberta a receber propaganda, ofertas, remarketing; ou seja, é necessário estabelecer uma frequência de propaganda para aumentar a intenção de compra e dar aquele "empurrãozinho" na conversão. As linhas ocorrem em paralelo ao longo de toda a jornada, justamente para fazer frequência que opere tanto na lembrança de marca quanto na intenção de compra. Não pode ser uma coisa ou outra.

Assim, finalizamos o passo 3 da metodologia do Unbound Marketing com todas as camadas conceituais apresentadas (Figura 54) para que você consiga montar a sua estratégia.

FRAMEWORK ESTRATÉGICO DO UNBOUND MARKETING

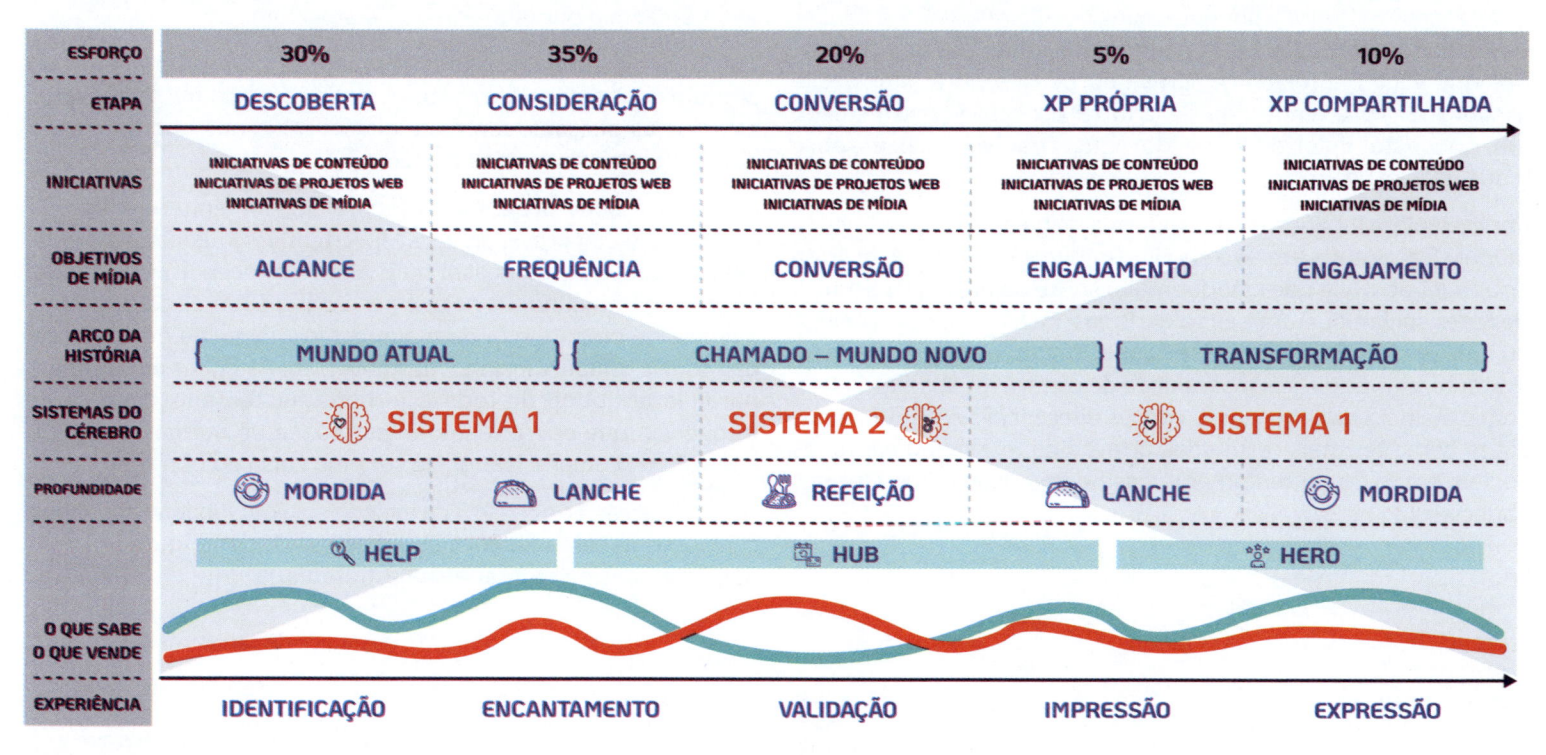

ESFORÇO	30%	35%	20%	5%	10%
ETAPA	DESCOBERTA	CONSIDERAÇÃO	CONVERSÃO	XP PRÓPRIA	XP COMPARTILHADA
INICIATIVAS	INICIATIVAS DE CONTEÚDO / INICIATIVAS DE PROJETOS WEB / INICIATIVAS DE MÍDIA	INICIATIVAS DE CONTEÚDO / INICIATIVAS DE PROJETOS WEB / INICIATIVAS DE MÍDIA	INICIATIVAS DE CONTEÚDO / INICIATIVAS DE PROJETOS WEB / INICIATIVAS DE MÍDIA	INICIATIVAS DE CONTEÚDO / INICIATIVAS DE PROJETOS WEB / INICIATIVAS DE MÍDIA	INICIATIVAS DE CONTEÚDO / INICIATIVAS DE PROJETOS WEB / INICIATIVAS DE MÍDIA
OBJETIVOS DE MÍDIA	ALCANCE	FREQUÊNCIA	CONVERSÃO	ENGAJAMENTO	ENGAJAMENTO
ARCO DA HISTÓRIA	MUNDO ATUAL	CHAMADO – MUNDO NOVO	CHAMADO – MUNDO NOVO	TRANSFORMAÇÃO	TRANSFORMAÇÃO
SISTEMAS DO CÉREBRO	SISTEMA 1	SISTEMA 2	SISTEMA 2	SISTEMA 1	SISTEMA 1
PROFUNDIDADE	MORDIDA	LANCHE	REFEIÇÃO	LANCHE	MORDIDA
	HELP	HELP	HUB	HERO	HERO
O QUE SABE / O QUE VENDE					
EXPERIÊNCIA	IDENTIFICAÇÃO	ENCANTAMENTO	VALIDAÇÃO	IMPRESSÃO	EXPRESSÃO

Figura 54 – Framework estratégico do Unbound Marketing

Revise todas as suas iniciativas de conteúdo, projetos web e mídia que mapeou no funil de ideação e colocou na primeira versão desse framework (Figura 38) de acordo com o entendimento de todas as camadas. Repense e redistribua as iniciativas se for necessário.

No passo 4, a seguir, iremos definir as linhas editoriais, como criar para os 3Hs, distribuir a frequência de postagem, quais ferramentas implementar, como escolher influenciadores digitais, como otimizar a mídia paga, como monitorar as mídias sociais, como transformar o cliente em nanoinfluenciador e como criar um programa de indicação.

PASSO 4
TÁTICA

Esse passo irá ajudá-lo em definições importantes na hora da execução da estratégia. Você é o protagonista para pensar em iniciativas, tecnologias, canais, estratégias e metodologias concomitantes, mas eu vou clarear o caminho mais provável de sucesso com base na minha experiência de mais de duas décadas criando e executando estratégias.

Em geral, vamos preencher o framework do Unbound Marketing com a definição dos seguintes elementos táticos:

- Linhas editoriais
- Canais
- Influenciadores digitais
- Estratégias concomitantes
- Metodologias concomitantes

Veremos também como montar um plano de conteúdo baseado na distribuição das linhas editoriais e verba de mídia paga, como montar um calendário baseado na jornada do cliente e em sazonalidades, e como criar para cada etapa da jornada usando os 3Hs.

Como parte da operação fundamental da execução, vou ensinar como monitorar as mídias sociais para obter insights para todas as áreas do negócio.

Lembrando que a missão do Unbound Marketing é captar clientes nas redes sociais e transformá-los em promotores da marca.

Vamos discorrer também sobre os incentivos que você pode fazer para que a etapa da experiência compartilhada seja um sucesso.

Por fim, mostrarei como você pode criar um plano de implementação e priorizar, de fato, o que será executado de acordo com a viabilidade de tempo e dinheiro.

Plano de conteúdo

No passo 3 da estratégia, você entendeu toda a sequência lógica por trás do pensamento da metodologia do Unbound Marketing. Chegou a hora de montar o plano de conteúdo do passo tático. O plano de conteúdo é formado por cinco dimensões:

1. Linhas editoriais
2. Canais de distribuição
3. Formatos
4. Calendário
5. Frequência de publicação

Linhas editoriais

Linhas editoriais são agrupamentos de assuntos ou temas de conteúdo com o objetivo de informar, educar ou entreter, e sem a pretensão primária de vender algo. Um conteúdo editorial é considerado o oposto de conteúdo comercial ou anúncios em campanhas.

Na metodologia do Unbound Marketing, temos que definir linhas editoriais para cada etapa da jornada do cliente e por persona. Isso facilitará seu processo de criação e distribuição de conteúdo, pois você terá em mente a persona, o status dela na jornada e o objetivo de cada etapa. Veja a Figura 55.

BUMERANGUE

Experiência compartilhada é o novo estímulo

Jornada do Consumidor

- DESCOBERTA
- CONSIDERAÇÃO
- CONVERSÃO / COMPRA
- EXPERIÊNCIA PRÓPRIA
- EXPERIÊNCIA COMPARTILHADA

Experiência com a marca

| IDENTIFICAÇÃO | ENCANTAMENTO | VALIDAÇÃO | IMPRESSÃO | EXPRESSÃO |

Status da persona

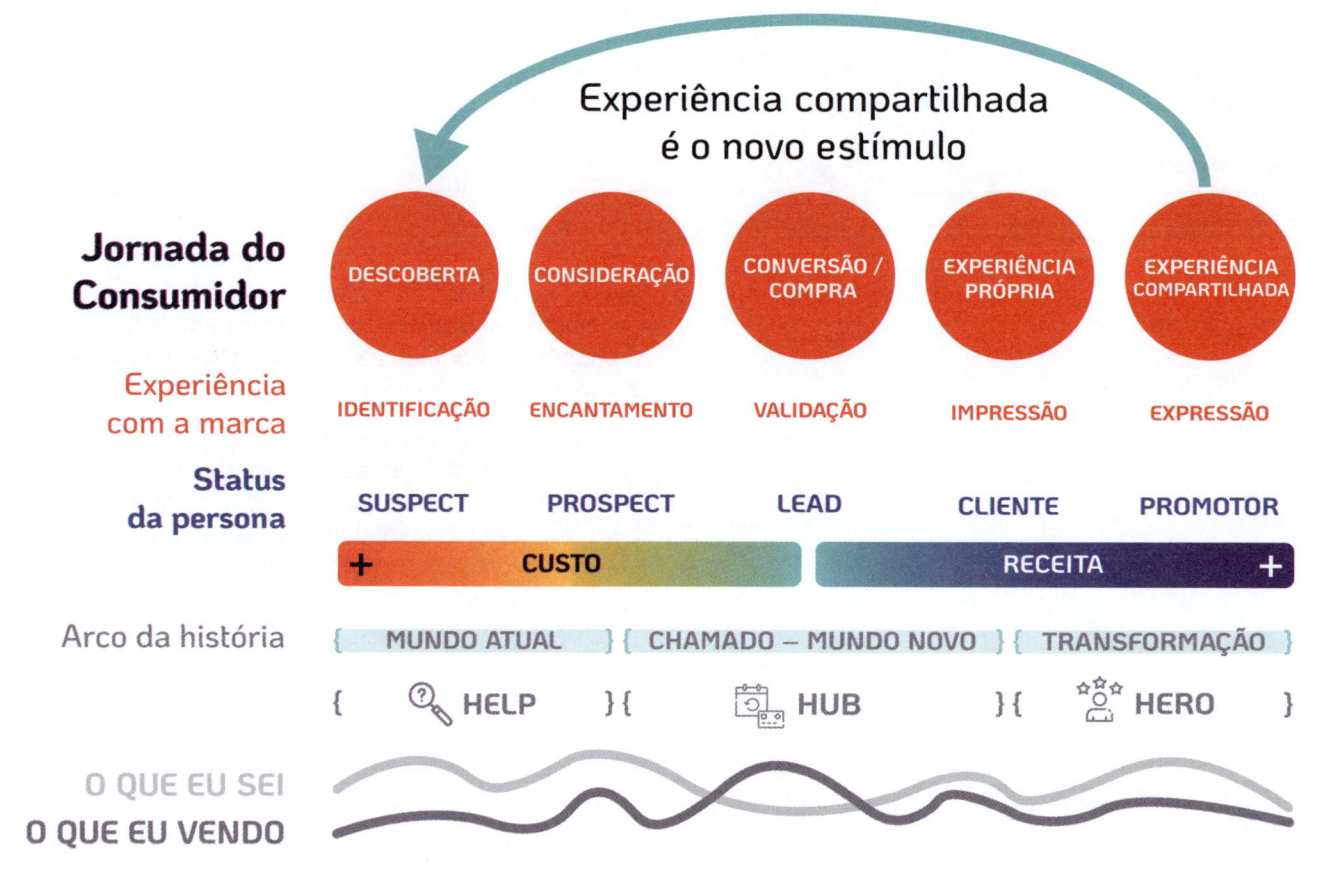

| SUSPECT | PROSPECT | LEAD | CLIENTE | PROMOTOR |

+ CUSTO — RECEITA +

Arco da história

{ MUNDO ATUAL } { CHAMADO – MUNDO NOVO } { TRANSFORMAÇÃO }

{ HELP } { HUB } { HERO }

O QUE EU SEI
O QUE EU VENDO

Figura 55 – Status da persona por etapa da jornada do cliente

Descoberta

Objetivo da experiência: identificação

Status da persona: suspect

Tipo de conteúdo: help

Nível do funil de marketing: topo de funil

Exemplos de linhas editoriais: notícias, insights de mercado, dicas rápidas

Exemplos de formatos: listas, carrossel, pin girafa (Pinterest), vídeos de 6 a 15 segundos

Exemplos de canais de distribuição: Facebook, Instagram feed, Instagram Reels, Pinterest, TikTok e LinkedIn

Consideração

Objetivo da experiência: encantamento

Status da persona: prospect

Tipo de conteúdo: help para os prospects menos maduros e hub para os prospects mais maduros

Nível do funil de marketing: meio de funil

Exemplos de linhas editoriais: DIY (Do it yourself/Faça você mesmo), receitas, pesquisas, estudos

Exemplos de formatos: artigos no blog, carrossel, vídeos de 15 a 60 segundos, e-book

Exemplos de canais de distribuição: blog, landing pages, YouTube, Facebook, Instagram feed, Instagram IGTV, Pinterest, TikTok, LinkedIn e Google Meu Negócio

Conversão

Objetivo da experiência: validação

Status da persona: lead

Tipo de conteúdo: hub

Nível do funil de marketing: fundo de funil

Exemplos de linhas editoriais: produtos, cases de sucesso, depoimentos, comparativos

Exemplos de formatos: imagem, artigos no blog, vídeos de 1 a 5 minutos, whitepaper, webinários

Exemplos de canais de distribuição: blog, YouTube, Facebook, Instagram feed, Instagram stories, landing pages, website

Experiência própria

Objetivo da experiência: impressão

Status da persona: cliente

Tipo de conteúdo: hub para clientes com nota de NPS abaixo de 8 e hero para clientes com nota de NPS acima de 8

Nível do funil de marketing: fundo de funil

Exemplos de linhas editoriais: cobertura de eventos, cultura da marca, dicas de outros clientes, FAQ, pesquisas exclusivas, dicas avançadas, entrevistas

Exemplos de formatos: imagem, vídeos de 1 a 5 minutos, lives, stories, podcasts

Exemplos de canais de distribuição: Instagram stories (Close friends/Melhores amigos), Spotify, LinkedIn, YouTube (link privado), grupo no Facebook, grupo no Telegram, e-mail, WhatsApp (lista de transmissão)

Experiência compartilhada

Objetivo da experiência: expressão

Status da persona: promotora

Tipo de conteúdo: hero

Nível do funil de marketing: topo de funil

Exemplos de linhas editoriais: UGC

Exemplos de formatos: foto, vídeos de 15 a 60 segundos em feed, vídeos de 1 a 5 minutos em YouTube, stories, avaliações em texto

Exemplos de canais de distribuição: Instagram feed, Facebook, Instagram stories, YouTube, Google Meu Negócio, Trip Advisor

Em todos os momentos, você deve posicionar sua marca e pode colocar o produto no contexto, desde que de forma criativa e útil, como um elemento do universo da história e não como o protagonista. Lembre-se de que o protagonista sempre será a persona, e a sua marca é a mentora.

Em um caso clássico, de um negócio que tem mais de um produto, é necessário encontrar um equilíbrio na divulgação de todos os produtos do mix. Vamos imaginar, como exemplo, uma marca da indústria de panificação, que tem as categorias de pães especiais, pães brancos, bolos e torradas. Cada categoria tem um gerente que quer falar do seu produto dentro do canal oficial da marca no Instagram. Como equalizar isso?

Nesse caso, temos que considerar a estratégia de negócio. Qual é o produto que garante maior margem de lucro ou o que queremos trabalhar mais ao longo do ano? Esse produto, naturalmente, precisará estar presente na maior parte dos posts das editorias das etapas de consideração e conversão.

Considerando um planejamento anual para estabelecer um calendário, há lançamentos de produtos ou sazonalidades entre as categorias? Se houver um lançamento em abril, por exemplo, é natural que nesse período tal produto seja mais frequente nas editorias. Caso em dezembro haja um item sazonal, como, por exemplo, o panetone, é natural que as editorias tenham mais panetones em seu contexto.

Canais e formatos

Os canais de distribuição variam e escolhê-los depende do conhecimento que você tem sobre a sua persona conforme o diagnóstico. No entanto, veja que, nos exemplos que dei, há, nas linhas editoriais, uma lógica que rege a escolha. No começo da jornada, escolha canais mais amplos e públicos, e no fim da jornada, canais mais estreitos e exclusivos para clientes.

{ TOPO } { MEIO } { FUNDO } { FUNDO } { TOPO }

CANAIS DE MÍDIA PAGA

CANAIS DE MÍDIA PRÓPRIA

Figura 56 – Exemplos de canais ao longo da jornada do cliente

Parte da escolha dos canais também tem a ver com os formatos que eles permitem. Por exemplo, no caso do TikTok, o algoritmo entrega o conteúdo mesmo sem ter seguidores, e o formato dos vídeos curtos é perfeito para a etapa da descoberta. Já o Telegram é muito bom para distribuir conteúdo para clientes, pois permite criar áudios mais personalizados, dando um ar de exclusividade para os canais privados. Veja a Figura 57.

{ TOPO }	{ MEIO }	{ FUNDO }	{ FUNDO }	{ TOPO }
EDITORIAS				
EDITORIA 1 EDITORIA 2	EDITORIA 3 EDITORIA 4	EDITORIA 5 EDITORIA 6	EDITORIA 7 EDITORIA 8	EDITORIA 9 EDITORIA 10
FORMATOS DE CONTEÚDO				
Listas Carrossel Pin Vídeos de 6 a 15"	Artigos Carrossel E-book Vídeos de 15 a 60"	Artigos Whitepaper Webinários Vídeos de 1 a 5'	Lives Stories Podcasts Vídeos de 1 a 5'	Foto Stories Texto Vídeos de 15 a 60"
{ MORDIDA }	{ LANCHE }	{ REFEIÇÃO }	{ LANCHE }	{ MORDIDA }

Figura 57 – Distribuição dos formatos de conteúdo de acordo com a jornada do cliente

O blog é um canal particular dentro do plano tático, pois ele cumpre um papel importante dentro do SEM (Search Engine Marketing) e pode disponibilizar, inclusive, artigos bastante aprofundados, pois o objetivo é ser encontrado nos buscadores em primeira instância e aumentar a autoridade da marca.

Calendário

Em seguida, podemos posicionar as editorias em diversos tipos de calendários, levando em consideração as possíveis influências dos dias da semana e horários, ou mesmo em dias dentro do ciclo da jornada da persona.

Uma editoria de happy hour, por exemplo, pode ser colocada sempre às quintas-feiras às 17h. Já uma editoria de receitas de fim de semana, posicionada às sextas-feiras pela manhã. Ou seja, devemos levar em conta o modelo mental de decisão de compra dos clientes e em quais momentos da jornada eles estão mais abertos às mensagens dessas editorias. Assim, quando programarmos o conteúdo, ele pode ser agendado para dias e horários mais estratégicos. Veja a Figura 58.

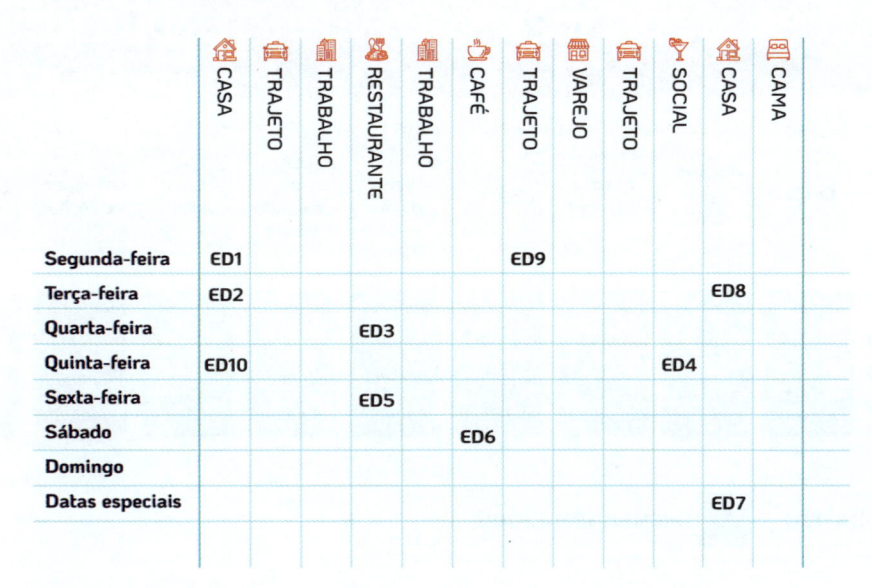

	CASA	TRAJETO	TRABALHO	RESTAURANTE	TRABALHO	CAFÉ	TRAJETO	VAREJO	TRAJETO	SOCIAL	CASA	CAMA
Segunda-feira	ED1					ED9						
Terça-feira	ED2										ED8	
Quarta-feira				ED3								
Quinta-feira	ED10									ED4		
Sexta-feira				ED5								
Sábado						ED6						
Domingo												
Datas especiais										ED7		

Figura 58 – Distribuição de editorias (ED) por dia da semana e momentos do dia

Na metodologia do Unbound Marketing, o mais importante é construir um calendário transmídia que contenha uma única mensagem central por flight.

Flight, no jargão de planejamento de mídia, se refere ao período em que a campanha está sendo veiculada. Geralmente, toda campanha pode ter um ou mais flights. Em cada flight, há uma mensagem central, porém dentro do mesmo conceito criativo.

Esse conceito é importante, pois geralmente em um calendário de conteúdo padrão, o tático acaba se resumindo por quantidade de posts no mês e a pauta que cada um terá, sem considerar etapas da jornada e muito menos a frequência de impactos para a mesma pessoa. Isso significa que cada publicação terá uma mensagem e, provavelmente, irá alcançar pessoas diferentes ao longo do mês. Veja a Figura 59.

PADRÃO: POSTS COM MENSAGENS DIFERENTES

CALENDÁRIO MENSAL PARA TON VERDE

Criativo	Mensagem-chave
Dia da moda	Celebre o dia da moda
Oferta	Leve 2 e pague 1
Parceria com ONG	Nós nos preocupamos com os outros
Dia das Crianças	Demonstre amor pelo seu filho
Estilo	Dicas de estilo
Look do dia	Faça você mesmo
Repost de influenciador	Influenciador provou o produto
Sustentável	Missão da empresa
Nova coleção	Detalhes da nova coleção
Compre agora	Não espere, compre agora

Figura 59 – Calendário padrão de publicações usando a marca Ton Verde como exemplo

No calendário padrão, a pessoa impactada acaba recebendo uma mensagem isolada e fragmentada, que se conecta somente com o objetivo de lembrança de marca, mas não eleva a intenção de compra. Ao contrário do calendário padrão, temos que criar um calendário transmídia no qual, dentro de um período — flight —, haja uma mensagem central e todas as publicações entreguem um pedaço dela para a persona, usando o melhor formato de cada canal para ter eficiência na entrega ao longo da jornada. Veja a Figura 60.

TRANSMÍDIA: CONSTRUÇÃO DE MENSAGEM

CALENDÁRIO QUINZENAL PARA TON VERDE

A nova coleção é feita com materiais reciclados, inspirada no conceito *nowism**

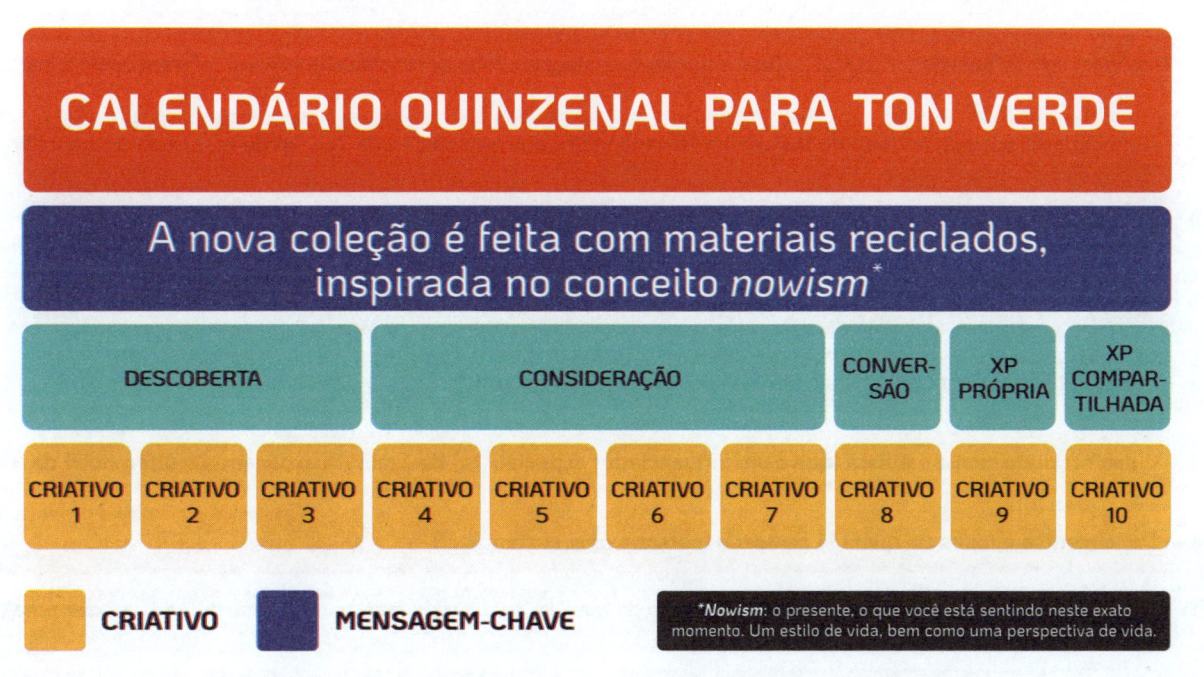

DESCOBERTA			CONSIDERAÇÃO				CONVERSÃO	XP PRÓPRIA	XP COMPARTILHADA
CRIATIVO 1	CRIATIVO 2	CRIATIVO 3	CRIATIVO 4	CRIATIVO 5	CRIATIVO 6	CRIATIVO 7	CRIATIVO 8	CRIATIVO 9	CRIATIVO 10

■ CRIATIVO   ■ MENSAGEM-CHAVE

*Nowism: o presente, o que você está sentindo neste exato momento. Um estilo de vida, bem como uma perspectiva de vida.

Figura 60 – Calendário transmídia de publicação usando a marca Ton Verde como exemplo

No calendário transmídia, usando a mídia paga, conseguimos garantir que as publicações certas cheguem às pessoas nas etapas certas, construindo a mensagem central na mente delas de forma a elevar a lembrança de marca e, principalmente, a intenção de compra.

No exemplo da Ton Verde, poderíamos ter uma sequência de publicações assim:

CRIATIVO 1 — Reels no Instagram com publicação também no feed falando do conceito *nowism*

CRIATIVO 2 — Publipost com influenciador digital no feed e stories do Instagram falando do conceito *nowism* referenciando a marca Ton Verde

CRIATIVO 3 — Anúncio patrocinado no feed do Instagram falando sobre a nova coleção da Ton Verde inspirada no conceito *nowism*

CRIATIVO 4 — Artigo no blog sobre o conceito *nowism* contando também sobre a nova coleção

CRIATIVO 5 — Pin girafa no Pinterest com o processo de criação da nova coleção

CRIATIVO 6 — Carrossel no feed do Instagram com os produtos da nova coleção

CRIATIVO 7 — Vídeo cocriado com o estilista (que é um influenciador especialista) de 1 minuto explicando o diferencial da nova coleção

CRIATIVO 8 — Depoimentos e looks de quem já comprou (persona mãe sustentável)

CRIATIVO 9 — Live exclusiva para quem comprou algum produto da nova coleção ou da marca, para tirar dúvidas e fazer uma consultoria grátis de composição visual

CRIATIVO 10 — UGC de nanoinfluenciadores, dando como benefício desconto em novas compras

Através dessa sequência de dez criativos ao longo de quinze dias, observe que a mensagem central é a mesma — a nova coleção inspirada no conceito nowism —, distribuída de acordo com a jornada e usando o melhor formato de cada canal para ter relevância na entrega do conteúdo.

Tendo o calendário transmídia em mente, você pode criar um calendário anual, definindo todos os flights e suas respectivas mensagens centrais ao longo dos meses. No exemplo da Ton Verde, trabalhamos com flights quinzenais, portanto, no ano teríamos aproximadamente 24 flights, 2 por mês. Veja o exemplo da Figura 61.

CALENDÁRIO TRANSMÍDIA

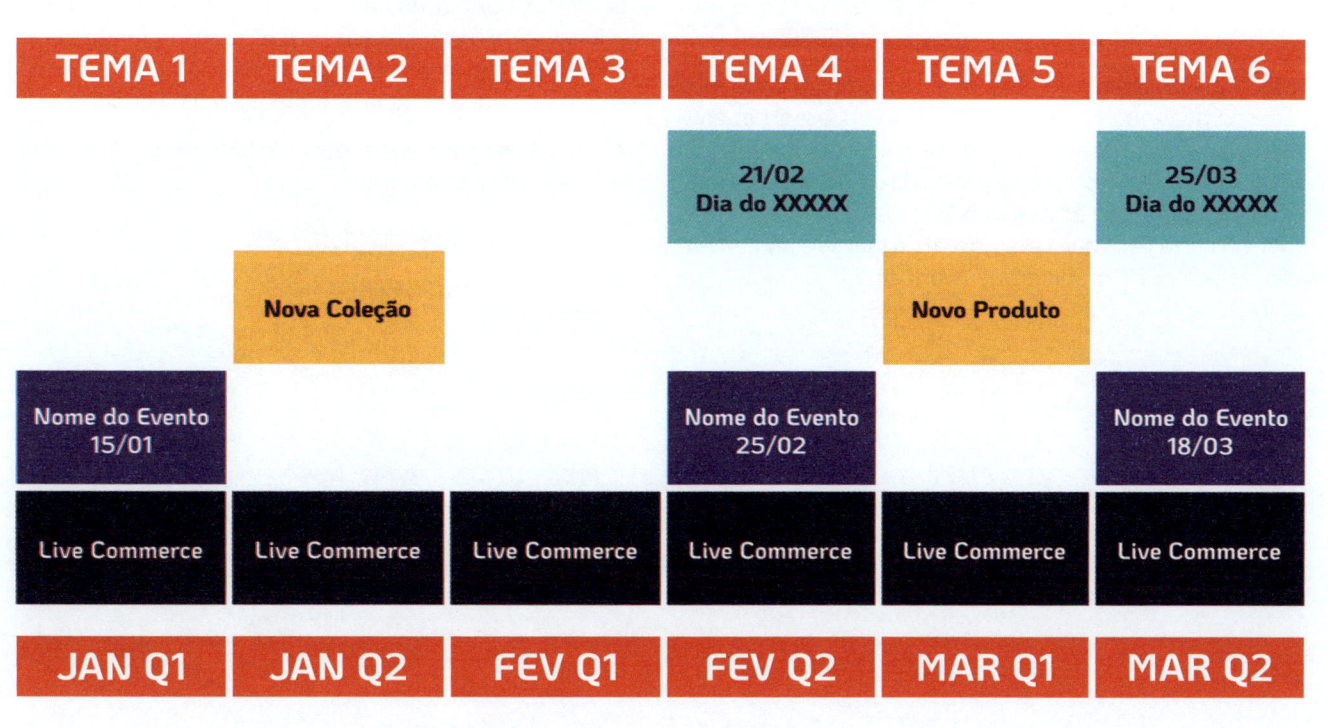

TEMA 1	TEMA 2	TEMA 3	TEMA 4	TEMA 5	TEMA 6
			21/02 Dia do XXXXX		25/03 Dia do XXXXX
	Nova Coleção			Novo Produto	
Nome do Evento 15/01			Nome do Evento 25/02		Nome do Evento 18/03
Live Commerce	Live Commerce	Live Commerce	Live Commerce	Live Commerce	Live Commerce
JAN Q1	JAN Q2	FEV Q1	FEV Q2	MAR Q1	MAR Q2

Figura 61 – Exemplo de calendário transmídia separado por quinzenas

Devemos considerar, portanto: os temas a serem abordados, os conteúdos dentro de cada tema, as datas do varejo e os eventos que envolvem a marca. Os eventos, por sua vez, não necessariamente precisam estar relacionados às temáticas eleitas para a criação dos conteúdos — assim como os conteúdos de blog e YouTube voltados para SEO podem ter independência do tema central do flight.

Frequência de publicação

A definição do plano de conteúdo no passo 4 do Unbound Marketing tem muito a ver com a frequência de publicação, assunto que está diretamente relacionado à mídia paga nesta metodologia.

Lembre-se de que frequência significa quantas vezes impactamos a mesma pessoa ao longo de um período. Não necessariamente quantos posts fizemos, porque podemos publicar posts todos os dias, e esses posts podem alcançar pessoas diferentes a cada dia. É fundamental alcançarmos as mesmas pessoas, impactando-as com a frequência certa para que se lembrem da marca e aumentem sua intenção de compra à medida que avançam na jornada.

Outra observação importante é que podemos compor essa frequência com anúncios das campanhas de performance, que deverão estar presentes o tempo todo ao longo da jornada do cliente e em paralelo às editorias de conteúdo. É sobre as curvas daquilo que você sabe vs aquilo que você vende.

Nas figuras 62 e 63, você verá exemplos de jornadas e a frequência planejada para cada etapa.

Jornada do Consumidor

	4X	8X	10X	3X	2X
	DESCOBERTA	CONSIDERAÇÃO	CONVERSÃO / COMPRA	EXPERIÊNCIA PRÓPRIA	EXPERIÊNCIA COMPARTILHADA
Editorias	• Lista de moda sustentável • Notícias de moda e sustentabilidade • Frases inspiradoras	• Dicas de looks • Artigos do blog texto • Blog vídeo YouTube • Pesquisas e estudos	• Coleção e produtos • Produtos parceiros • Institucional • Depoimentos	• Looks de clientes • Cultura Ton Verde • Bastidores	• Experiência compartilhada do cliente • Conselho de clientes

Figura 62 – Frequência de impactos através das linhas editoriais da Ton Verde

Jornada do Consumidor

	10 dias		7 dias		4 dias	
	2X	8X	10X	2X	2X	
Editorias	• Lista de mkt digital • Notícias de mkt digital • Data insights mercado	• Dicas das redes • Artigos do blog – tema do período • E-books meio – tema do período • Pesquisas e estudos • Datas importantes	• E-books de fundo – tema do período • Features mLabs • Webinários • Cases de sucesso e depoimentos	• Review de eventos • Conselho de clientes • Campanhas inspiradoras • Data insights mLabs	• UGC • Cultura mLabs	

Figura 63 – Frequência de impactos através das linhas editoriais da mLabs

Observe que a frequência também não tem a ver com o número de editorias. O mais importante continua sendo a frequência de impactos com partes diferentes da história — criativos — que você quer contar, que vão se completando ao longo do flight. Portanto, para cumprir a frequência, você pode repetir o uso de uma editoria em uma determinada etapa, garantindo o número de impactos através de mídia paga.

No exemplo da Figura 62, na etapa de consideração, são necessários oito impactos, mas temos apenas quatro editorias. Nesse caso, temos a liberdade de ter mais de um post por editoria dentro do período, podendo nos abster totalmente de uma editoria caso não haja conteúdo relevante para ela na ocasião da criação.

A liberdade de escolher a editoria mais adequada por etapa dentro do período é importante para manter a relevância da mensagem. Caso contrário, você ficaria preso na obrigação de criar algo que não teria o melhor encaixe na estratégia do flight.

Um fato importante sobre a frequência de postagens, seja qual for a mensagem principal do seu flight, é que você precisa postar consistentemente para fazer parte da vida conectada da sua persona. É sobre ser *always on* com frequência e relevância, tendo o poder de impacto de uma campanha.

Aparecer de forma consistente no feed das redes sociais de seu público é a chave para ter sucesso na elevação da lembrança de marca e intenção de compra. O engajamento relativo dessa frequência através de mídia paga aumenta igualmente o seu alcance orgânico, de modo que suas publicações também sejam mostradas a novos públicos potenciais.

Por isso, em cada etapa da jornada, temos uma frequência média mais adequada. Vimos no capítulo sobre as dimensões de mídia qual é a frequência ideal para gerar lembrança de marca e intenção de compra: ela gira em torno de oito a dez impactos para a mesma pessoa. Mas isso deve acontecer dentro do período de decisão de compra e dentro das duas etapas iniciais da jornada. Lembre-se também de que, dependendo do setor, da sazonalidade e da complexidade do produto, a frequência semanal pode ser elevada ou diminuída. Por isso, no exemplo que dei na Figura 62, a primeira etapa tem uma frequência de quatro vezes, e a segunda, de oito. Considerando que no setor de moda a competição é grande.

A frequência da primeira etapa nunca pode ser maior do que na segunda, pois as pessoas impactadas na descoberta ainda não se mostraram interessadas, e, caso a frequência seja muito alta, haverá rejeição à marca, e o investimento vai pelo ralo.

Já quando a pessoa deu um sinal de interesse e passou para a etapa de consideração, aí sim é hora de elevar a frequência e posicionar a marca na mente da persona, para aumentar a lembrança de marca.

Quando a persona entra na terceira etapa e está mais propensa a converter, temos que elevar ainda mais a frequência, porém usando as técnicas de remarketing, para reimpactar as pessoas mais interessadas dentro de uma janela curta de tempo, elevando a probabilidade de ela comprar. Por isso, a frequência no exemplo que dei passa a ser de 10x. Há casos, em e-commerces, em que essa frequência pode chegar a 100x no remarketing, dependendo do ticket médio e da margem de lucro do produto de interesse, pois ainda será lucrativo e dentro de um custo de aquisição aceitável.

Nas duas últimas etapas da jornada, não é mais sobre cálculos de frequência, e sim sobre entregar algo que realmente seja hero. No entanto, pela minha experiência, a frequência mínima é de 2x para a experiência própria e de 2x para a experiência compartilhada. Essas etapas têm uma importância muito grande e servem ainda para aumentar a intenção de up-selling, cross-selling e participação ativa nos programas de indicação ou de embaixadores da marca.

Usando o exemplo da Figura 62, o calendário quinzenal da Ton Verde ficaria assim (Figura 64):

QUINZENA
TEMA CENTRAL X

PASSO	SEG	TER	QUA	QUI	SEX	SÁB	DOM
DESCOBERTA	NOTÍCIAS DE MODA E SUSTENTABILIDADE			LISTAS DE MODA SUSTENTÁVEL			
INTERESSE E CONSIDERAÇÃO		ARTIGOS DO BLOG TEXTO		ARTIGOS DO BLOG TEXTO	DICAS DE LOOKS	VÍDEO BLOG	
COMPRA		INSTITUCIONAL	PRODUTORES PARCEIROS	COLEÇÃO E PRODUTOS		COLEÇÃO E PRODUTOS	DEPOIMENTOS
EXPERIÊNCIA PRÓPRIA			CULTURA TON VERDE		BASTIDORES		
EXPERIÊNCIA COMPARTILHADA	EXPERIÊNCIA COMPARTILHADA DO CLIENTE						
DESCOBERTA				LISTAS DE MODA SUSTENTÁVEL			FRASE INSPIRADORA
INTERESSE E CONSIDERAÇÃO		PESQUISAS E ESTUDOS		ARTIGOS DO BLOG TEXTO	DICAS DE LOOKS	VÍDEO BLOG	
COMPRA		DEPOIMENTO	PRODUTORES PARCEIROS	COLEÇÃO E PRODUTOS		COLEÇÃO E PRODUTOS	DEPOIMENTOS
EXPERIÊNCIA PRÓPRIA						LOOK DE CLIENTE	
EXPERIÊNCIA COMPARTILHADA				CONSELHO DE CLIENTES			

Figura 64 – Calendário quinzenal da Ton Verde considerando a frequência e as editorias

Observe que a distribuição das editorias corresponde ao número total da frequência ao longo da jornada do cliente da Ton Verde. Esse exemplo é para mostrar a possibilidade de se cumprir a frequência somente com publicações editoriais. No entanto, precisamos cumprir com a lei de Pareto (80/20) e ter também uma linha de anúncios para transmitir uma mensagem mais direta sobre aquilo que vendemos. Isso ajudará a compor a frequência.

Portanto, é possível elevar os níveis de frequência acima da média somando os esforços de impacto da linha editorial mais as campanhas de performance, mas garantindo que a frequência mínima ideal seja cumprida pelo conteúdo, ou compor a frequência com ambas as linhas, com a proporção 80/20.

Vale observar que existe um limite de frequência para captar a intenção de compra; segundo o estudo do Facebook IQ, esse limite é de 2x por semana. Portanto, não pense que quanto maior a frequência, melhor, porque, ao elevar a frequência em demasia, você não conseguirá captar muito mais a lembrança de marca e a intenção de compra de uma pessoa, podendo, na verdade, até diminuir. Veja a Figura 65.

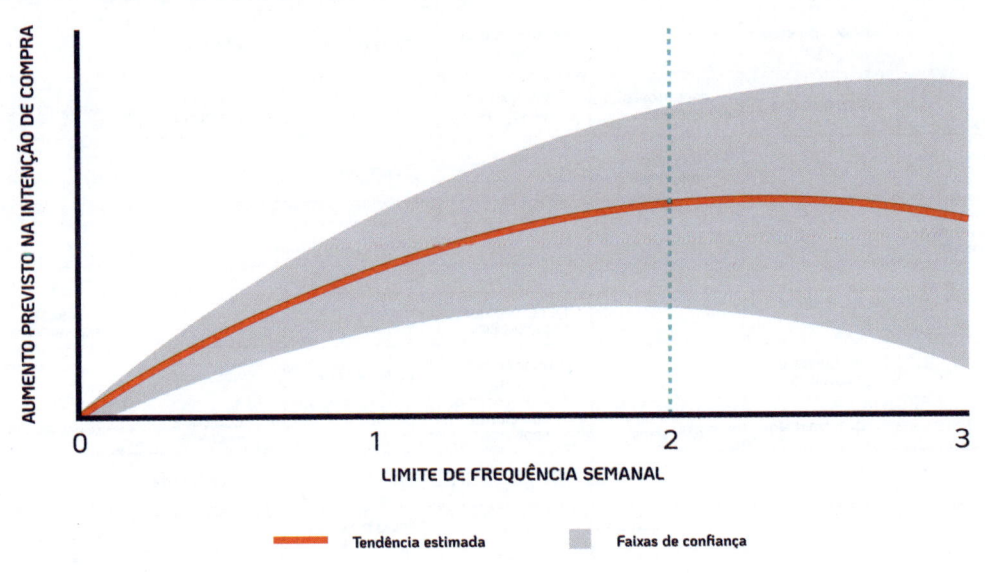

Figura 65 – Limite de frequência para captar intenção de compra[36]

36 Facebook IQ, Effective Frequency: Reaching Full Campaign Potential, 21 jul. 2016. Disponível em: *https://www.facebook.com/business/news/insights/effective-frequency-reaching-full-campaign-potential*. Acesso em: 23 fev. 2021.

Embora essa evidência embase a questão do limite de frequência semanal, pense sempre no período do ciclo de compra do seu produto e faça testes de aumento e diminuição de frequência para observar o incremento de conversões.

Outra observação, dependendo do objetivo da campanha, é que diferentes níveis de frequência são necessários para garantir o maior impacto da campanha nas métricas da marca. Por isso, prefira usar o objetivo de "reconhecimento de marca" na etapa de consideração, controlando a frequência pelo sistema de mídia paga. Isso garante que o algoritmo entregará os anúncios para quem já teve algum contato com a marca na etapa de descoberta.

Mídia paga: otimizando o alcance nas mídias sociais

Um dos grandes limitadores na definição tática de uma estratégia é a verba disponível. Muitas empresas não têm a organização de fazer planejamento orçamentário e reservar verba por departamento, operando somente com o fluxo de caixa. Outras já possuem a disciplina e a organização de separar os centros de custos, unidades de negócio, calcular a margem de contribuição de cada item e fazer um bom planejamento orçamentário.

Em ambos os casos, uma coisa é fato: a verba para a execução da estratégia é limitada. Portanto, a verba para a mídia paga também.

Como fazer, então, para alcançar 100% do público-alvo potencial com a frequência certa? Bom, infelizmente essa proeza é para poucos. Por isso, você terá que abrir mão de alcance ou de frequência até chegar ao orçamento de que dispõe para investir.

Nesse trade-off, sempre dê preferência por fazer a frequência média ideal em vez de alcançar mais pessoas. É tentador ver o público-alvo potencial na casa de milhões de pessoas e não querer alcançá-lo com a sua mensagem. Porém, de que adianta impactar milhões de pessoas uma única vez dentro do período de um mês ou mesmo de um ano?

Vamos fazer um exercício simples.

Sabendo que o CPM (custo por mil impressões) é igual a R$ 10,00, o que você prefere, alcançar mil pessoas uma única vez ou cem pessoas dez vezes?

Veja que o custo implicará os mesmos R$ 10,00 em ambos os casos, porém, ao escolher a segunda opção, você será capaz de captar 95% da lembrança de marca e a intenção de compra de cem pessoas. Já na primeira opção, isso não acontece, pois são necessários níveis mais elevados de frequência para estimular alguma coisa nas pessoas.

A frequência de 1x, recorrentemente, é entregue sem mesmo as pessoas verem seu criativo, pois estão cegas num ambiente digital cheio de distrações. É preciso, no mínimo, ter uma frequência de 2x para aumentar a probabilidade de ser visto pelo menos uma vez.

A maioria das marcas ainda não entendeu essa relação e acaba criando posts diariamente, impulsionando somente alguns, e sem considerar a frequência. Isso significa que, a cada post impulsionado dentro do público-alvo potencial, uma parcela desse público será alcançado. Veja o exemplo da Figura 66.

Impulsionar post da página todos os dias não gera frequência no público que realmente importa para sua marca

— Inventário geral

— Público selecionado em cada impulsionamento

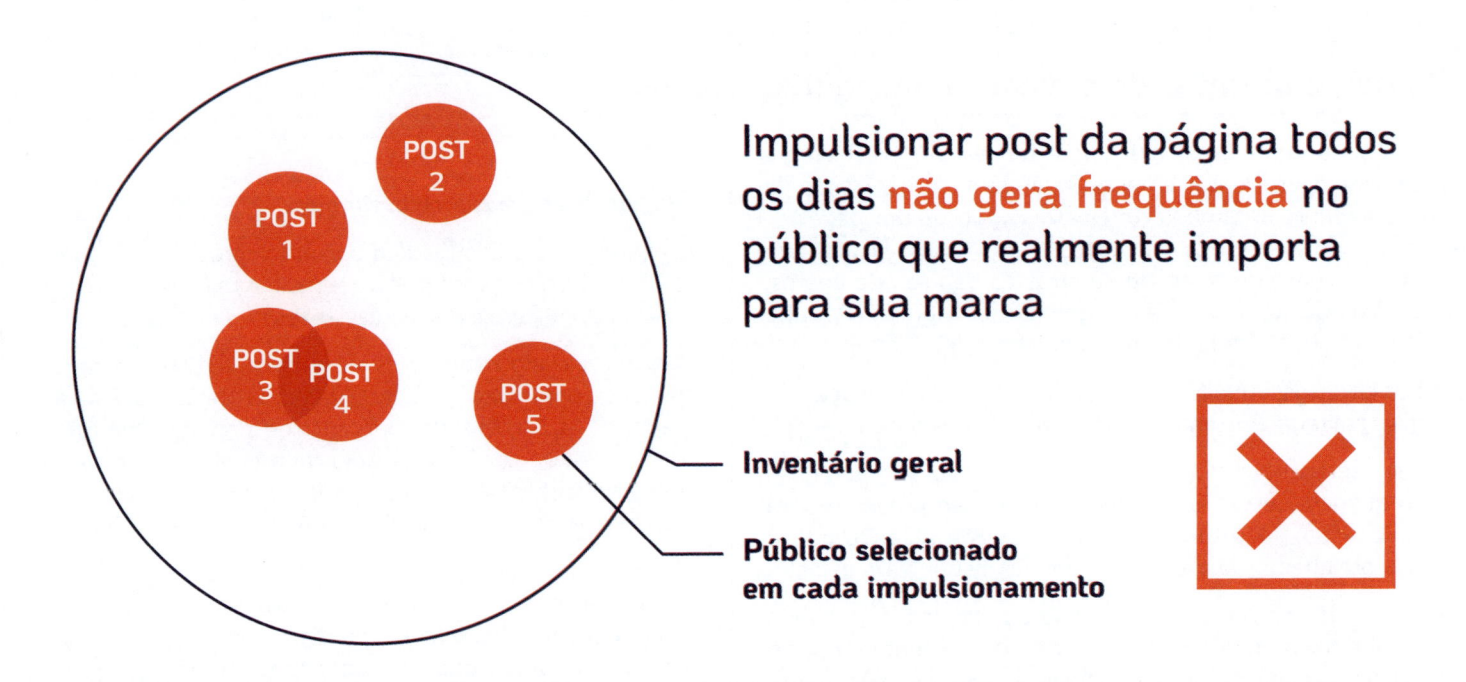

Figura 66 – Exemplo de impulsionamento de posts sem considerar a frequência

Nesse exemplo, perceba que o público-alvo potencial (inventário geral) é muito maior do que a verba usada para impulsionar cada post. Como toda verba é limitada, geralmente as marcas sem conhecimento acabam dividindo-a igualmente entre alguns posts ao longo do mês. Consequentemente, cada post alcançará uma pequena parcela do público-alvo potencial e, na maioria das vezes, uma parcela diferente entre um post e outro. Pode ser que, em alguns casos, haja a sobreposição de público, gerando uma frequência de 2x, mas, ao final do período, a frequência tende a ser menor que 2x no geral. Essa é uma das principais razões pelas quais as marcas sofrem para obter resultados nas redes sociais.

Portanto, quando você for usar as variáveis de segmentação em seu gerenciador de anúncios de qualquer plataforma de mídia, use o limitador de público e diminua o tamanho do público-alvo potencial. Segmente o público com as variáveis que você tem do perfil do seu cliente ideal, até chegar ao nível em que você conseguirá alcançar o mais próximo de 100% dele com a frequência média ideal.

Nesse caso, use a técnica do calendário transmídia e impulsione a mensagem para o mesmo público em vez de impulsionar posts isolados. Veja a Figura 67.

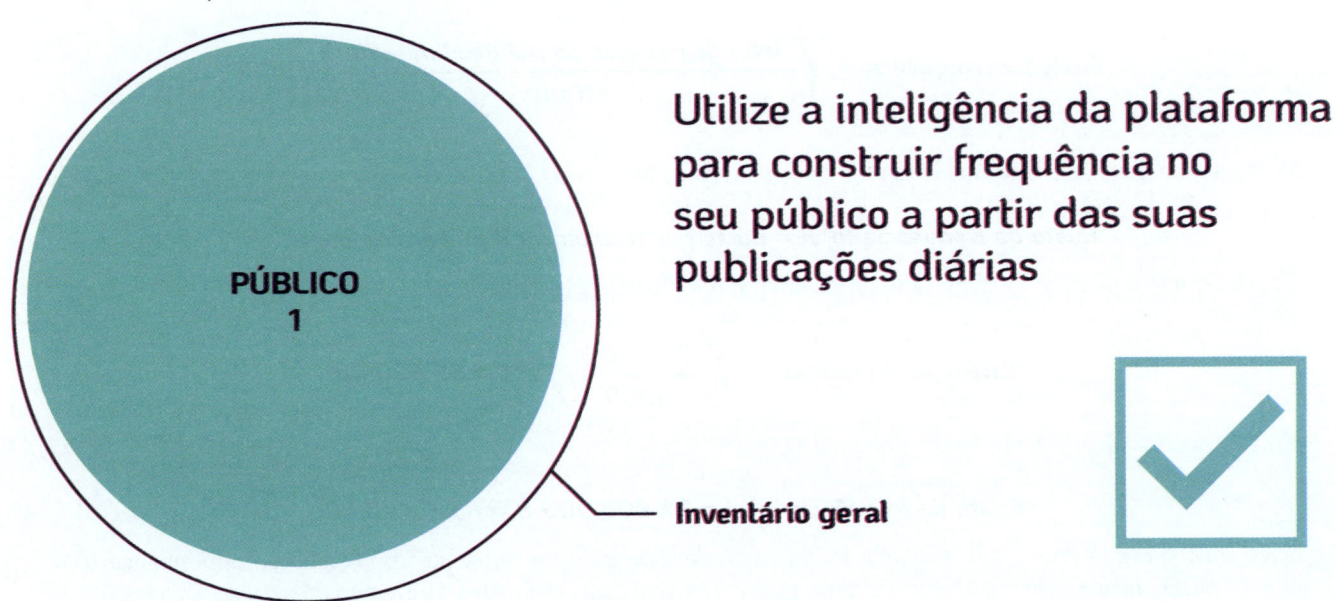

Utilize a inteligência da plataforma para construir frequência no seu público a partir das suas publicações diárias

Figura 67 – Exemplo de limitação de público para impulsionar a mensagem em vez de posts isolados

Só tome cuidado ao limitar muito o público, pois quanto menor ele for, mais caro tende a ser o CPM e mais competitivo será ter seus anúncios exibidos para ele. Portanto, não pode ser muito pequeno nem muito amplo, chegue a um número que permita a você alcançar, no mínimo, 70% do público já limitado, tendo em mente a frequência que você pretende atingir.

Ao rodar a campanha, você terá os parâmetros necessários para ir otimizando o público, pois saberá exatamente quanto é o CPM e quanto custará para fazer a frequência.

Cálculo do custo por frequência para impactar 100% do público-alvo limitado a 1x.

$$\text{Custo por frequência} = \left(\frac{\text{Total de pessoas do público limitado}}{1000}\right) \times CPM$$

Portanto, para fazer a frequência almejada, você deverá fazer o seguinte cálculo:

Custo da frequência total = Custo por frequência X número de impactos

Supondo que o público-alvo limitado tenha chegado a 200 mil pessoas e o CPM seja de R$ 4,00, ficaria assim:

$$\text{Custo por frequência} = \left(\frac{200.000}{1000}\right) \times 4 = R\$\ 800,00$$

Portanto, para fazer a frequência almejada de 8x, ficará assim:

Custo da frequência total = R$ 800,00 x 8 = R$ 6.400,00

Esse seria o orçamento a ser investido no período. Se o período for quinzenal, o investimento mensal será de R$ 12.800,00 nesse exemplo. Caso sua verba seja menor, diminua ainda mais o tamanho do público-alvo potencial.

Essa otimização de inventário por frequência é válida somente nas duas primeiras etapas da jornada da persona — descoberta e consideração. Pois, a partir daí, você terá que trabalhar com listas de pessoas interessadas através do Facebook Pixel, cookies do Google Analytics, listas de e-mail do inbound ou mesmo listas de clientes para criar um público semelhante.

Isso significa que você pode limitar o público também na terceira etapa, mas deixará leads na mesa. O ideal é alcançar 100% dos leads, principalmente os qualificados.

Nas etapas de experiência própria e compartilhada, você deve otimizar suas campanhas para alcançar 100% dos clientes. Mas prefira construir canais próprios de relacionamento, como e-mail, grupos privados ou comunidades, para conseguir reduzir os investimentos em mídia paga.

Ao entender essa lógica de otimização, você será capaz de calcular a verba de mídia paga necessária para rodar suas campanhas ao longo dos meses e do ano.

Caso você tenha um planejamento orçamentário e uma verba já definida, faça o exercício de limitar o público dentro da frequência ideal até chegar à verba disponível para o período.

Mas, caso você não tenha uma verba definida e queira saber quanto custará para atingir 100% do público-alvo potencial dentro da frequência média ideal, calcule o custo da frequência total usando 100% do público, sem limitá-lo. Certamente você verá a necessidade de fazer cortes para chegar a um investimento possível.

Criação

Longe de ser uma arte incomensurável, a criatividade pode e deve ser medida em termos de seu impacto na eficácia da mensagem. Quando temos que melhorar os resultados durante a execução da estratégia, em minha experiência, as maiores melhorias no Roas[37] são, na verdade, geradas pelo desenvolvimento do conteúdo criativo certo, e não por simplesmente otimizar os canais de mídia.

A qualidade criativa continua sendo o fator mais influente no aumento das vendas das campanhas publicitárias, segundo a Nielsen. O estudo é baseado na análise de quase quinhentas campanhas de varejo nas principais plataformas de mídia. Veja a Figura 68.

AS CINCO CHAVES

PORCENTAGEM DE CONTRIBUIÇÃO NAS VENDAS POR ELEMENTO DE PUBLICIDADE

- Segmentação — 9%
- Recência — 5%
- Alcance — 22%
- Marca — 15%
- Contexto — 2%
- Criativo — 47%

Aproximadamente 500 campanhas em todas as plataformas de mídia.

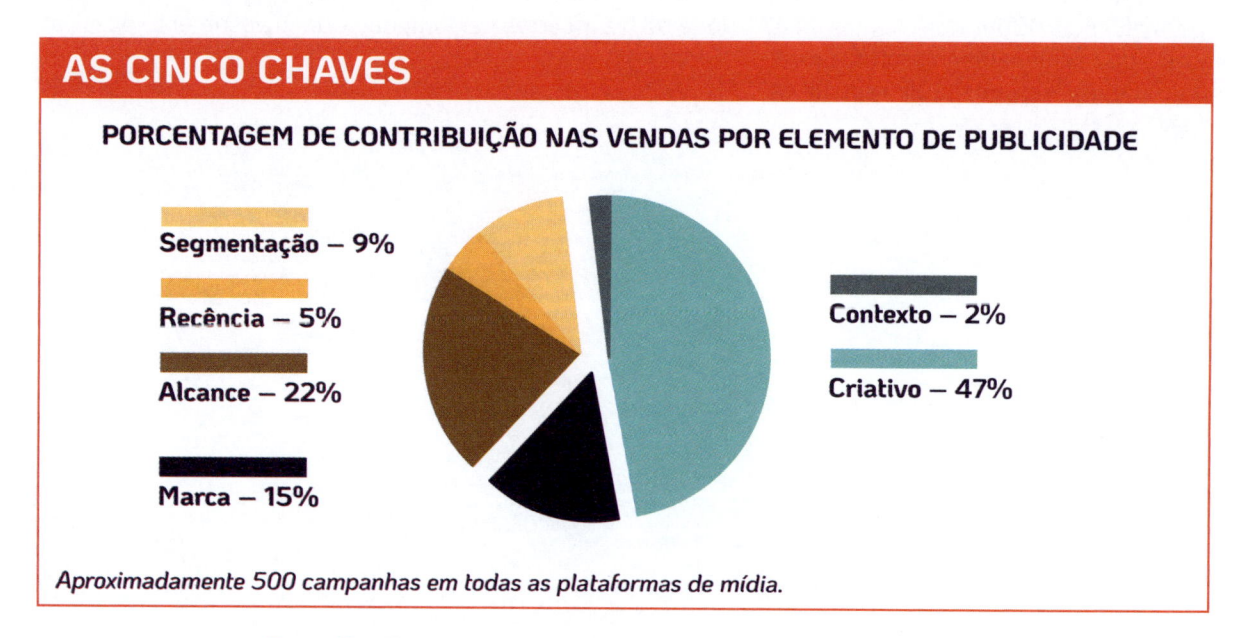

Figura 68 – Elementos de uma campanha e sua contribuição para as vendas[38]

---

[37] *Return on advertising spend* ou retorno com gastos de anúncios.

[38] Nielsen, When It Comes to Advertising Effectiveness, What Is Key?, 9 out. 2017. Disponível em: https://www.nielsen.com/us/en/insights/article/2017/when-it-comes-to-advertising-effectiveness-what-is-key/. Acesso em: 23 fev. 2021.

Essa análise indica que 49% do aumento nas vendas de uma marca com publicidade se deve ao criativo, que se refere, principalmente, à qualidade e à mensagem (47%), mas também ao contexto em que o anúncio é veiculado (2%).

Componentes relacionados à compra e ao planejamento de mídia, por sua vez, contribuem com 36% do aumento das vendas com publicidade.

No entanto, em um relatório anterior, a influência da mídia havia cerca de uma década contribuía com apenas 15% do aumento das vendas. Esse número mais do que dobrou, chegando a 36%, no estudo mais recente. A Nielsen atribui isso, em parte, à otimização de mídia e ao planejamento de mídia cada vez mais orientados por dados, bem como à relevância do criativo, que também acaba contribuindo para a otimização da mídia.

Ao dividir esse estudo entre os meios on-line e off-line, no caso de campanhas na TV, a mídia contribui com 50% do aumento das vendas em comparação com 37% do criativo. À medida que o criativo da TV atingiu um alto nível de consistência, a mídia se tornou mais importante na determinação do desempenho da propaganda.

Esse ainda não é o caso para campanhas digitais, em que a qualidade do criativo empregado varia muito mais do que para campanhas de TV. Como resultado, a qualidade do criativo é responsável por 56% do aumento das vendas, enquanto a mídia tem menos influência (30%).

Por isso, veremos, a partir de agora, a forma de criar em cada etapa da jornada do cliente, iniciando pela técnica de conteúdo transmídia, em seguida pela mentalidade mobile cada vez mais presente na vida *on-life* das pessoas, e, por fim, como criar para os três tipos de conteúdo (3Hs).

Conteúdo transmídia

Quando pensamos no formato do calendário transmídia, temos uma mensagem central para cada flight. Assim como em uma campanha tradicional, é importante definir o conceito criativo que irá permear todas as peças (posts, textos, áudios etc.). Uma dica que contribui muito nesse processo é criar, em primeiro lugar, a maior peça, contando a história completa do flight. E, a partir dessa peça, desdobrar todas as outras, podendo extrair pedaços da própria peça central como criativos para o mix de canais de mídia e distribuição. Veja a Figura 69.

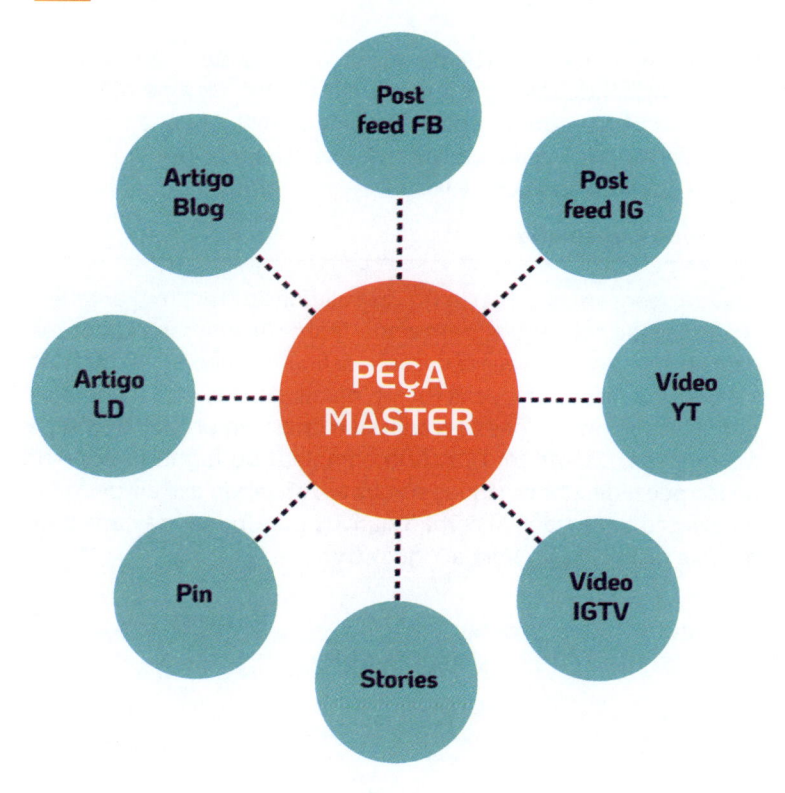

Figura 69 – Ilustração de um conteúdo transmídia

Por exemplo, podemos realizar um webinário com duração de cerca de uma hora para ser a peça master. Disso, podemos extrair pílulas de conteúdo — citações, estatísticas, pílulas de vídeo — e criar conteúdo para as editorias, usando os melhores formato e canal para se passar a mensagem ao longo do flight.

A peça master pode ser também um e-book. Nesse caso, faça-o o mais completo possível e divida-o em pílulas que possam virar vídeos, infográficos e posts para o mix de canais.

Ao pensar na peça master:

- Desenvolva ideias que possam ser expressas em diversas publicações, em que uma complemente a outra;
- Crie uma estrutura que caracterize a série de publicações: template, assinatura, introdução, hashtags etc.;
- Assegure que cada peça tenha clareza sobre o ponto de vista que se refere à mensagem central;
- Mantenha um senso de expectativa na audiência para ver outra peça;
- Nunca deixe de chamar para uma ação (CTA), que pode ser para uma outra peça na etapa seguinte da jornada ou para conversão, caso a persona já esteja na terceira etapa. Mas lembre-se de que o funil de marketing é dinâmico, então nunca tente levar a persona para passos anteriores.

Isso ajuda a ter um volume de conteúdo relevante e considerável para fazer a frequência ideal, impactando as pessoas de forma significativa com o melhor formato para a mensagem, dentro dos canais em que elas estão e no melhor momento em sua jornada com a marca.

Pense que o objetivo é conseguir passar a mensagem, o que representará eficácia da peça para incrementar a lembrança de marca e intenção de compra. Para isso, escolha bem qual é o melhor formato para aquele pedaço da mensagem e qual é o canal mais adequado para entregá-la dado o estágio da jornada da persona.

Por exemplo, no caso da Ton Verde, se uma peça extraída da peça master deverá passar a mensagem de quais são os novos produtos da coleção na etapa de consideração, um post tipo carrossel no feed do Instagram é o melhor formato para isso, pois permite que a persona navegue entre os produtos a seu tempo, focando um produto por vez.

Mobile first

Para tudo o que vamos criar no marketing em ambiente digital, precisamos ter em mente o comportamento *on-life* do cliente, conforme vimos no capítulo sobre a jornada do cliente. Estamos o tempo todo conectados através de smartphones e outros dispositivos móveis. Somos *always on* e seremos cada vez mais com a revolução da Internet das Coisas (IoT).

Isso significa que a persona está com uma área de visualização menor do que a tela do computador ou mesmo de uma televisão. E, muitas vezes, fazendo mais de uma coisa em simultâneo, como, por exemplo, assistindo à TV e navegando nas redes sociais através do smartphone.

Portanto, é preciso pensar em algumas características importantes para sua criação:

1. Ter um visual adequado ao tamanho de tela
2. Chamar atenção rapidamente
3. Ser relevante para o target
4. Haver independência do som
5. Ser surpreendente com som
6. Levar em conta comprimento x mensagem

Se a peça tem muito texto, a leitura fica difícil. Se o vídeo tem a dimensão 16:9 e passa no feed do Instagram, vai competir com outros conteúdos na tela, que é vertical. Nesse caso, vale a pena fazer um vídeo na vertical, para preencher praticamente toda a tela do celular. Esses são pequenos exemplos, mas fazer isso significa pensar em mobile primeiro, na experiência da persona e na relevância da entrega da mensagem.

Pensar em mobile primeiro, portanto, é pensar em criar para captar totalmente a atenção da persona para a mensagem, pensando no comportamento do usuário em cada canal. Sabendo que as pessoas ficam arrastando freneticamente suas telas para cima no feed no TikTok, qual é o criativo que vai fazer a pessoa parar o dedo e prestar atenção nos primeiros milissegundos?

Existe uma outra questão, também ligada aos conteúdos com áudio. Precisamos estar atentos aos canais e formatos, pois muitos não iniciam o vídeo com o áudio, fazendo do áudio uma opção para o usuário. No Facebook e no Instagram, os vídeos começam sem áudio. Nos stories, precisamos habilitar o áudio. Portanto, é importante postar os vídeos com legenda. As legendas são extremamente importantes. Não é só legendar o que está sendo falado, mas usar legendas para informar o tema, o contexto do vídeo, e fazer audiodescrição para pessoas com deficiência terem acesso ao conteúdo.

O som, se for algo realmente importante e necessário, deve fazer a diferença e surpreender as pessoas. Nesse caso, podemos usar stickers como o "Ligue o som", que já é bastante conhecido nos stories do Instagram.

Ainda sobre vídeos, os que são mais curtos tendem a fazer mais sucesso. É provável que tenhamos cada vez mais formatos de vídeos curtos em todas as plataformas de mídias sociais.

Ainda existe uma barreira de custo na produção de vídeos, mas hoje já é possível fazer uma série de vídeos sem muita produção, usando aplicativos. O que mais conta é a criatividade e uma capa (thumbnail) que chame atenção.

Diferentemente da maioria dos comerciais de TV, em que geralmente um filme de 30 segundos deixa para revelar a marca ou o produto somente no final, nas redes sociais temos que fazer isso logo no início, nos três primeiros segundos, porque a maioria das pessoas não chega até o fim.

Nesse caso, perderíamos o punch, ou seja, o momento de passar a mensagem. A ideia é capturar a atenção e passar a mensagem logo no início. Não devemos escolher os thumbnails automatizados das plataformas, mas, sim, fazer capas atrativas com um título que desperte curiosidade.

Além dos cuidados na produção de vídeo, devemos levar em conta o momento do dia em que a persona estará mais aberta a receber mensagens.

Se ela está no trabalho, é bem provável que não vá investir muito tempo assistindo a um vídeo. Por mais que esteja avançando na jornada, no momento do trabalho não é fácil. Os formatos curtos para feed, stories, pin do Pinterest ou um tweet são mais adequados para o horário comercial. Isso ajuda muito nas duas primeiras etapas da jornada.

Quando a pessoa está em casa, descansando no sofá, podemos entregar algo mais longo, dentro do YouTube, do IGTV, ou até mesmo uma live. Veja a Figura 70.

EM TRÂNSITO

Explore com:
Stories, messaging, feed, pin, tweet

- Tamanho reduzido;
- Frequente e rápido;
- Sempre ativo;
- Descoberta e conexão.

ATENÇÃO CONQUISTADA

Explore com:
Watch Party, IGTV, YouTube, live

- Sessão mais longa;
- Intencional e planejada;
- Necessidade de disponibilidade de tempo;
- Relaxamento e entretenimento.

Figura 70 – Formatos adequados para os micromomentos do comportamento on-life das pessoas

Temos que pensar nesses momentos do cotidiano da persona para criar o formato correto e distribuir no momento certo, despertando e retendo a atenção na transmissão da mensagem.

Há outros formatos de conteúdo rápido que se diferem dos outros. Nos stories do Instagram, temos stickers de enquete, termômetro e pergunta, com os quais podemos entender melhor quais são as expectativas e dúvidas dos seguidores, ou mesmo saber o que eles preferem ver dentro do perfil.

Quando as pessoas respondem ao sticker, podemos copiar e colar a pergunta com a resposta nos stories, mantendo a identidade visual do início da pesquisa. É um formato muito interessante, simples, curto, rápido e valioso para a etapa de conversão e experiência própria no framework do Unbound Marketing.

Criando para os 3Hs

Help

Como vimos anteriormente, o conteúdo do tipo help é um conteúdo que ajuda as pessoas a economizarem tempo. Precisamos atrair a atenção das pessoas com base em seus objetivos de vida, necessidades e desejos. Isso significa criar para ir ao encontro do que a persona já tem predisposição para se interessar ou buscar.

No conteúdo tipo help, não vamos falar sobre o que é a marca ou sobre seus diferenciais, nem precisamos mencionar diretamente o produto. O objetivo é atrair a atenção da persona pela relevância do conteúdo.

O conteúdo aqui vai ser produzido para quem ainda não teve interesse pelas soluções que a marca oferece, mas que podem precisar delas.

Como começar:

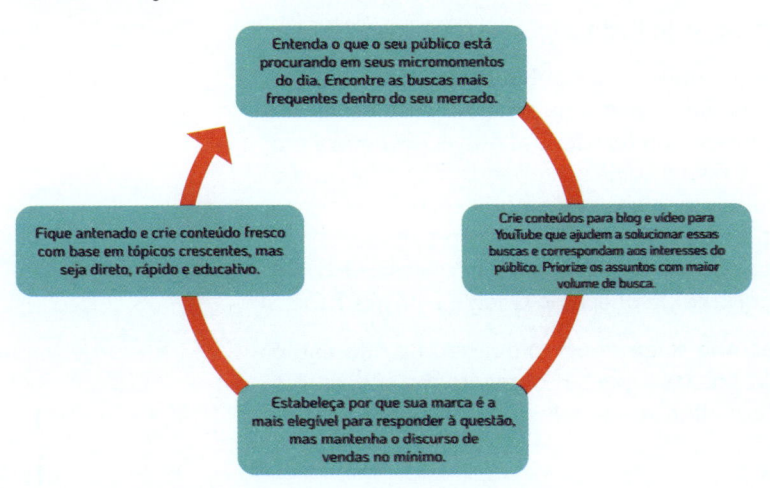

- Entenda o que o seu público está procurando em seus micromomentos do dia. Encontre as buscas mais frequentes dentro do seu mercado.
- Crie conteúdos para blog e vídeo para YouTube que ajudem a solucionar essas buscas e correspondam aos interesses do público. Priorize os assuntos com maior volume de busca.
- Estabeleça por que sua marca é a mais elegível para responder à questão, mas mantenha o discurso de vendas no mínimo.
- Fique antenado e crie conteúdo fresco com base em tópicos crescentes, mas seja direto, rápido e educativo.

A primeira coisa a se fazer aqui é entender o que os potenciais clientes da marca estão procurando, de fato, usando ferramentas simples como o próprio Google. Se digitarmos, por exemplo, "crossfit", veremos todas as buscas relacionadas ao assunto. Essa é uma técnica simples, mas temos outras ferramentas que ajudam nisso também, como Google Trends, SEM Rush, Uber Suggest, Also Asked e AnswerThePublic.

Por meio dessas ferramentas, você conseguirá entender o modelo mental de busca da persona e as principais necessidades/desejos dela em torno do seu negócio.

Como já definimos a persona do negócio, identifique quais são os termos mais utilizados por ela, o volume existente de buscas mensais e os termos relacionados. O que ela está procurando em torno daquilo que a marca, enquanto especialista do seu mercado, sabe? O objetivo do tipo help é corresponder às buscas.

No caso do crossfit, por exemplo, se descobrirmos que o segundo termo mais buscado é "crossfit emagrece", podemos fazer um conteúdo em vídeo ou um artigo de blog, com título ou subtítulo "Crossfit emagrece", porque isso vai corresponder à busca. A ideia é que o conteúdo seja relevante para quem vai ler. O conteúdo precisa fazer diferença na vida das pessoas.

É importante construir, prioritariamente, conteúdo sobre aquilo que tem maior volume de buscas. Existem também oportunidades de gerar um conteúdo com menor volume de buscas, por se tratar de conteúdo de nicho, mas capaz de dar um bom retorno.

Podemos, ainda, observar uma concorrência de AdWords, que são os anúncios dentro do Google, e analisar o volume de buscas ao longo dos meses, para ver se existe algum pico cíclico, como verão, Natal,

Dia das Mães... Conclua se o termo é sazonal, sempre buscado ou se é algo que está crescendo ao longo do tempo.

Você precisa ser pautado também pelas próprias mídias sociais, inspirando-se no que elas estão falando dentro do seu segmento. Você pode usar as mesmas ferramentas de monitoramento de mídias sociais do diagnóstico para isso. Mas há alguns recursos extras que podem ajudar, como, por exemplo, acessar a área "Assuntos do momento" no Twitter, "Em alta" no YouTube, e a aba "Descobrir" no TikTok, e filtrar por hashtags do seu contexto.

Podemos ainda considerar os eventos que estão acontecendo no mercado em questão. Geralmente, os grandes eventos ganham hashtags específicas, o que facilita para monitorar ou entrar na conversa.

No livro *Contágio*,[39] Jonah Berger cita diversos exemplos de gatilhos capazes de despertar o interesse das pessoas por marcas e seus produtos. Segundo ele, os estímulos no ambiente podem determinar quais pensamentos e ideias ficam na cabeça das pessoas e que influenciam suas tomadas de decisão.

O autor, em seu livro, cita o caso curioso da Mars, uma companhia de doces que se beneficiou de uma missão da Nasa. A missão Pathfinder tinha como finalidade aterrissar em Marte. Quando a Nasa concluiu a façanha com êxito, a imprensa do mundo todo divulgou a notícia, criando um gatilho que lembrou as pessoas dos doces da Mars. As barras Mars têm esse nome não por causa do planeta, mas pelo nome do fundador da companhia, Franklin Mars. As vendas da empresa aumentaram significativamente.

Isso nos dá uma boa ideia do que podemos produzir em relação ao tipo help. Nós podemos criar conteúdos que despertem nas pessoas pensamentos e interesses ligados aos assuntos já existentes e latentes.

Não devemos somente criar conteúdos cativantes, e sim conteúdos que estejam relacionados ao contexto de vida das pessoas.

Essas são as maiores fontes de inspiração relevantes para o conteúdo tipo help, exatamente porque as pessoas estão falando a respeito, procurando pelo assunto ou constantemente interessadas em função de uma necessidade ou um desejo implícito.

Então, sabendo disso, podemos entrar na conversa desse público com conteúdo nas redes sociais, em blog ou em vídeo. Crie conteúdo perene, que possa ser achado ao longo do tempo sem perder sua validade. Isso deverá ser feito junto com as iniciativas de SEO.

Os dois canais mais importantes aqui são o blog e o YouTube, pois são os dois canais mais indexados dentro dos buscadores da internet. É aí que o SEO entra em ação. Títulos e subtítulos são importantes, bem como diversas outras técnicas como nomeação de imagens e link building. Os vídeos também sempre rendem bons resultados, porque são bastante privilegiados pelo próprio algoritmo de busca no Google e no YouTube.

As pessoas não querem ver propaganda, não estão procurando por isso, portanto, mantenha o discurso comercial em intensidade mínima.

[39] Berger, op. cit.

Hub

No tipo help, acenamos para o público e trouxemos mais pessoas para os buscadores e canais da marca. No tipo hub, é importante entregar um conteúdo novo para elas, aprofundando a experiência do que apresentamos na etapa de descoberta. É o momento de investir mais pesado em marketing de conteúdo, criar autoridade, posicionar a marca e gerar um significado para ela na mente do público-alvo.

Como começar:

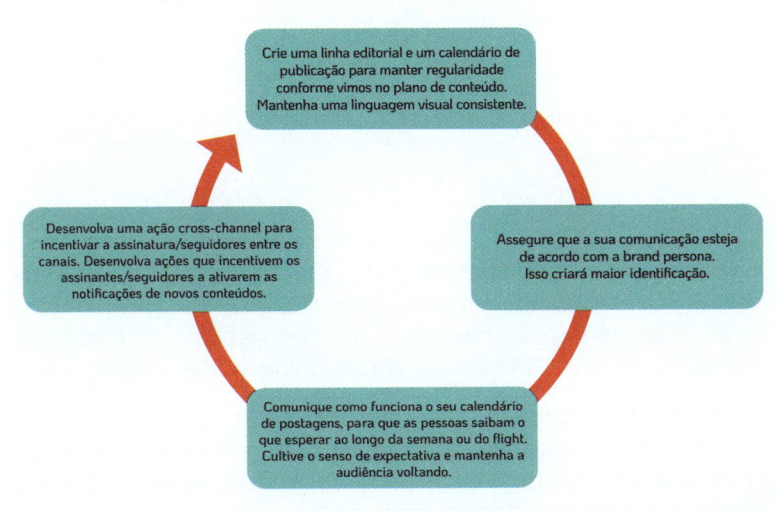

- Crie uma linha editorial e um calendário de publicação para manter regularidade conforme vimos no plano de conteúdo. Mantenha uma linguagem visual consistente.
- Assegure que a sua comunicação esteja de acordo com a brand persona. Isso criará maior identificação.
- Comunique como funciona o seu calendário de postagens, para que as pessoas saibam o que esperar ao longo da semana ou do flight. Cultive o senso de expectativa e mantenha a audiência voltando.
- Desenvolva uma ação cross-channel para incentivar a assinatura/seguidores entre os canais. Desenvolva ações que incentivem os assinantes/seguidores a ativarem as notificações de novos conteúdos.

Dentro do conceito de storytelling e do arco da jornada do herói, faremos aqui o chamado para o mundo novo — o mundo da marca.

Com uma produção constante de conteúdo novo e relevante, a marca vai construir sua autoridade, tornando-se a melhor fonte de informações relacionadas ao seu mercado para seu público-alvo.

O conteúdo do tipo hub é recorrente, fazendo as pessoas esperarem um conteúdo semelhante àquele do tipo help, porém mais aprofundado. A chave é entregar algo totalmente novo, mas que surpreenda pela relevância. Algo que a persona não estava procurando, mas que seja tão relevante quanto o conteúdo tipo help.

Os formatos de conteúdo mais comuns para essa etapa são posts de imagem no feed, artigos no blog, vídeos e e-books com influenciadores especialistas. Exatamente por serem especialistas nos assuntos relacionados ao setor do seu negócio, eles ajudam a construir a autoridade de que a marca precisa.

Em seu livro *As armas da persuasão*,[40] Robert Cialdini fala sobre o gatilho da autoridade, ou seja, as pessoas tendem a acreditar que as autoridades são mais coerentes. Então, na etapa de consideração, podemos

40 Cialdini, *As armas da persuasão*, op. cit.

convidar autoridades em assuntos relacionados à marca para fortalecer a argumentação nos conteúdos produzidos.

Os comentários dos próprios posts também podem trazer insights para a produção de conteúdo do tipo hub porque, muitas vezes, as pessoas deixam dicas e pistas daquilo que querem saber a partir do conteúdo novo e do chamado para o mundo novo.

O conteúdo do tipo hub precisa ter consistência:

- Agenda: é muito importante criar editorias e estabelecer um calendário, para manter a regularidade esperada. Por exemplo, você pode definir o dia e o horário em que o novo conteúdo do YouTube será publicado, para criar expectativa e as pessoas possam acessá-lo a cada nova notificação;

- Formato: para manter consistência na identidade visual, você deve criar template por editoria, vinhetas de início e fim no vídeo, entre outros aspectos visuais que são importantes para que todo mundo entenda, toda vez que for publicado, que aquele conteúdo é sobre uma determinada editoria;

- Elementos: repita pequenos aspectos de uma publicação da mesma forma em outros posts, como introduções, emojis e hashtags.

Você pode ver exemplos de consistência nos posts do meu canal no Instagram (Figura 71).

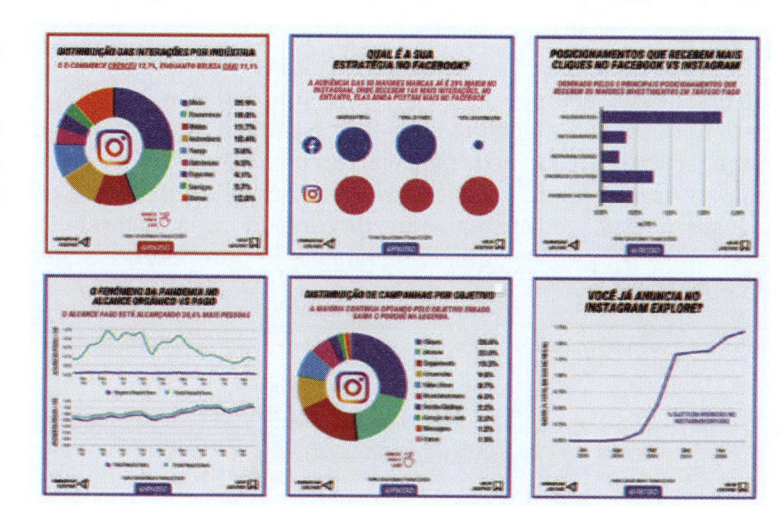

Figura 71 — Consistência dos posts tipo hub do @rkiso no Instagram

Com essa consistência, aumentamos a probabilidade de as pessoas assinarem o canal, ativarem o sininho das notificações, seguirem nossas redes sociais. Mantendo agenda, formato e elementos consistentes, as pessoas passam a esperar mais conteúdo relevante da marca, envolvendo-se cada vez mais com a mensagem.

Na etapa de conversão, os botões de call-to-action (CTA) são extremamente importantes. Eles podem estar nos artigos do blog, na descrição dos vídeos e nos posts das redes sociais. Podemos também inserir links de conversão nos stories.

Hero

Quem já é cliente tem a expectativa de ter exclusividade e privilégios. Nesse caso, reserve editorias dentro dos flights para entregar conteúdo exclusivo para esse seleto grupo. No mínimo, ele deve receber as notícias sobre a marca em primeira mão.

Devemos priorizar a entrega de conteúdo para essa comunidade de clientes porque isso vai promover o senso de pertencimento. O volume de conteúdo é menor nas etapas de experiência própria e compartilhada, pois a relevância do que será entregue importa mais do que a quantidade.

Como começar:

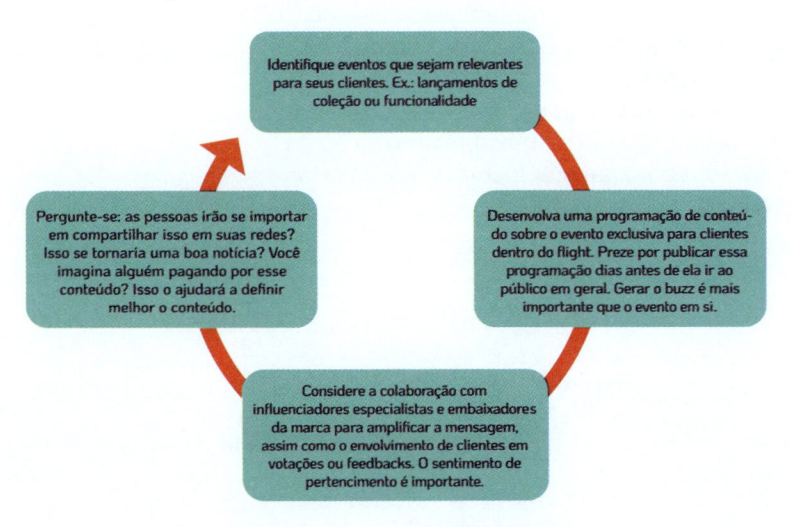

- Identifique eventos que sejam relevantes para seus clientes. Ex.: lançamentos de coleção ou funcionalidade
- Desenvolva uma programação de conteúdo sobre o evento exclusiva para clientes dentro do flight. Preze por publicar essa programação dias antes de ela ir ao público em geral. Gerar o buzz é mais importante que o evento em si.
- Considere a colaboração com influenciadores especialistas e embaixadores da marca para amplificar a mensagem, assim como o envolvimento de clientes em votações ou feedbacks. O sentimento de pertencimento é importante.
- Pergunte-se: as pessoas irão se importar em compartilhar isso em suas redes? Isso se tornaria uma boa notícia? Você imagina alguém pagando por esse conteúdo? Isso o ajudará a definir melhor o conteúdo.

O volume e a frequência do conteúdo tipo hero são menores, porque temos que entregar algo bem pensado e exclusivo. Se a marca for patrocinar um evento, por exemplo, ela pode entregar um conteúdo de cobertura, com os destaques das palestras. Isso vai trazer uma sensação de exclusividade para os clientes. Se a marca tem um grupo fechado no Facebook ou no Telegram, ela pode cocriar conteúdos com influenciadores especialistas exclusivos para a comunidade nesses canais.

Para criarmos um conteúdo tipo hero, podemos responder à seguinte pergunta: os clientes vão querer compartilhar esse conteúdo? Eles se empenhariam em mostrar isso a alguém para aumentar seu capital social, para se sentir um pouco mais importantes ou privilegiados?

No capítulo em que falamos sobre o algoritmo humano, vimos que as pessoas giram em torno daquilo que melhora sua experiência, amplia sua rede de conexões, aumenta seu capital social e economiza seu tempo.

Aqui estamos falando muito especificamente sobre aquilo que aumenta o capital social dos nossos clientes.

Por isso, o conteúdo tipo hero precisa gerar senso de exclusividade:

- Programe publicações de acordo com o calendário de lançamentos ou novidades da sua marca, produto ou serviço.

- Crie conteúdo exclusivo para clientes e distribua-o em canais fechados para gerar o sentimento de exclusividade. No caso de lançamentos, publique a novidade dias antes para esse grupo antes do mercado.

- Certifique-se de incluir no grupo quem realmente é cliente e selecione os mais engajados para fazer parte de um grupo privado de brand lovers.

O conteúdo tipo hero pode ser distribuído em grupos no Facebook, listas de transmissão no WhatsApp, grupos no Telegram, lista de e-mail, app mobile exclusivo para cliente, comunidades privadas e melhores amigos do Instagram.

Um gatilho que podemos usar aqui é o do valor prático, descrito no livro *Contágio*,[41] segundo o qual as pessoas valorizam informações práticas e se sentem bem ao passá-las adiante. "Oferecer valor prático ajuda a tornar as coisas mais contagiantes" diz o autor, Jonah Berger.

Com base nisso, podemos entender por que os nanoinfluenciadores são importantes na etapa da experiência compartilhada. Eles têm facilidade de demonstrar o uso de produtos de forma autêntica, por isso são tão eficazes na criação para a marca. Veremos mais sobre isso adiante.

No capítulo sobre valor prático, Berger também fala sobre diversas formas de transformar o que vendemos em coisas interessantes e atraentes aos olhos dos clientes. Esses conceitos podem ser aplicados na criação de conteúdo que vende os produtos, como liquidações, promoções e outras formas de realçar o valor incrível dos produtos. Uma oferta precisa se destacar para ser compartilhada. Promoções que parecem surpreendentes ou superam as expectativas têm maior probabilidade de serem compartilhadas. Isso acontece não somente pelo apelo em si, mas pela forma como foram estruturadas para parecer incríveis. Faça ofertas incríveis e exclusivas para clientes.

41 Berger, op. cit.

Social Media Optimization

Social Media Optimization (SMO) é um conjunto de técnicas para tornar um conteúdo publicado nas plataformas de mídias sociais mais facilmente distribuído e encontrável.

Muito importante na execução do plano de conteúdo é a otimização para que os conteúdos sejam encontrados naturalmente e com facilidade. Quando o assunto é Search Engine Marketing (SEM), a maioria do mercado já entendeu sua importância e que estar no topo dos buscadores faz a diferença para os negócios. Mas poucos se dão conta de que há buscas além do Google. Em todas as plataformas de mídias sociais, há uma busca ativa, seja através de um campo de busca, seja via hashtags.

Portanto, o SEM, na metodologia do Unbound Marketing, é dividido em duas frentes: SEO e o SMO. Veja a Figura 72.

De um lado, estão os conteúdos construídos com títulos, subtítulos, palavras-chave, texto alternativo e links, que cumprem os requisitos dos buscadores para uma boa indexação; além dos links patrocinados, que são os anúncios pagos. Do outro, os conteúdos construídos com títulos, descrição, palavras-chave, tags, hashtags, geolocalização e marcações, que cumprem os requisitos das plataformas de mídias sociais para uma boa indexação. Portanto, ao usarmos ambas as técnicas de otimização para o marketing de busca, teremos a "encontrabilidade" da marca ampliada.

SEO + SMO = Encontrabilidade ampliada

Além disso, temos a estratégia do link building, que aumenta muito a relevância do site e do blog da marca. Essa técnica consiste em fazer outros sites referenciarem as propriedades da marca. Se forem canais relevantes, isso também vai trazer autoridade para o site.

Quanto mais relevantes somos na internet, mais alcance orgânico nós temos. Portanto, devemos compor o modelo tático de SEM com as técnicas de SEO e SMO conforme a Figura 73.

Figura 72 – Visão do SEM na metodologia do Unbound Marketing

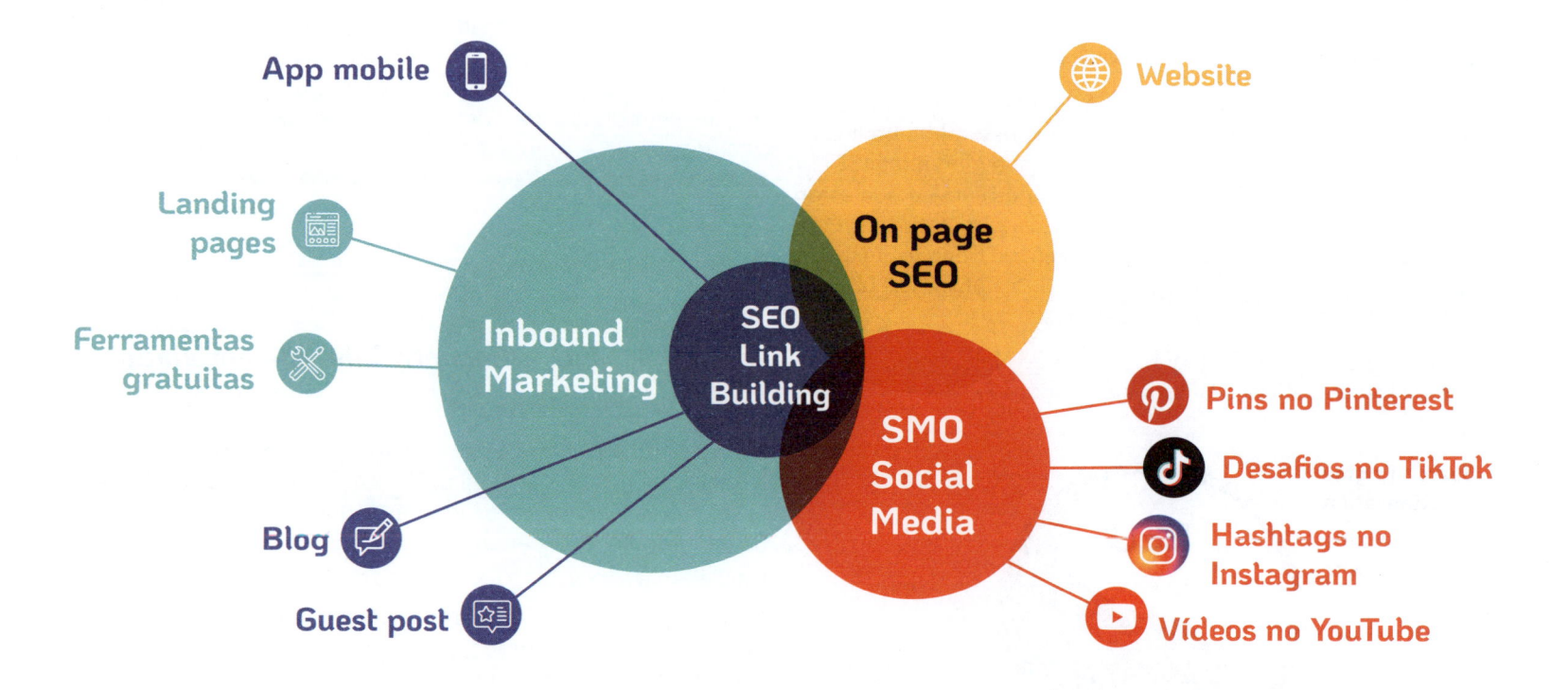

Figura 73 – Composição tática de SEM na metodologia do Unbound Marketing

Então, como otimizar as mídias sociais da marca?

Antes de mais nada, é importante saber que as mídias sociais são interligadas por meio de metadados. Os metadados são dados que definem o conteúdo para os algoritmos de busca, não necessariamente para os humanos. Os metadados são contextualizados por:

- Palavras-chave
- Títulos
- Descrição
- Links
- Tags manuais
- Tags automáticas
- Hashtags
- Marcações
- Texto alternativo
- Localização

Usar esses metadados da maneira correta fará a otimização para a encontrabilidade. A otimização é muito mais para os robôs do que para os humanos. Vamos discorrer sobre os principais metadados e como otimizá-los.

Palavras-chave

Palavras-chave são termos que as pessoas usam para achar informações relevantes nas buscas. Quando você for selecionar palavras-chave para suas mídias sociais, é importante lembrar que as palavras-chave usadas por clientes e formadores de opinião nem sempre são as que você usaria.

Vamos pensar no exemplo de uma lâmpada. Se alguém está buscando uma lâmpada LED, usar a palavra-chave "diodo emissor de luz" não necessariamente é o melhor caminho, por ser muito técnica. Se o público-alvo é o fabricante de lâmpadas, então pode ser melhor usar uma terminologia mais técnica. Mas sempre se questione: será que as pessoas realmente buscam dessa forma?

Então temos que usar o modelo mental de busca do público-alvo, usar uma palavra-chave que esteja no campo semântico daquela busca, algo que se aproxime mais do que as pessoas estão pensando.

Além disso, podemos definir algumas palavras-chave escritas de forma errada; ou porque ninguém sabe escrever direito aquela palavra, ou porque o termo é complicado.

Por isso, entender como as pessoas buscam e quais palavras ou termos elas usam pode garantir uma maior audiência para os conteúdos. As ferramentas que já citamos, como o Uber Suggest, SEM Rush ou VidIQ para YouTube, podem ajudar nisso — inclusive exibindo as variações das palavras-chave.

Tags

Tags são palavras que descrevem e organizam as mídias sociais dentro da rede. Elas definem as características de um conteúdo. A tag deve estar relacionada a tudo o que gira em torno de uma mídia social, dando elementos para um robô e para um algoritmo identificarem o que isso significa dentro de um contexto.

Em determinadas plataformas, principalmente o Pinterest, as tags são definidas através de folksonomia, que é um conceito de inteligência coletiva. Por meio dela, não é só uma pessoa que determina quais são as tags daquele conteúdo, mas, sim, toda a comunidade do Pinterest. Mais de uma pessoa pode "pinar" aquele conteúdo e adicioná-lo em uma pasta, determinando as suas próprias tags para aquele conteúdo. A junção dessas tags e a sobreposição de frequência de uma tag comunicam ao algoritmo qual a melhor classificação para aquele conteúdo. Isso vai se aperfeiçoando cada vez mais, ajudando a quem for buscar um conteúdo semelhante.

Muitas outras redes funcionam com tags, como o YouTube e o SlideShare; outras somente com hashtags, como o Instagram e o Twitter. Algumas funcionam com ambas, como é o caso do próprio YouTube.

Para termos certeza de que as tags estão otimizadas da melhor forma, devemos nos certificar de que elas incluem palavras relacionadas à marca e ao produto, bem como às do concorrente.

Hashtags

Hashtag é a técnica favorita dos eventos no Twitter, dos posts no Instagram e dos desafios no TikTok, mas é também uma forma de os usuários se organizarem: se todo mundo concorda em usar uma #hashtag para expressar um assunto, isso facilita a navegação pelos posts.

Esse recurso permite que o conteúdo seja visto por mais pessoas de forma orgânica, não necessariamente por aquelas que seguem o perfil. No Instagram, principalmente, isso funciona muito bem e ajuda o perfil a crescer.

Para otimizar seus conteúdos no Instagram, sugiro usar de cinco a sete hashtags, dentro das categorias que veremos a seguir na Tabela 7.

Tabela 7 – Categorias de hashtags para Instagram. Exemplo para o mercado de imóveis de alto padrão

PRODUTO	MOMENTO	CONTEXTO	AÇÃO	POSICIONAMENTO
#imóveis	#vendadeimoveis	#corretoradeimoveis	#financiamentoimobiliario	#imobiliária
#imóvel	#quemcasaquercasa	#mercadoimobiliario	#alugueldeimóveis	#altopadrão
#imovelnaplanta	#primeiroimovel	#corretordeimoveis	#apartamentoavenda	#imoveisdealtopadrao
	#meuapê	#casaprópria	#querocasa	
	#lardocelar	#apartamentonovo	#financiamentocaixa	
	#decorandocasa	#minhacasaminhavida	#compraimovel	
	#meuapartamento	#morandosozinha	#saiadoaluguel	
		#apartamentopequeno		
		#apartamentodecorado		
		#casapequena		
		#apepequeno		
		#apê		
		#aptodecorado		
		#casadecorada		
		#decoracaointeriores		

Temos cinco categorias, das quais cada uma pode ter uma lista de hashtags. Para montar essa lista, você pode usar ferramentas como Leetags, Displaypurposes e Metahashtags. Procure listar as hashtags mais populares, médias e de oportunidade. Evite usar hashtags amplas, genéricas e em inglês, pois isso só trará impressões e uma audiência desqualificada.

Você também pode criar hashtags próprias, mas para as quatro primeiras colunas dessa tabela, é necessário usar hashtags conhecidas e usadas pelos seus públicos de interesse, para que o conteúdo trafegue organicamente pela rede.

Ao contrário do que se pensava, não existe correlação clara entre o número de hashtags e engajamento.

O próprio Instagram permite a inserção de até trinta hashtags, mas pesquisas já mostraram que os posts com melhor performance em termos de engajamento têm, em média, cinco hashtags. Veja a Figura 74.

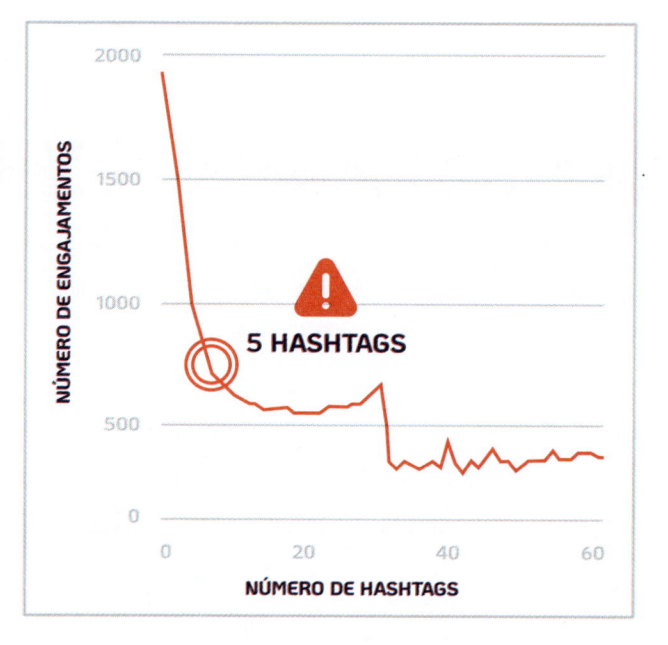

Figura 74 – Número de engajamentos, base de 110 milhões de posts[42]

[42] Mention, Instagram Engagement Report 2018, 2018. Disponível em: https://info.mention.com/instagram-report/thank-you. Acesso em: 23 fev. 2021.

Há hashtags que devem, inclusive, ser evitadas porque foram banidas do Instagram.

O fato objetivo não é sobre o número de hashtags, mas, sim, sobre a escolha certeira daquelas que você vai usar em seu conteúdo. Não por acaso, os posts de melhor engajamento tinham poucas hashtags porque, quanto menos tiverem, maior é o exercício em escolher bem e ser mais cirúrgico. Por isso, eu recomendo a você usar a tabela com as cinco categorias de hashtags para exercitar suas escolhas.

Na coluna de produto, determine as hashtags que têm relação com o produto.

A segunda coluna define de forma breve o momento relacionado ao conteúdo. Em casos de eventos, use as hashtags oficiais dos eventos da sua área. As hashtags de eventos são seguidas pelas pessoas que participam e querem saber o que está rolando. Usamos, portanto, a hashtag do evento como forma tática para posicionar o conteúdo da marca.

Na coluna de contexto, temos hashtags populares que dão um pouco mais de informação sobre o mercado em que o seu negócio está inserido.

Na quarta coluna, temos a ação. Precisamos buscar hashtags que definam a ação que aquele conteúdo está promovendo.

Na última coluna, temos as hashtags proprietárias, que definem posicionamento de marca. No caso, são hashtags complementares. Podem ser também hashtags oficiais de uma campanha.

Precisamos usar pelo menos uma hashtag de cada uma dessas colunas em cada publicação, principalmente no Instagram.

No Twitter, não funciona a inserção de tantas hashtags, até porque existe uma limitação de caracteres. Temos que escolher as mais relevantes: contexto e ação. Use duas ou três hashtags, no máximo, para não fragmentar a importância do assunto e ocupar muito espaço de texto. Tweets com menos hashtags apresentam um maior engajamento.

No YouTube, podemos usar hashtag no título do vídeo. Se for um vídeo do tipo help, é mais indicada uma hashtag relacionada ao contexto ou ao assunto que o usuário esteja buscando. Podemos também inserir hashtags na descrição do vídeo.

Dicas importantes:

- Usamos hashtag na bio e nos stories do Instagram para que a marca apareça na busca;
- Siga hashtags do mercado para entender o conteúdo produzido na área, pelas pessoas e concorrentes;
- Não use as mesmas hashtags em todas as publicações, com exceção das hashtags de posicionamento. Quando não variamos o uso das hashtags mais populares, podemos ter o conteúdo considerado spam;
- Se não escolher as hashtags corretas, você corre o risco de ter comentários de pessoas não qualificadas, que não se interessam pelo tema ou produto da sua marca.

Hashtag é muito importante, e temos que ter hashtag nessa equação toda.

Títulos

Títulos se referem à designação oficial ou ao nome do conteúdo. Em vez de focarem num título sensacional ou controverso, como em outras formas de marketing, os títulos nas mídias sociais precisam destacar palavras-chave.

Quando vamos publicar no YouTube, por exemplo, temos que pensar em um título que contenhas palavras-chave.

Geralmente, as pessoas cometem o erro de pensar em um título rebuscado para chamar atenção, mas precisamos lembrar que o objetivo é ser encontrado. Por isso, o próprio título, na verdade, tem que ser uma composição de palavras-chave, que são aquelas mais usadas nas buscas.

Em vez de pensarmos em um título bonito e criativo, podemos usar uma hashtag no começo, como #rockinrio, para um vídeo do evento de rock, ou seja, uma hashtag que é bastante buscada.

Determine, ao menos, três palavras-chave para um título e para a descrição do vídeo. As descrições também ajudam os buscadores a indexarem o conteúdo. Portanto, uma boa descrição e um bom título contêm palavras-chave relacionadas ao negócio que estamos trabalhando.

Influenciadores digitais

Influenciadores digitais são a segunda maior fonte de influência[43] para descoberta e decisão de compra no Brasil. Perdem somente para familiares e amigos, segundo pesquisa do Instituto Qualibest, que mostrou o poder deles:

- Mais de 55% das pessoas confiam nos influenciadores que acompanham;
- 86% das pessoas já descobriram um produto por meio de um influenciador;
- 73% das pessoas já compraram algum produto ou serviço por indicação de um influenciador digital.

Essa importância cresce quando mais da metade das pessoas afirmam que passaram a seguir ainda mais influenciadores digitais ao longo do ano.

No entanto, apesar dessa força do influenciador, os outros meios têm seu papel numa estratégia de comunicação: 54% das pessoas são indiferentes ou discordam que valorizam mais os influenciadores do que outras mídias.

O fato objetivo é que é importante se utilizar dos melhores meios para cada etapa da jornada do cliente em sua estratégia. Como vimos no passo 3 do Unbound Marketing, nada se resume em usar uma coisa ou outra, seja para estratégias, seja para canais, tecnologias ou mídias.

Isso inclui também o uso de influenciadores digitais, pois não há um único tipo de influenciador. Na metodologia do Unbound Marketing, são cinco tipos, que se encaixam melhor em cada etapa da jornada do cliente. Veja a Figura 75.

[43] Instituto Qualibest, Quem são os maiores influenciadores digitais do Brasil?, 4 out. 2018. Disponível em: https://www.institutoqualibest.com/blog/comunicacao-e-midia/os-maiores-influenciadores-digitais/. Acesso em: 23 fev. 2021.

BUMERANGUE

Experiência compartilhada é o novo estímulo

Jornada do Consumidor: DESCOBERTA | CONSIDERAÇÃO | CONVERSÃO / COMPRA | EXPERIÊNCIA PRÓPRIA | EXPERIÊNCIA COMPARTILHADA

Experiência com a marca: IDENTIFICAÇÃO | ENCANTAMENTO | VALIDAÇÃO | IMPRESSÃO | EXPRESSÃO

Tipo de Influenciador: { MACRO } { ESPECIALISTA } { CLIENTE } { MICRO } { NANO }

+ CREDIBILIDADE   VERACIDADE +

Figura 75 – Tipo de influenciador no Unbound Marketing

Para cada etapa da jornada, há um tipo de influenciador mais adequado a ser utilizado.

Descoberta: etapa na qual você precisa pôr seu produto/serviço no radar. Fazer as pessoas perceberem que você existe. Aqui, você precisa priorizar o alcance dentro do target. Macroinfluenciadores ou celebridades são mais adequados, pois eles são mais generalistas e, portanto, alcançam mais gente. Se o macroinfluenciador aparecer falando do produto ou da marca, sem mesmo ser um cliente ou ter conhecimento técnico sobre o produto, isso é suficiente para milhares, e até mesmo milhões, de pessoas ficarem sabendo. Não há precisão de alcance dentro do público-alvo, portanto, é o tal "tiro de canhão", que acerta um público mais amplo, dentro do qual pode haver quem se interesse por aquilo que está sendo oferecido.

Consideração: etapa em que você precisa posicionar sua marca, aprofundar os interessados em relação aos seus diferenciais e à sua expertise de mercado. Aqui, você precisa ganhar autoridade para que haja consideração das pessoas em segui-lo e querer aprofundar a experiência. Portanto, cocriar conteúdo e fazer ações com influenciadores especialistas no mercado no qual você está inserido é mais adequado, pois eles irão transferir a autoridade deles para a sua marca. Essa é uma das formas mais rápidas de se alcançar o objetivo desta etapa.

Conversão: etapa na qual você precisa dar aquele empurrãozinho para fazer a venda acontecer. Aqui, você precisa aumentar a intenção de compra, quebrar as objeções do lead e fazê-lo enxergar que o que você vende vai ajudar em sua necessidade ou desejo. Usar depoimentos ou casos de sucesso de clientes parecidos com o lead é o mais adequado aqui, pois você tem que gerar identificação. O lead precisa se enxergar na tribo e ter a segurança de que a solução oferecida funciona para ele, além de, principalmente, assimilar a mensagem de que ele não está sozinho.

Experiência própria: etapa em que os clientes têm sua primeira impressão sobre seu produto. Aqui, você precisa priorizar a captação de depoimentos e avaliações positivas em todos os canais relevantes para gerar retenção. Isso criará um gatilho mental de coerência e compromisso.[44] Após fazerem uma avaliação positiva sobre um produto, as pessoas passam a acreditar mais na solução e na decisão que tomaram. Esse também é um dos motivos pelos quais é mais fácil vender para clientes satisfeitos do que para novos. Usar microinfluenciadores aqui é mais adequado, pois é extremamente importante você ter maior volume de pessoas relevantes, parecidas com os clientes comuns, dando depoimentos e contribuindo para influenciar positivamente a seu favor. Não use microinfluenciadores como meros vendedores. Faça com que eles sejam clientes de verdade, satisfaça-os para que haja veracidade na fala quando eles publicarem algo em suas mídias sociais.

---

[44] Coerência e compromisso estão entre os seis princípios da persuasão apresentados no livro *As armas da persuasão* de Robert Cialdini.

Experiência compartilhada: etapa em que a principal mágica deve acontecer. Aqui, você precisa estimular o compartilhamento da experiência dos clientes, para que o conteúdo gerado por eles virem o novo estímulo para a etapa de descoberta. O UGC (User Generated Content) é esperado nesta etapa, porém você pode estimular isso através de programas de indicação, dar cupons em nome dos clientes, para que eles tenham uma moeda social etc. Aqui, a novidade é transformar clientes em nanoinfluenciadores, o que significa, por exemplo, escolher clientes que fazem um bom trabalho criativo em suas mídias sociais, para criar fotos ou vídeos para sua marca, contendo seu produto em contextos relevantes para aquela persona.

Dessa forma, você poderá abandonar o uso de banco de imagens e ter um banco super-relevante e autêntico por persona do seu negócio. Isso traz veracidade para a comunicação. Ao trabalhar com nanoinfluenciadores, você não precisa da audiência deles, mas, sim, da sua mão de obra. Um pouco adiante, iremos nos aprofundar em como transformar clientes em nanoinfluenciadores.

CASO #GERAÇÃOBOTIK

Após o lançamento de sua nova marca de cuidados com a pele, Botik, O Boticário anunciou planos para treinar mulheres com 40 anos ou mais para se tornarem nanoinfluenciadoras digitais para a marca. As candidatas se inscreveram por meio do site oficial da empresa, enviando uma minibiografia relacionada à autoestima e ao autocuidado.

O Boticário selecionou, inicialmente, duzentas mulheres para participar do curso de influenciadoras on-line. Os produtos foram enviados para as participantes, e as postagens com a hashtag #GeraçãoBotik começaram a aparecer no Instagram. Veja a Figura 76.

A seleção foi feita por um corpo de jurados que avaliou o potencial de criação de conteúdo das candidatas, principalmente no que diz respeito a autocuidado e autoestima.

Embora a aspiração sempre seja um ingrediente ativo na indústria da beleza, a realidade é que a pele de uma pessoa de 50 anos é diferente da de uma de 20. Ao encorajar ativamente a persona de mulheres mais velhas a se juntar à comunidade de influenciadores, O Boticário não está apenas promovendo sua própria marca, mas aumentando a visibilidade e a inclusão de mulheres que ainda estão sub-representadas.

Figura 76 — Post da @simoneoliver criado em função da ação de O Boticário com nanoinfluenciadoras. Print feito em 20 de novembro de 2020

Como selecionar influenciadores digitais

O marketing de influência pode produzir resultados incríveis para marcas que o usam bem de acordo com o Unbound Marketing. Mas uma das principais dúvidas em relação aos tipos de influenciadores é: como selecionar bons influenciadores?

A seguir, veremos quais são as características e métricas que devemos levar em consideração na hora de buscar e selecionar bons influenciadores. Isso servirá para todos os tipos de influenciadores que vimos na Figura 75, embora cada um tenha também algumas particularidades.

O DNA do bom influenciador digital é dividido entre características qualitativas e quantitativas.

Vamos começar pelas premissas qualitativas.

Tempo certo: tem a habilidade de criar conteúdo constantemente, nutrindo a audiência com informações quando as pessoas precisam.

Representatividade: é sinônimo de um real influenciador, aquele que consegue representar uma comunidade e ter relevância dentro de um segmento. O influenciador não precisa ter milhões de seguidores, mas, sim, ser relevante dentro do nicho que se propõe a influenciar.

Adequação: compreende cada canal social e consegue se adequar garantindo que a mensagem seja mais bem recebida. Diz respeito ao potencial que um influenciador tem de espalhar a sua mensagem usando o melhor dos formatos e a dinâmica de cada plataforma de mídia social.

Perfil transformador: consegue transformar a audiência em uma comunidade que contribui para que a influência dele se espalhe em seu segmento. O que o influenciador diz é compartilhado, discutido, comentado? Para o caso de influenciadores especialistas, o reconhecimento da expertise num determinado assunto é fundamental. Portanto, há duas outras premissas importantes: credibilidade e bandwidth.

Credibilidade: consegue falar diretamente com um público específico, é reconhecido por sua especialidade, permitindo bons resultados e bom custo-benefício.

Bandwidth: habilidade do influenciador de transmitir seu conhecimento por meio da mídia social.

Depois da análise qualitativa, vamos entender como diferenciar um bom influenciador pela análise quantitativa.

AEP: average engagement per post/média de engajamento por publicação.

AVP: average views per post/média de visualizações por publicação de vídeo.

Quanto mais influente é uma pessoa na mídia social, maiores serão seu AVP e seu AEP, independente da quantidade de seguidores.

Essas duas métricas exigirão que o próprio influenciador dê acesso às informações. Quem usa a mLabs, por exemplo, pode extrair um relatório dos doze últimos posts. Não avalie apenas o *media kit* criado pelo próprio influenciador, pois geralmente lá irá constar apenas os melhores posts de maneira atemporal, e as redes sociais e seus algoritmos mudam o tempo todo, assim como a capacidade de influência.

Outra métrica importante é a RFR: real followers rate/taxa de qualidade dos seguidores ou taxa de seguidores reais.

Uma das ferramentas capazes de avaliar essa métrica é a HypeAuditor.[45] Lá eles chamam de AQS (Audience Quality Score), que mensura não só o tamanho do público de pessoas reais, excluindo seguidores em massa, seguidores falsos, bots e contas suspeitas, mas também a qualidade de engajamento.

Você também pode fazer um filtro final pelo ER: engagement rate (%)/taxa de engajamento geral.

FÓRMULAS DE TAXA DE ENGAJAMENTO

Engajamento público — com variáveis públicas que todos têm acesso

$$ER\ público\ (\%) \left(\frac{Total\ de\ engajamento}{Número\ de\ seguidores} \right) \times 100$$

O total de engajamento nessa equação soma o número de comentários e likes dos últimos doze posts.

O ER público é um bom KPI para comparar os influenciadores, mas não é uma taxa de engajamento real, já que você não tem o acesso administrativo das contas para saber outras métricas, como salvamentos, compartilhamentos e alcance da conta. Por isso, apresento também a fórmula do ER real.

Engajamento real — com variáveis privadas que somente o influenciador tem acesso

$$ER\ Real\ (\%) \left(\frac{Total\ de\ engajamento}{Pessoas\ alcançadas} \right) \times 100$$

O total de engajamento nessa equação soma o número de interações do canal, que pode incluir salvamentos, favoritos, compartilhamentos, likes, comentários e reações.

O total de pessoas alcançadas é o número de pessoas únicas impactadas na soma dos últimos doze posts.

Os últimos doze posts representam o número de publicações recomendado para saber a realidade e o potencial do influenciador hoje. Avaliar publicações antigas não é garantia de sucesso futuro, muito menos em vista da dinâmica de alcance das redes sociais.

---

45 Disponível em: https://app.hypeauditor.com/. Acesso em: 23 fev. 2021.

É quase impossível calcular tudo manualmente, e se você estiver comparando vários influenciadores, isso pode ser muito demorado.

Para fazer esse cálculo mais rápido, você pode usar uma calculadora de taxa de engajamento ou fornecedores como:

Você pode acessar mais ferramentas através do QR Code

FERRAMENTAS	FORNECEDORES
Airfluencers	Squid
Noxinfluencer	Cely
HypeAuditor	Influency.me
Phlanx	Post2B
Influence.co	Digital influencers
Brand24	Kuak
BuzzSumo	YouPix
Grin.co	iFruit

Esse DNA compõe o conjunto crucial que diferencia influenciadores reais daqueles que compram seguidores falsos. Analisar esse DNA é importante para eliminar o erro de levar em conta um influenciador apenas pelo número de seguidores ou pelo número de interações num post.

Vale salientar que, geralmente, influenciadores menores têm uma taxa de engajamento superior à dos maiores. Assim como, em determinadas categorias de mercado, os influenciadores digitais têm maior taxa de engajamento do que outros. Veja as figuras 77 e 78.

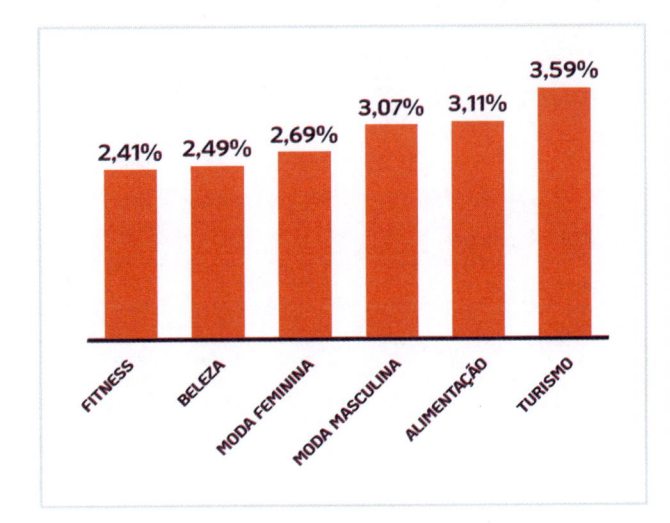

Figura 77 – Engajamento médio dos influenciadores por categoria de negócios no Instagram[46]

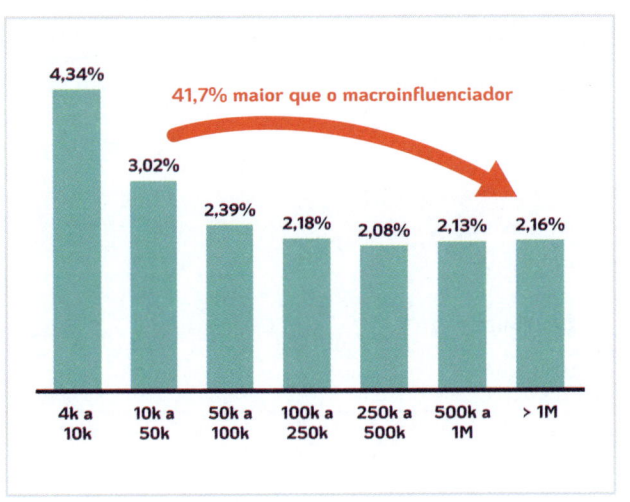

Figura 78 – Engajamento médio dos influenciadores por quantidade de seguidores no Instagram[47]

[46] AspireIQ, The State of Influencer Marketing 2019: an Analysis of the Social Media Ecosystem, 2019. Disponível em: https://learn.aspireiq.com/state-of-industry-report-2019. Acesso em: 24 fev. 2021.

[47] Ibidem.

Os influenciadores menores chegam a engajar 41,7% a mais do que perfis com mais de 1 milhão de seguidores.

Em tese, quanto menor a comunidade do influenciador, mais ele consegue ser próximo do público, e, portanto, maior o engajamento. Sendo assim, é importante avaliar a afinidade do perfil do influenciador com a persona da marca.

Uma forma complementar de achar e selecionar influenciadores é usar suas próprias redes sociais para pesquisas com os seguidores, perguntando quem eles gostariam de ver junto da marca, produzindo conteúdo em conjunto.

Também é válido verificar influenciadores por canal de mídia social. Na parte tática, pode haver influenciadores específicos para o YouTube, por exemplo.

É importante avaliar ainda o histórico de relacionamento com outras marcas, polêmicas envolvidas e mudanças de comportamento ao longo dos últimos dois anos. Use alguma ferramenta de monitoramento de mídias sociais para puxar esse histórico e analisar esses dados. Por isso, é recomendado criar um contrato anual, para que o influenciador tenha fidelidade com a sua marca e evite se envolver com temas sensíveis ao seu negócio.

Experiência própria, NPS e UGC

A etapa da experiência é crucial para a formação do terreno no sentido de conseguir transformar o funil de vendas em um megafone para a marca. Há ações fundamentais a serem feitas nessa etapa para que os resultados sejam realmente exponenciais. Tais ações incluem fazer uma pesquisa NPS, estimular UGC e monitorar as mídias sociais. O objetivo é conseguir extrair o máximo de informação sobre a experiência dos clientes com a sua marca e produto, aprender com isso para iterar o processo de melhoria contínua do negócio, além de estimular que as impressões positivas sejam espalhadas pela internet.

Quando as pessoas estão para tomar uma decisão, geralmente elas fazem duas coisas: pesquisar na internet e perguntar a amigos e familiares o que eles recomendam.

Lembra que, segundo o Instituto Qualibest, os influenciadores digitais são a segunda maior fonte para a decisão de compra dos brasileiros? Pois é, qual é a fonte que está em primeiro lugar? Resposta: familiares, amigos e colegas de trabalho.

Recomendações de familiares, amigos e colegas são incrivelmente valiosas para seu público-alvo. De acordo com a Nielsen,[48] 83% dos entrevistados disseram confiar nas recomendações de familiares e amigos mais do que em qualquer outra forma de publicidade.

Isso significa que, mesmo se você fizer tudo certo em termos de comunicação — plano de conteúdo, campanhas, site etc. —, mas a experiência do cliente for ruim ao ter contato com o seu produto, ao obter a primeira impressão, ao validar a expectativa, isso vai prejudicar

[48] Nielsen, Global Trust in Advertising: Winning Strategies for an Evolving Media Landscape, set. 2015. Disponível em: https://www.nielsen.com/wp-content/uploads/sites/3/2019/04/global-trust-in-advertising-report-sept-2015-1.pdf. Acesso em: 24 fev. 2021.

todo o processo do Unbound Marketing e interromper a jornada. Na verdade, é mais provável que os clientes falem sobre tal experiência negativa tanto na internet quanto para as pessoas mais próximas.

Hoje em dia, através das mídias sociais, os clientes podem compartilhar rapidamente recomendações — positivas ou negativas — com milhares ou milhões de pessoas a partir de um único toque. Isso torna o monitoramento de feedback do cliente e a identificação dos pontos positivos e negativos um processo necessário, não apenas para evitar novas experiências e avaliações ruins do cliente, mas também para deixá-lo satisfeito a ponto de recomendar sua marca.

É aqui que entram o NPS, o UGC e o monitoramento das mídias sociais, sobre os quais veremos em um capítulo adiante.

NPS

Net Promoter Score (NPS) é uma pesquisa que mede a experiência e a lealdade do cliente, obtida ao perguntar aos clientes qual a probabilidade de eles recomendarem seu produto ou serviço a outras pessoas em uma escala de 0 a 10.

Diferente de uma pesquisa de satisfação, na qual você pode tirar uma fotografia da experiência do cliente sobre o consumo de um produto ou serviço naquele momento — podendo fazer diversas perguntas que incluem desde a usabilidade até o benefício —, o NPS traz consigo um pensamento que avalia a experiência como um todo. Ao fazer uma única pergunta sobre a possibilidade de indicação, o cliente pensa em uma balança entre os pontos negativos e positivos ao longo da sua jornada com a marca e acaba fazendo uma reflexão se poria a mão no fogo por ela em vista de a sua credibilidade estar em jogo nessa indicação. Isso é muito mais profundo do que medir a satisfação momentânea.

Ao aplicar o NPS em seu negócio, ficará mais fácil também fazer benchmarking no mercado, pois essa pesquisa já está sendo amplamente utilizada pelas empresas. Isso facilita o entendimento da lealdade e a experiência esperada ao se comparar com as principais referências para o seu setor.

O NPS pode ser usado também como um indicador de crescimento do negócio. Quando o NPS de sua empresa é alto ou maior do que a média do setor, você saberá que, provavelmente, os clientes agirão como promotores da marca, podendo estimular o boca a boca, gerando um crescimento escalável.

O NPS é calculado subtraindo a porcentagem de clientes que respondem dando nota 6 ou menos (detratores) da porcentagem de clientes que respondem com 9 ou 10 (promotores).

$$NPS = \% \text{ promotores} - \% \text{ detratores}$$

A fórmula só faz sentido se você entender o que as faixas da escala do NPS significam. Veja a Tabela 8.

Tabela 8 – Escala do Net Promoter Score

Não indicaria de forma alguma							Neutro		Indicaria com certeza	
0	1	2	3	4	5	6	7	8	9	10
DETRATOR							PASSIVO		PROMOTOR	

Os respondentes são agrupados da seguinte forma:

- Promotores (pontuação 9-10) são entusiastas leais que continuarão comprando e recomendando a marca.

- Passivos (pontuação de 7-8) são clientes satisfeitos com o produto genérico esperado, mas vulneráveis a ofertas de concorrentes.

- Detratores (pontuação 0-6) são clientes insatisfeitos que podem prejudicar sua marca e impedir o crescimento por meio do boca a boca negativo.

Embora os passivos não sejam incluídos no cálculo, eles estão muito próximos de ser promotores, principalmente quando dão uma nota 8. Portanto, faz sentido gastar tempo investigando aquilo em que eles não enxergaram valor e o que pode ser feito para que se tornem promotores.

O resultado do NPS pode variar de um mínimo de -100, se cada cliente for um detrator, a um máximo de 100, se cada cliente for um promotor.

No NPS, qualquer pontuação acima de 0 é considerada "boa" porque indica que uma empresa tem mais promotores do que detratores. No entanto, os benchmarks geralmente têm um NPS de 70 ou mais. Mas isso pode variar de acordo com o segmento. Veja a Tabela 9.

Tabela 9 – Benchmarks de NPS por setor em 2020 segundo o QuestionPro[49]

SETOR	NPS
1. Educação/treinamento	71
2. Agências de marketing digital	61
3. Tablets	52
4. Consultoria	51
5. Corretoras de investimento	46
6. Comércio eletrônico	48
7. Compras on-line	43
8. Construção	43
9. Seguro residencial	42
10. Supermercados	39
11. Entretenimento on-line	39
12. Seguro de automóveis	39
13. Companhias aéreas	39
14. Cartões de crédito	37
15. Computadores portáteis	37
16. Hotéis	36
17. Serviços de frete	35
18. Bancos	35
19. Smartphones	34
20. Serviços financeiros	34
21. Serviço de celular	30
22. Logística/transporte	29
23. Software e aplicativos	34
24. Farmácias	28
25. Sites relacionados a viagens	18
26. Seguro-saúde	14
27. Serviços de TV a cabo/satélite	7
28. Provedores de serviços de internet	-7

[49] QuestionPro, 30 NPS Benchmarks for Leading Industries, [s.d.]. Disponível em: https://www.questionpro.com/blog/nps-benchmarks/#:~:text=NPS%20benchmarks%20are%20the%20average.consistent%20with%20a%20good%20score. Acesso em: 24 fev. 2021.

Um NPS acima de 70 significa que seus clientes amam sua marca e que sua empresa está tendo um boca a boca positivo. Quanto mais alto for o seu NPS, mais provável será que a indicação dos seus clientes se converta em novos leads e em mais receita para o negócio.

Faça o possível para manter sua pontuação acima de 0. Mesmo que um NPS de -1 possa ser maior do que outros em seu nicho, encontrar-se abaixo de 0 pode ser desanimador e deve definitivamente soar um sino quanto à experiência do cliente com a sua marca. Veja como ler corretamente as faixas de NPS:

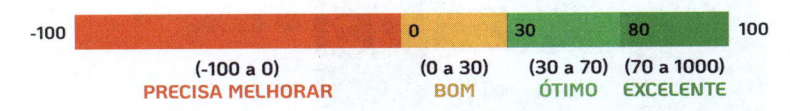

```
-100                    0        30         80      100
     (-100 a 0)      (0 a 30)  (30 a 70)  (70 a 1000)
   PRECISA MELHORAR    BOM       ÓTIMO     EXCELENTE
```

Figura 79 — Escala de um bom NPS

Você pode medir o NPS todos os meses, semanas, dias ou em tempo real de acordo com o seu modelo de negócio. Medir em tempo real a partir do momento em que o lead passa a ser cliente, na etapa de experiência própria, é o mais recomendado. Assim, você conseguirá monitorar o NPS a tempo de reagir mais rápido e comparar sua evolução ao longo do tempo.

Seja através de NPS, SAC ou monitoramento das mídias sociais, é fundamental que você sempre feche o ciclo com os clientes para entender o contexto e as razões por trás de sua pontuação, reclamação ou menção negativa nas mídias sociais. O uso de entrevistas individuais com detratores e passivos o ajudará a entender o que pode e deve ser melhorado na experiência. Assim, você concentra seus esforços em uma direção verdadeiramente centrada no cliente.

UGC

Sabe o tal boca a boca que vimos no tópico do NPS? Quando ele acontece em forma de conteúdo na internet, ele se torna um UGC. Em termos simples, o conteúdo gerado pelo usuário (UGC) é qualquer tipo de conteúdo que fãs ou clientes criam para uma marca. Pode ser na forma de postagens de blog, vídeos, stories, fotos, tweets ou, até mesmo, depoimentos em texto em sites de avaliação.

Como parte da metodologia do Unbound Marketing, você precisa incentivar seus clientes a criarem conteúdo sobre a experiência com a sua marca e produto. Essa é a melhor maneira de construir a credibilidade para a sua marca, além de fazer novos potenciais clientes descobrirem você e tomarem decisões mais rápidas e seguras.

As principais ações para incentivar o UGC são:

- Pedir uma avaliação para os clientes assim que eles derem uma nota 8, 9 ou 10 na pesquisa NPS. Essa avaliação pode ser no Google Meu Negócio ou em site de preferência da sua persona.

- Caso seja um negócio local, disponibilizar um QR Code no balcão com algum incentivo, mandando para o Google Meu Negócio. Por exemplo: "Faça uma avaliação do nosso restaurante e ganhe uma sobremesa". Encare como investimento de marketing.

- Enviar um cartão sugerindo que o cliente faça um post em suas redes sociais, marque o perfil da sua marca e use a hashtag oficial. Esse cartão pode estar dentro da embalagem do produto ou onde for mais conveniente assim que o cliente receber o que comprou.

- Promover um concurso nas mídias sociais, pelo qual seus clientes possam se expressar através da sua marca.

CASO #WHITECUPCONTEST DA STARBUCKS

Esse concurso da Starbucks é um excelente exemplo dessa ação. Eles incentivaram seus fãs a pegar um copo da Starbucks e enchê-lo com doodles ou desenhos.

Para participarem da competição, os usuários tinham que tirar uma foto de seus copos e enviar seus designs nas redes sociais com a hashtag #WhiteCupContest. O design do projeto vencedor virou um novo copo de plástico reutilizável de edição limitada nas lojas.

Figura 80 – Copo vencedor do concurso #WhiteCupContest da Starbucks

- Convidar os clientes a fazerem parte de um catálogo de produtos no Instagram, de forma que eles publiquem pelo menos uma foto usando seu produto.

CASO WANTED SHOES

A Wanted Shoes, loja de calçados femininos, convida seus clientes a exibirem seu próprio look usando os produtos, junto com o conteúdo criado com modelos, influenciadores, celebridades, designers, nas contas oficiais da marca nas redes sociais.

Figura 81 – CTA no site da Wanted Shoes convidando seus clientes a aparecerem no catálogo social. Print tirado no dia 20 de março de 2019

Figura 82 – Foto do catálogo social (Shop Insta) no site da Wanted Shoes. Print tirado em 20 de março de 2019

O objetivo é duplo: dar aos visitantes do e-commerce uma maneira única de navegar no catálogo da Wanted Shoes e, ao mesmo tempo, fornecer prova social no momento da compra.

Os clientes postam as fotos majoritariamente no Instagram, com cenários da vida real, usando a hashtag oficial e marcando o perfil da marca. A Wanted Shoes faz a curadoria das imagens e as utiliza em seu catálogo de produtos, dando um toque de autenticidade com um conceito chamado Street Style.

A Wanted Shoes viu a oportunidade de aumentar a receita aproveitando o poder da prova social no ponto de venda. Os UGC são incorporados nas páginas de cada produto, garantindo a exibição dos posts correspondentes ao produto.

Os resultados são fantásticos. Os usuários que navegam pelo catálogo do Street Style têm 30% mais probabilidade de comprar do que os usuários que visitam páginas do site que não incluem UGC.

Criando uma experiência tão incrível durante a compra ou depois, o cliente se sentirá impelido a compartilhar isso em suas redes. Pode ser uma embalagem especial, uma decoração no ambiente, algo que surpreenda e vá além do produto esperado.

Em todos os casos, você deve seguir um processo ao planejar uma ação de incentivo ao UGC. A seguir, você verá a sequência recomendada:

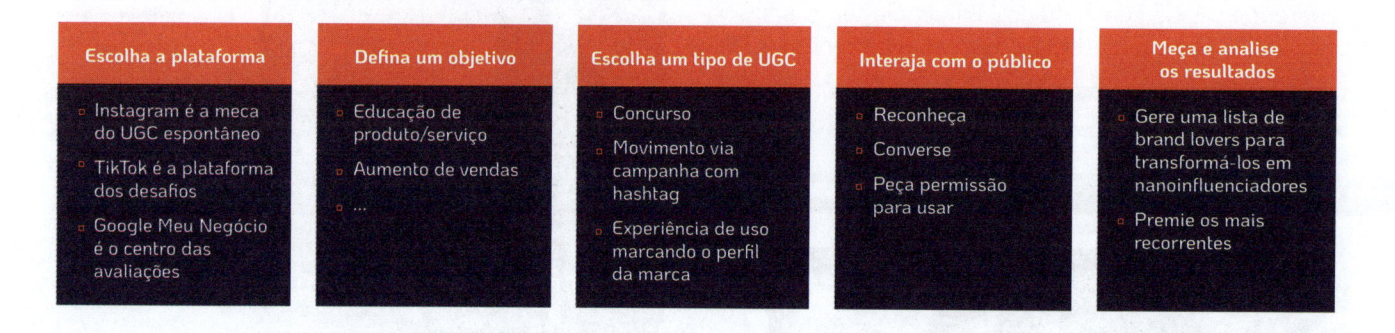

Escolha a plataforma	Defina um objetivo	Escolha um tipo de UGC	Interaja com o público	Meça e analise os resultados
- Instagram é a meca do UGC espontâneo - TikTok é a plataforma dos desafios - Google Meu Negócio é o centro das avaliações	- Educação de produto/serviço - Aumento de vendas - ...	- Concurso - Movimento via campanha com hashtag - Experiência de uso marcando o perfil da marca	- Reconheça - Converse - Peça permissão para usar	- Gere uma lista de brand lovers para transformá-los em nanoinfluenciadores - Premie os mais recorrentes

Seu primeiro passo deve ser escolher a plataforma de mídia social certa para sua campanha. Lembre-se de que você quer acionar quem já é cliente para impactar quem ainda não é. Portanto, a plataforma precisa ser aberta e amplamente usada pelo público-alvo na etapa de descoberta.

Para a maioria das marcas, o Instagram é a plataforma mais popular por ser altamente visual e usada pelos brasileiros. Mas, se você quiser achar um público realmente novo, o TikTok, através da mecânica de desafios, pode ser um bom canal.

Facebook e Instagram são as plataformas que permitem maior flexibilização para o cliente usar fotos, vídeos, gifs e stories. Já em outras, as opções são mais limitadas. O LinkedIn trata principalmente de postagens de texto, imagem e infográficos. No YouTube, a exigência é vídeo.

No segundo passo, você deve definir o objetivo da ação. O UGC pode ajudá-lo com a credibilidade e com a prova social necessária para estimular novos clientes, mas a ação em si precisa ter um objetivo claro.

Por exemplo, caso o objetivo seja educar sobre o uso do produto, é premissa que o UGC tenha esse tipo de conteúdo e sirva como um tutorial para novos clientes. Caso o objetivo sejam vendas diretas, o UGC precisa ser uma premissa para o cliente concorrer a prêmios de alto valor, funcionando como um comprovante da compra.

No terceiro passo, diga aos seus clientes exatamente o que você espera deles. Não importa se por meio de vídeo, foto, uso de hashtag, avaliação ou expressão: seja claro sobre as diretrizes da sua campanha.

Ao especificar seus requisitos de forma clara, é mais provável que seu público envie conteúdo que você possa usar de fato.

No quarto passo, você precisa monitorar as mídias sociais, principalmente a hashtag oficial — escrita de forma certa e errada —, para que possa reconhecer os participantes e interagir com eles. Isso irá ajudá-lo a criar uma presença poderosa nas redes sociais. A melhor parte é que você pode ser criativo e explorar diferentes maneiras de interagir com esse público, seja recompartilhando o UGC, respondendo com comentários positivos, chamando para uma mensagem no inbox, por onde você pode mandar um gif personalizado etc. Isso aumentará a sua taxa de engajamento no canal.

Por último, salve as informações sobre os participantes e os acompanhe através de uma ferramenta de mídias sociais e Social CRM. Dessa forma, você conseguirá identificar quem são os brand lovers e criar um relacionamento mais estreito, como, por exemplo, convidando-os a serem nanoinfluenciadores da marca. Veremos sobre isso no próximo capítulo.

CASE PÃO ARTESANO

A campanha de lançamento do pão Artesano, da Bimbo Brasil, é exemplar quanto ao uso da metodologia do Unbound Marketing e foi eleita case de sucesso pelo Facebook.

O resultado foi de 11,7 milhões de pessoas alcançadas, com frequência de 15x e 3x mais vendas do que o esperado, com 50% de aumento de consumo na categoria. O pão Artesano se tornou o produto mais vendido na história da empresa.

Objetivo

O Grupo Bimbo Brasil tinha o objetivo de lançar, no país, um dos produtos mais bem-sucedidos do grupo nos últimos anos — o pão Artesano. Em termos de alcance, estabeleceu a meta de atingir 4 milhões de pessoas dentro do público-alvo e fazê-las espalhar positivamente a inovação nas plataformas do Facebook e do Instagram, a fim de aumentar a mídia ganha com influência social.

Solução

Para os cinco meses de campanha, a estratégia da Bimbo Brasil foi estabelecer três fases de comunicação, cada uma evoluindo a partir da última: pré-lançamento (abril de 2017), lançamento (maio e junho) e sustentabilidade (julho e agosto).

Pré-lançamento (alcance)

Durante a fase de introdução da novidade no mercado, a marca trabalhou com anúncio de vídeo e slideshow com legendas, anúncios em formato carrossel com foto e vídeo usando links e anúncios com fotos verticais. Para alcançar o público certo, a empresa utilizou oito clusters diferentes de perfis de pessoas que receberiam anúncios com base em seus interesses, por exemplo: vinho e bruschetta; geleia ou creme de avelã; vegetarianos. Para cada grupo, foi apresentada uma combinação do pão com ingredientes que gerassem identificação.

Lançamento (conversão)

Na etapa de lançamento, a Bimbo Brasil investiu no Branded Content com canais que influenciam a gastronomia para levar as pessoas a experimentarem o pão Artesano com base nas sugestões de consumo, além de criar uma integração com programas culinários. A marca também pôde direcionar os anúncios a pessoas próximas aos pontos de venda e monitorar a conversão utilizando o pixel do Facebook, que já tinha instalado no site.

Sustentação (fidelização)

A última fase da campanha tinha como objetivo mostrar a versatilidade do pão e dar a liberdade para o consumidor fazer suas criações (UGC). Para isso, foi criado um concurso no Instagram, com foco na experimentação, que também foi divulgado no Facebook com anúncios de fotos e vídeos.

Instagram

Além do concurso, o Instagram foi usado para promover anúncios em horários em que as pessoas costumam sentir fome, geralmente às 18h, aproveitando as mesmas segmentações por grupos. A principal diferença foram os criativos, pois, enquanto as artes no Facebook buscavam evidenciar informações e atributos do pão, as peças no Instagram tiveram como foco a inspiração visual: fotografia que sugere a indulgência.

O sucesso — Identificação gera conversão

Em menos de três meses de campanha, a Bimbo Brasil superou o objetivo inicial.

- 3x mais vendas do que o esperado
- 50% de aumento incremental nas vendas na categoria pão branco
- 11,7 milhões de pessoas alcançadas com frequência 15x
- 8,9 milhões de pessoas assistiram ao anúncio de vídeo até o final
- 80% da verba digital investida em Facebook e Instagram

QR Code para assistir ao vídeo

Como transformar o cliente em nanoinfluenciador

Chegou o momento mágico de o Unbound Marketing transformar clientes em nanoinfluenciadores. Esse momento é mágico porque, se você conseguir executar essa missão, significa que conseguiu entregar uma boa experiência nas etapas anteriores, indo além do produto genérico esperado, construindo valor e comunidade em torno da marca.

A chave para encontrar bons clientes candidatos a nanoinfluenciador é o NPS (Net Promoter Score). Por definição, os promotores de uma pesquisa NPS são as pessoas que deram as notas 9 ou 10. Você pode começar por aí, mas se houver poucas pessoas dentro dessa faixa, flexibilize e liste também as pessoas que deram nota 8. Da mesma forma, caso haja muitas pessoas dentro das faixas 9 e 10, você pode se limitar a listar somente as que deram 10.

Ao identificar a sua lista de promotores, faça uma ação de ativação para convidá-los a serem nanoinfluenciadores e receberem treinamento para isso — como no case da #GeraçãoBotik de O Boticário. É nesse momento que você irá pedir o perfil dessas pessoas nas redes sociais, WhatsApp, endereço, entre outros dados que achar pertinentes.

A partir do cadastro de candidatos, você será capaz monitorá-los nas mídias sociais para identificar quem são os mais criativos e com talento para passar uma mensagem de forma autêntica. Você também pode fazer algum tipo de prova em vídeo e pedir uma amostra de conteúdo em foto com o seu produto no contexto da vida deles, para avaliar quem se sai melhor.

A meta dessa avaliação é selecionar pelo menos trinta pessoas por persona do seu negócio, podendo chegar a centenas, dependendo da quantidade de personas e da sua disposição para se relacionar com todas. Não há uma fórmula para chegar ao número ideal, mas você precisa ter em mente que é mais sobre ter uma mão de obra criativa do que alcance.

O objetivo desse programa de nanoinfluenciadores é ter conteúdo autêntico, que passe verdade na mensagem e no contexto da vida real das personas. A ideia não é somente fazer com que esses nanoinfluenciadores publiquem nas redes sociais deles esses conteúdos, mas, sim, que a própria marca possa usar o UGC em seus canais e campanhas, incluindo as campanhas de performance (veja exemplo na Figura 83), em todas as etapas da jornada do cliente.

O UGC é o conteúdo influenciador mais poderoso de todos e tem 9,8x[50] mais chances de afetar as decisões de compra das pessoas do que o conteúdo dos macroinfluenciadores.

Quando comparado ao conteúdo criado pela própria marca, 79%[51] das pessoas dizem que o UGC tem um grande impacto em suas decisões de compra, mas apenas 13%[52] afirmam que o conteúdo de uma marca é impactante.

---

50 Stackla, Bridging the Gap: Consumer & Marketing Perspectives on Content in the Digital Age, [s.d.]. Disponível em: https://stackla.com/resources/reports/bridging-the-gap-consumer-marketing-perspectives-on-content-in-the-digital-age/. Acesso em: 24 fev. 2021.

51 Ibidem.

52 Ibidem.

Criar conteúdo relevante todos os dias não é uma tarefa fácil. Você precisa estar sempre com o plano de conteúdo em dia, alinhado com a estratégia, e a criação adiantada para conseguir produzir o seu melhor.

Olhando para o lado do cliente e do profissional de marketing na equação da autenticidade de conteúdo, a pesquisa da Stackla revela lacunas entre o que os clientes desejam e o que os profissionais de marketing acreditam que estão oferecendo. Veja as figuras 84 e 85.

Figura 83 – E-mail-marketing da loja Insiderstore: desde o título do e-mail até o conteúdo há Prova social

QUE TIPO DE CONTEÚDO É MAIS AUTÊNTICO?

- UGC: 58% / 15%
- CONTEÚDO DA MARCA: 24% / 32%
- BANCO DE IMAGENS: 3% / 7%

■ CONSUMIDORES   ■ PROFISSIONAIS

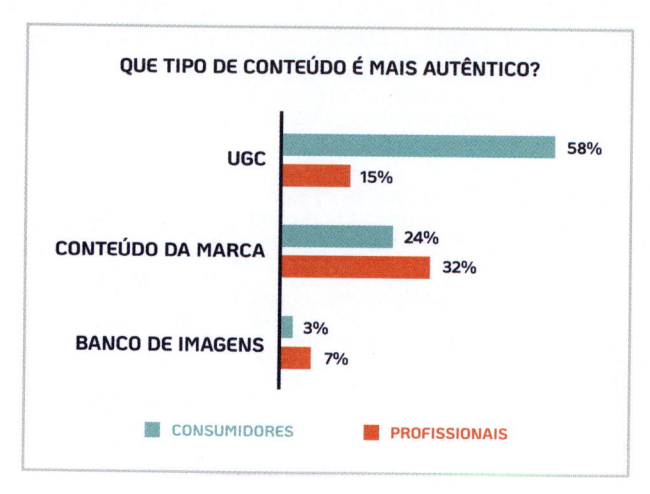

Figura 84 – UGC como conteúdo mais autêntico perante os consumidores[53]

– VS –

51% dos consumidores acreditam que menos da metade das marcas cria um conteúdo autêntico

92% dos profissionais de marketing acreditam que o conteúdo criado pela sua marca é autêntico perante os consumidores

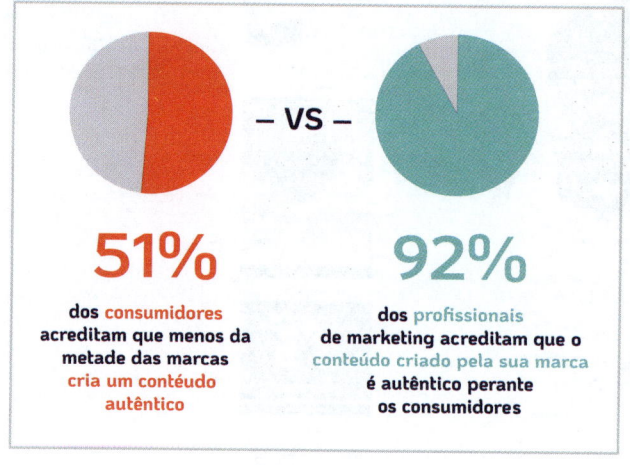

Figura 85 – Lacuna entre consumidores e profissionais de marketing[54]

---

53 Ibidem.

54 Ibidem.

Quando foi perguntado aos profissionais de marketing o que eles acreditam ser um conteúdo eficaz, a autenticidade foi citada em primeiro lugar, com 61%. Ou seja, os profissionais de marketing acham que estão criando um conteúdo eficaz e autêntico, muitas vezes produzindo fotos lindas em estúdio, mas os clientes entendem que isso não é autêntico.

Por isso, ter nanoinfluenciadores é uma solução inteligente, pois os clientes que mais amam a marca e a conhecem passam a criar conteúdo para você.

Mas, para isso acontecer de maneira eficiente, você precisa se dedicar ao relacionamento com esses nanoinfluenciadores. Eles são o grupo de elite, os brand lovers, seus criativos mais autênticos. É necessário ter um canal de comunicação exclusivo, mandar produtos em primeira mão, dar-lhes treinamento para serem influenciadores cada vez melhores, gerar reconhecimento através de cartões, badges, certificados etc. Ou seja, criar o maior nível de capital social e usar todos esses benefícios psicológicos como moeda.

Ao monitorar as mídias sociais, você também identificará outros clientes fazendo UGC e que não estão na lista oficial dos nanoinfluenciadores da marca. No entanto, ao compartilhar o UGC deles, você também trará mais vendas, pois 51%[55] dos consumidores engajariam mais e/ou comprariam mais de uma marca se a mesma compartilhasse seus posts de UGC.

Veja um exemplo para o setor de bens de consumo, em que os consumidores declaram que o UGC é mais autêntico, mais provável de fazê-los confiar na marca e mais provável de ser clicado, caso fosse um anúncio.

Figura 86 – UGC e o impacto nos bens de consumo[56]

Como você deve ter percebido, ter um programa de nanoinfluenciadores é a virada de jogo no mundo do marketing. Porque isso põe o foco novamente no cliente e no que ele tem a dizer sobre a marca. É uma grande mudança das técnicas tradicionais de marketing pois, ao usar o UGC desses nanoinfluenciadores em todas as etapas da jornada no framework do Unbound Marketing, você estará recorrendo a um dos gatilhos mais poderosos, o da prova social. É uma promoção sutil com mais autenticidade, o tempo todo, em paralelo com todas as outras técnicas que vimos até aqui. Os índices de confiança, credibilidade e conversão aumentarão significativamente.

55 Ibidem.

56 Ibidem.

Vale fazer a ressalva de que o programa de nanoinfluenciadores requer que todos assinem um contrato que permita à marca usar o conteúdo gerado pelos participantes como forma de propaganda para cunho comercial, assim como todos os dados serão protegidos de acordo com a LGPD (Lei Geral de Proteção de Dados Pessoais).

Em alguns casos, você pode exigir nesse contrato um escopo mínimo de entrega de conteúdo dos participantes, para não correr o risco de investir em envio de produtos, treinamento e influenciadores que não deem retorno.

Outra vantagem do programa é que ele pode ajudá-lo a construir uma comunidade de brand lovers. Isso fará eles sentirem que fazem parte de uma comunidade realmente exclusiva, com interesses semelhantes. Um dos maiores erros na execução da criação de uma comunidade é chamar todos os clientes a fazerem parte. Assim procedendo, você terá promotores e detratores dentro do grupo. Isso tornará a comunidade um canal de atendimento ao cliente, com um teor mais negativo do que positivo. Infelizmente, os detratores sempre gritam mais, gerando um sentimento generalizado de que todos os clientes estão com o mesmo problema. Por isso, a chave é a pesquisa NPS.

Monitoramento das mídias sociais

Qualquer empresa sabe que é fundamental construir uma sólida reputação nas mídias sociais. No entanto, as coisas nem sempre são tão positivas. A última coisa que você deseja é ter uma reputação negativa com base numa experiência ruim — produto ruim, serviço ruim, atendimento ruim, envolvimento com polêmicas — que cause menções negativas nas mídias sociais.

Essa é uma das razões pelas quais é vital monitorar constantemente os canais de mídia social da sua marca e ficar atento a quaisquer sinais de alerta. Esse tipo de atividade é conhecido no mercado como *social listening*.

O monitoramento das mídias sociais é uma fonte valiosa para escutar o cliente e tirar insights para consolidar o processo de melhoria contínua de toda a experiência com a marca.

No entanto, você não deve usar o monitoramento para focar somente nas ocorrências relacionadas à marca. Você também pode e deve monitorar outras quatro categorias de dados provenientes das mídias sociais, conforme a Figura 87.

Monitorar palavras relacionadas ao core business, nome da marca e variações, concorrentes etc.

Monitorar os canais oficiais da marca, todos os comentários e mensagens diretas.

Monitorar pessoas influentes do mercado da marca, clientes-chave, clientes críticos etc.

Monitorar imagens para identificação visual da marca ou elementos de interesse ao core business.

Usar o próprio Google Images é uma opção.

Monitorar posts a partir de metadados como hashtags, localização, sexo, entre outros.

Figura 87 – Níveis de monitoramento de mídias sociais

Esses níveis de monitoramento nos permitem ir além das menções diretas à marca nos canais oficiais, para identificarmos oportunidades, ameaças, tendências, conversas em torno do setor etc. Também podemos monitorar os concorrentes, parceiros, leads, clientes, influenciadores e até mesmo imagens que contenham algum produto ou marca.

No Instagram, por exemplo, muitas menções à marca são acompanhadas de fotos. Podemos fazer um monitoramento ativo para ver o que as pessoas estão sentindo e transmitindo visualmente.

Podemos também monitorar metadados, como a geolocalização, um determinado endereço, um supermercado ou um escritório. Podemos ver onde estão os usuários que citam os produtos da marca.

Veja que há um universo rico e oportuno. Ao realizar o monitoramento nesses níveis, você pode criar o tipo de conteúdo que seus seguidores realmente desejam, apresentar novas ideias com base nas tendências do setor, melhorar a experiência do cliente interagindo diretamente com ele e mudar continuamente sua tática para se adequar à necessidade atual.

O fato objetivo é que todo monitoramento deve ser seguido por uma análise para obter insights e agir sobre essas oportunidades. Veja a Tabela 10.

Tabela 10 – Casos de uso para insights através de monitoramento de mídias sociais

Comunicação	Vendas	Suporte
▫ Insights para conteúdo ▫ Insights para campanhas	▫ Insights para um novo público ▫ Geração proativa de leads	▫ Insights para banco de respostas ▫ Descoberta de brand lovers
Inovação	**Colaboração**	**Experiência do cliente**
▫ Insights para produtos ▫ Insights para serviços ▫ Insights de melhorias	▫ Insights de cobranding ▫ Descoberta de microinfluenciadores ▫ Descoberta de influenciadores especialistas	▫ Exército P2P

Comunicação: podemos aprender com a reação das pessoas, para criar conteúdos cada vez melhores, que engajem mais e façam as pessoas aprofundarem sua experiência com a marca.

Vendas: podemos ser mais proativos na captação de leads. Ao monitorar, invariavelmente você enxergará oportunidades de interação comercial, independentemente se a pessoa está falando da sua marca. No Twitter, por exemplo, podemos conversar com pessoas que estão falando de um assunto relacionado ao nosso negócio e entrar no diálogo para oferecer algum conteúdo ou mesmo um produto.

Suporte: com o *social listening* entrando fortemente aqui, vamos lidar o tempo todo com ocorrências negativas, neutras e positivas. O Reclame Aqui é um canal de monitoramento, inclusive. A partir desse tipo de monitoramento, podemos evoluir o banco de respostas e alimentar o time que faz o atendimento ao cliente, o SAC, para ele ser mais eficiente nessa relação. Podemos ainda alimentar um chatbot com novas questões.

Inovação: podemos usar o que encontramos no monitoramento para extrair valor de inovação. Usar as mídias sociais como um grande ambiente de pesquisa para ter insights de novos produtos ao perceber o crescimento de menções a uma determinada tecnologia, tendência ou preferência. Ao fazermos *social listening*, conseguimos pensar em melhorias para os nossos produtos e pontos de contato.

Colaboração: podemos identificar marcas que o público-alvo menciona junto com o seu produto. Por exemplo, no café da manhã, o usuário cita o produto da marca e produtos de outras marcas ao mesmo tempo, com as quais podemos fazer cobranding. O mesmo vale para descobrir quem são os influenciadores que o público mais menciona.

Experiência do cliente: através do *social listening*, podemos encontrar clientes que mencionam recorrentemente a marca, para criar relacionamento. Esses clientes são brand lovers e podem formar um exército P2P (peer-to-peer), que defende a marca sempre que houver alguma ocorrência negativa. Podemos identificar microinfluenciadores também.

O monitoramento de mídias sociais, portanto, é um processo de cinco passos:

MONITORAR	MAPEAR	GERENCIAR	AGIR	MEDIR
O que está sendo falado?	Quem está falando?	Onde deveria ir?	Como eu chego lá?	Está funcionando?
Capacidade de escutar o universo das mídias sociais	Fazer a conexão do perfil social com os registros do SAC e o nível de influência	Gerenciamento para prover insights para as equipes certas no tempo certo	Ações são tomadas, a curto, médio ou longo prazo	Rastreando a efetividade de acordo com os objetivos de marketing

O monitoramento em si cumpre apenas o primeiro passo. É necessário mapear quem está falando para saber a prioridade da ocorrência, ameaça ou oportunidade. A devida análise deve acionar as pessoas certas e no tempo certo, para responder a um dos seis casos de uso do monitoramento. As ações tomadas devem implementar mudanças táticas ou estratégicas de curto, médio ou longo prazo. Por fim, é necessário continuar monitorando para medir a efetividade das ações.

Volume de ocorrências

O volume de monitoramento no mercado é baseado em ocorrências. Podemos trabalhar com o conjunto de ocorrências, classificá-las, mensurá-las, mas não necessariamente interagir com todas elas.

Ocorrência é diferente de interação. Podemos definir qual será a porcentagem de ocorrências com as quais vamos interagir, porque nem sempre é possível tratar uma a uma.

Os softwares de monitoramento geralmente cobram por número de ocorrências. Se houver 5 mil ocorrências no mês, não necessariamente vamos interagir com as 5 mil.

Ao analisarmos as ocorrências, podemos classificá-las com tags, mas não necessariamente precisamos interagir com cada uma delas. Podemos interagir com apenas 10% ou 20% das ocorrências. Isso vai depender do volume. Se for baixo, podemos responder a 100%, mas se for o caso de uma grande marca que tem mais de 1 milhão de ocorrências por mês, não será possível interagir com todas elas.

Neste caso, podemos começar respondendo às ocorrências de um nível de criticidade maior. Mas vale observar que tanto as ocorrências negativas quando as positivas são importantes para interação, pois é nas ocorrências positivas que alimentamos o potencial do cliente em virar um brand lover e promotor cativo da marca. Ao darmos atenção somente às ocorrências críticas, deixamos de lado aqueles que mais gostam da marca e trabalham em prol dela. Isso pode gerar neles uma inversão de sentimento, ao não se sentirem reconhecidos.

Portanto, equilibre a operação e reserve um tempo todos os dias para interagir com as ocorrências positivas.

Para os níveis de monitoramento, como concorrentes, mercado e conversas em torno do setor, você pode trabalhar com uma amostra estatística e limitar as ocorrências.

Veja na Figura 88 algumas das principais ferramentas de monitoramento do mercado que funcionam bem no Brasil.

Figura 88 – Ferramentas de monitoramento de mídia social

Classificação das ocorrências

A classificação das ocorrências nos permite transformar dados em informações que geram insights acionáveis para o negócio como vimos na Tabela 10.

Sempre temos que começar com a análise de sentimento: qual é o sentimento do usuário ao fazer um post citando a marca? Podemos classificar as ocorrências por três sentimentos:

POSITIVO
- Elogio ou reconhecimento
- Falou que usa a marca, marca alguém, aprovando o produto, destaca algo, comparação positiva, elogio ao conteúdo, citação positiva de campanha

NEUTRO
- Dúvidas ou menções genéricas
- Quer saber mais sobre o produto, onde comprar, interação ambígua no conteúdo, marca alguém sem contexto

NEGATIVO
- Críticas ou reclamações
- Crítica ao conteúdo, crítica ao produto, reclamação de SAC, menção sobre experiência negativa com a marca

O segundo passo é criar um sistema de classificação para facilitar o cruzamento dos dados e viabilizar a extração de informações para os departamentos ou pessoas responsáveis por suporte, comunicação, produto, vendas, parcerias e inovação, e então melhorar a experiência dos clientes de um modo geral.

Você pode criar diferentes sistemas de classificação, sendo um para campanhas e outro para o *always on*. Mas, dentro da metodologia do Unbound Marketing, sugiro a você usar o seguinte sistema de classificação:

CATEGORIAS QUALITATIVAS

O processo de classificação é organizar através de categorias de dados. Você pode inventar a sua classificação, mas geralmente o sistema segue o padrão a seguir:

QUEM
- Consumidor
- Influenciador
- Imprensa
- Lojista
- Fornecedor

ONDE
- Post
- Loja
- Mercado
- Casa

CATEGORIA DE PRODUTO E SERVIÇO
- Pães Brancos
- Pães Especiais
- Bolos

PRODUTO / SERVIÇO
- Artesano Chocolate
- Zero 12 grãos
- Bolo Chocolate

AÇÃO
- Recomendação
- Elogio
- Crítica
- Reclamação
- Avaliação
- Dúvida
- Interação

ASPECTO
- Embalagem
- Corpo estranho
- Modo de consumo
- Estragado
- Atendimento

Figura 89 – Categorias de classificação das ocorrências nas mídias sociais usando como exemplo a marca de pães industriais Pullman da Bimbo

Para conseguir extrair informações de qualidade, é importante ter estes seis níveis de tags para organizar os dados:

1. Quem
2. Onde
3. Categoria
4. Produto/Serviço
5. Ação
6. Aspecto

Em primeiro lugar, é preciso classificar o sentimento como positivo, neutro ou negativo, e na sequência "taguear" quem é a pessoa que fez a publicação. Essa pessoa é um cliente, influenciador, jornalista, lojista, funcionário, distribuidor ou fornecedor?

No segundo nível, precisamos entender onde se dá a ocorrência. É um post no Facebook ou no Instagram? É dentro de uma loja, dentro do supermercado, dentro do escritório ou dentro de casa?

Quanto às etapas três e quatro: muitos negócios possuem um mix de produtos por categoria, portanto, é fundamental classificar a categoria à qual a ocorrência se refere. Caso contrário, não será possível cruzar eventualmente as categorias que estão dando mais problemas. Classificar os produtos também é importante.

No quinto nível, qual é a ação que a pessoa está tomando? Ela está recomendando o produto ao marcar um amigo? Foi um elogio, uma crítica, reclamação, avaliação ou dúvida? Ou será que se trata de uma mera interação neutra no conteúdo da marca?

Por último, podemos criar as tags de aspecto, que é o detalhe mais esperado, para sinalizar sobre o que o cliente está falando exatamente, sobre a embalagem, a validade ou outras características específicas. Isso facilita o encaminhamento da ocorrência para as áreas correspondentes, para que uma ação seja tomada, e as tratativas dentro da empresa.

O sistema de classificação precisa responder às perguntas que você fará para conseguir identificar por completo a ocorrência e saber como extrair informações comparativas ao longo do tempo.

Eventualmente, diante de uma campanha, você pode usar uma tag a mais para identificar que tais ocorrências se referem à campanha.

A maioria das ferramentas de monitoramento permite a você criar regras de classificação automática, pois classificar tudo manualmente pode ser um trabalho infinito.

Para evitar erros na classificação, considere:

Redundância: evite usar um termo de monitoramento que colete as mesmas ocorrências de outro termo, ainda mais se a palavra monitorada possui homônimo(s). Seja preciso. Por exemplo: a palavra "rio", que pode se referir a "Rio de Janeiro" e ao substantivo "rio".

Língua: é importante filtrar por país e idioma ou mesmo usar combinações do termo global com termos no idioma desejado. Isso pode acontecer quando se trata de um anglicismo, como "videogame", "shorts", "cupcakes" e "chocolate".

Combinação restrita: evite monitorar combinações de termos que fogem do modelo mental dos usuários. No caso de uma empresa de comida mexicana, por exemplo, se formos monitorar a palavra "gol", restringir para "gol + voo", para que o monitoramento não considere menções de futebol ou do automóvel da Volkswagen.

Termos genéricos sem exclusão: seja preciso, crie regras de exclusão. Por exemplo, ao monitorar a palavra "Búzios" para o destino turístico, devemos excluir todas as palavras relacionadas ao jogo de búzios, como "jogo" e "jogar".

Categorias de análise

Agora, vamos extrair valor dos dados classificados no monitoramento. Como podemos analisar todos esses dados e criar hipóteses para a tomada de decisão?

Para começarmos o pensamento construtivo, precisamos entender as categorias e as possibilidades de análise (Figura 90). Isso não serve para monitoramento apenas das mídias sociais, mas de todos os canais da marca, como as páginas do site e tudo o que criamos na internet em termos de conteúdo.

CATEGORIAS DE ANÁLISE

SAC
Gerar informações sobre produtos, consumidores e analisar sua criticidade

INTELIGÊNCIA
Responder demanda estratégica sobre o negócio, comportamento ou conteúdo

HIPÓTESES
Ter novas ideias de conteúdo, produtos e serviços

ESTUDOS DE MERCADO
Estudar o universo de uma categoria de assunto

Figura 90 — Categorias de análise para monitoramento de mídias sociais

SAC: visa reportar o atendimento ao cliente e o relacionamento com ele para extrair valor disso tudo e fazer melhorias na experiência com a marca.

Inteligência: responde a uma demanda estratégica da empresa. Por exemplo: se o produto que acabou de lançar está sendo aprovado pelo público. Nesse caso, temos que filtrar os dados pelas tags do produto e analisar ação, aspecto e sentimento.

Hipóteses: visam trazer informações de mercado para validar novas ideias de conteúdo, produtos e serviços. Podemos coletar dados e classificá-los para responder a uma hipótese. Por exemplo: se você supõe que há adultos comendo cupcakes no trabalho, que tal criar um conteúdo sobre isso? Ao usar o monitoramento, você será capaz de validar essa hipótese.

Estudos de mercado: podemos entender, por exemplo, a relação de transição de consumo e de hábitos de um usuário entre uma marca e outra.

Essas categorias de análise podem expandir nossas possibilidades, pois nos ajudam a ter insights, testar hipóteses e gerar conhecimento para tomadas de decisão.

Observe a pirâmide do conhecimento a seguir:

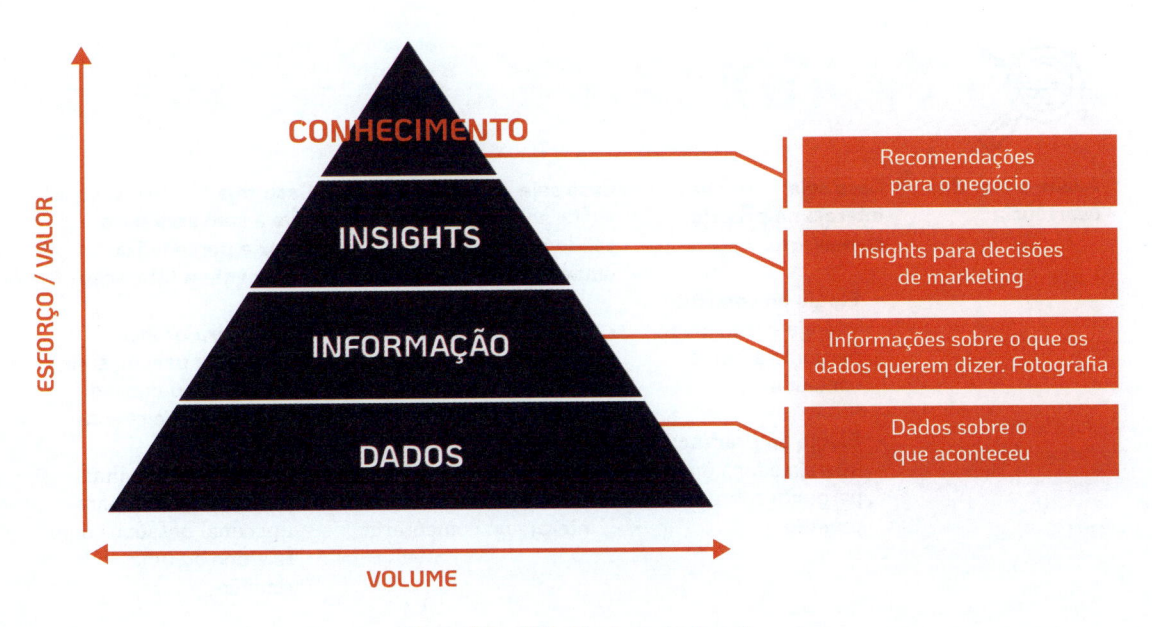

Figura 91 – Pirâmide do conhecimento

Os dados do monitoramento servem como uma mera fotografia do que aconteceu. Temos que fazer uma série de combinações no cruzamento dos dados para obter informações. A partir daí, ter insights para os seis casos de uso: comunicação, venda, suporte, inovação, colaboração e experiência do cliente. Esses insights são hipóteses que devem ser testadas. Por fim, ao testar as hipóteses, você conseguirá gerar conhecimento para tomadas de decisão.

Portanto, os relatórios não podem servir apenas de fotografia do que aconteceu. É necessário se utilizar da pirâmide do conhecimento como processo e extrair valor.

Interações nas redes sociais

Vamos ver agora como interagir de forma correta com as pessoas nas redes sociais, usando o voice deck da marca, que definimos anteriormente.

O primeiro passo é entendermos que, para cada tipo de manifestação e sentimento, temos que ter também uma forma de interação. Veja o processo na Figura 92:

Avalie o tom da ocorrência:

- POSITIVO
- NEUTRO
- NEGATIVO

Caso seja POSITIVO, interaja no próprio comentário.

- **Elogio ao conteúdo:** interaja e faça uma pergunta sobre o conteúdo.
- **Elogio ao produto:** interaja e faça uma pergunta sobre o produto.

Caso seja NEUTRO, avalie se é algo amplo e válido para todos ou se é uma particularidade.

- **Dúvida ampla:** interaja no comentário.
- **Dúvida particular:** interaja no inbox.
- **Afirmação:** interaja no comentário.

Caso seja NEGATIVO, leve a conversa para o inbox e personalize totalmente a interação.

- **Bandeira branca:** responda pelo mesmo canal com o mesmo recurso que o cliente.
- **Bandeira vermelha:** puxe a conversa para um canal pessoal, como telefone ou uma reunião.

Figura 92 – Processo de interações nas redes sociais de acordo com o sentimento

Toda interação positiva tem que ser próxima, tem que ser mais pessoal e descomplicada, trazendo conteúdo relevante para o diálogo. Isso serve para qualquer marca, independentemente do arquétipo que tenhamos escolhido para a brand persona. Vejamos os exemplos das figuras 93 e 94 para marca de alimentos:

INDICAÇÃO / RECOMENDAÇÃO

"Olha, @FULANO! Deve ser gostoso."

R: Oi, @FULANO! Que tal ser o chef desta noite e convidar o NOME e os amigos para provar essa receita? Não se esqueça de tirar uma foto do prato e marcar a gente, hein? 🍲😊

Nas interações positivas, responderemos de forma objetiva, mas sempre exaltando o "explorar" a cozinha e as novas descobertas. Como esse é um público que gosta de tirar fotos dos pratos preparados por eles, iremos estimular que criem conteúdo (UGC) e mencionem a marca.

Figura 93 – Exemplo de interação positiva nas mídias sociais para uma marca de alimentos cujo arquétipo da brand persona é o explorador

ELOGIO À MARCA

"Amo tudo da Marca."

R: Oi, NOME! É muito bom saber que ajudamos você a dar sabor aos momentos do seu dia com a nossa variedade de produtos. 🙂

ELOGIO AO PRODUTO

SALGADO: *"Adoro o Shoyu X."*

R: Oi, NOME! Conte com a gente para encontrar novas formas para dar aquele tempero especial ao seu dia. 🍲😊

DOCE: *"Essa calda é deliciosa!"*

R: Oi, NOME! O que é bom pode ficar ainda melhor. ;) Quais são as sobremesas em que você mais gosta de colocar a nossa calda?

Figura 94 – Exemplo de interação positiva nas mídias sociais para uma marca de alimentos cujo arquétipo da brand persona é o explorador

O emoji é um recurso interessante para ser usado nas interações positivas e neutras, porque ele dá um tom mais leve para a conversa e humaniza a marca.

Segundo uma pesquisa da Social Insider, que analisou 7,4 milhões de posts do Instagram de janeiro de 2014 a julho de 2019, os emojis aumentam de 0,5% a 1,32% a taxa de engajamento do post.

- Para imagens, o engajamento varia de 2,15% a 2,72% ao adicionar emojis;
- Para carrosséis, o engajamento varia de 2,52% para 3,06% ao adicionar emojis;
- Para vídeos, o engajamento varia de 1,88% a 3,2% ao adicionar emojis.

Nas interações neutras, temos geralmente perguntas genéricas ou dúvidas sobre um produto, marca ou mesmo sobre o conteúdo em si. O ideal é incentivar o público a consumir mais do conteúdo de marca. Estimulando a explorar o site, interagir com a marca, dando continuidade na conversa e transformando um sentimento neutro em positivo através de um diálogo amistoso. Veja um exemplo para uma marca de alimentos:

COMPARAÇÃO

"Oi, gostaria de saber o que é Missô Aka."

R: Oi, NOME! Tudo bem? O Missô Aka é uma mistura de arroz e soja fermentados e moídos que você pode usar como substituto do sal. A diferença dele para o Shiro Missô é que o Aka tem uma concentração maior de soja. Que tal preparar uma de nossas receitas e servir aos amigos? Faça sua escolha no link da bio. 😋😊

DÚVIDAS

"Não acho o PRODUTO para comprar. Onde encontro?"

R: Oi, NOME! A gente te ajuda a deixar os seus pratos ainda mais saborosos. Em qual cidade você mora? Vamos verificar o ponto de venda mais próximo de você que possui o PRODUTO. 😋😊

Figura 95 – Exemplo de interação neutra nas mídias sociais para uma marca de alimentos

No exemplo das ocorrências de sentimento neutro, evidenciaremos os benefícios dos produtos e exploraremos as características sensoriais. Focamos no desafio sobre preparar as receitas sugeridas e estimulamos que eles convidem os amigos para provar.

Nesse atendimento on-line, é fundamental termos um banco de perguntas e respostas pronto, para maior agilidade.

Sempre que couber, dê uma resposta e disponibilize uma call-to-action (CTA) para que a pessoa comece a se aprofundar no assunto. De qualquer forma, faça com que a pessoa saia satisfeita, com uma solução para a ocorrência.

Já no caso das interações em ocorrências negativas, o ideal é responder às mensagens de forma esclarecedora e amistosa. Utilize emojis em alguns casos. Pois, apesar de o público esperar seriedade nesse tipo de atendimento, os emojis representarão a disposição da marca em atendê-los bem. É importante também a preocupação em manter o consumidor satisfeito com a qualidade dos serviços prestados pela marca.

Veja um exemplo:

RECLAMAÇÃO

INTERAÇÃO NEGATIVA SOBRE CONTEÚDO SUGERIDO

"Morei no Japão 12 anos, nunca vi nenhum japonês guardar shoyu na geladeira... Não guardo e nunca vou guardar."

R: Oi, NOME! Essa é uma das nossas dicas para que você possa prolongar e preservar o sabor do Shoyu X. Lembrando que a nossa receita tem um toque brasileiro: trocamos o trigo pelo milho. 😊

CASO CRÍTICO

"Encontrei uma coisa dentro do frasco do molho de salada."

R: Olá, NOME! Agradecemos por nos contar o que aconteceu, pois queremos manter você 100% satisfeito com os nossos produtos. Você pode nos dar mais detalhes? Enviamos uma mensagem privada e vamos te atender por lá, tudo bem?

Figura 96 – Exemplo de interação negativa nas mídias sociais para uma marca de alimentos

Nesse exemplo, como o público entende que X é uma marca de tradição, respondemos às menções negativas de forma esclarecedora, com propriedade, mas com leveza, para não soar arrogante.

Muitas vezes, uma ocorrência negativa requer transferir a pessoa de um canal para outro mais privado, como o telefone ou mesmo uma visita pessoal, dependendo do peso da crise.

Alguns casos podem ser encaminhados a alguém do Serviço de Atendimento ao Cliente (SAC) ou para o dono do negócio, no caso de se tratar de uma pequena empresa, para que ele mesmo resolva.

Um fator muito importante nas interações é o tempo de resposta. Se você demorar muito para responder, fatalmente uma ocorrência neutra pode evoluir para um sentimento negativo, assim como uma ocorrência negativa pode se tornar uma crise.

Dessa forma, o recomendado, claro, é priorizar o atendimento das interações negativas, depois as neutras, e aí sim as positivas. Mas lembre-se sempre da importância das ocorrências positivas, como já falamos.

Se puder, responda a todo mundo! Isso vai, inclusive, aumentar o engajamento no post, porque as pessoas voltam, deixam um like na resposta ou respondem novamente agradecendo. Com isso, algumas plataformas como Facebook e Instagram passam a considerar aquele post mais relevante.

Evite usar "clickbait", ou seja, uma call-to-action que promete algo somente se a pessoa clicar, como: "Clique aqui para descobrir tal segredo", "Clique e veja como seu signo pode ser melhor", ou títulos sensacionalistas a que muitos jornais recorrem. Os algoritmos estão aprendendo cada vez mais com isso e penalizando a entrega dos conteúdos.

Marcar pessoas nas respostas é outra dica para aumentar engajamento. Se temos uma ocorrência neutra, podemos responder prontamente falando assim: "@fulano, estamos procurando a informação e vamos responder". Então, registramos isso em uma planilha ou em um CRM, para nos lembrarmos de voltar, nem que seja 24 horas depois, e dar esse retorno. Nessa hora, marque a pessoa com "@fulano, está aqui a resposta" ou cite outras pessoas que possam participar da resposta, porque isso vai aumentar o engajamento, além de gerar uma notificação para a pessoa ver a resposta.

Programa de indicação

O programa de indicação é uma tática de marketing que incentiva a base de clientes existente a encorajar seus conhecidos a experimentarem seu produto pela primeira vez em troca de algum benefício.

Geralmente, há confusões no mercado sobre os termos programa de indicação e marketing de referência. No entanto, o programa de indicação está dentro do contexto do marketing de referência, como uma das possíveis ações para gerar o boca a boca em ambiente digital. Todas as ações de incentivo a UGC que vimos anteriormente também operam dentro do conceito do marketing de referência.

Portanto, o marketing de referência usa recomendações e boca a boca para aumentar a base de leads de uma empresa por meio das redes de seus clientes existentes. O marketing de referência pode assumir várias formas, mas, em sua essência, faz com que os maiores fãs da marca a ajudem a divulgá-la.

A maior força de um programa de indicação é o princípio do compromisso e da coerência que os clientes têm ao indicar uma marca para seus conhecidos. Eles se transformam em defensores da marca para ter coerência.

O princípio de compromisso e coerência é um dos seis princípios estabelecidos por Cialdini em seu livro *Influência: a psicologia da persuasão*.[57] Descreve a maneira como as pessoas desejam que suas crenças e comportamentos sejam consistentes com seus valores e autoimagem.

Em primeiro lugar, tendemos a ver a coerência como um traço social atraente e como indicativo de alguém ser racional, confiável e estável; por isso, todos queremos ser vistos como coerentes. Em segundo, o princípio de compromisso e consistência é um atalho mental que usamos para simplificar nossa tomada de decisão: temos tantas decisões para tomar diariamente que reduzimos esse valor usando uma decisão passada como referência para escolhas subsequentes relacionadas.

Por isso, ao receber uma indicação de alguém que você confia, seu cérebro pega esse atalho. A indicação é uma das formas mais poderosas de venda, porque o lead que vem por indicação está muito aquecido para efetivar a compra em função do atalho. O custo de aquisição de cliente (CAC) tende a ser menor que o da mídia paga.

Além disso, os clientes obtidos por meio de indicação têm maior probabilidade de se tornar clientes de alto valor (LTV – *lifetime value*). Estudos[58] mostram que os clientes indicados gastam, em média, 25% mais, são três vezes mais propensos a indicar outra pessoa e permanecem fiéis à marca.

---

57 Robert Cialdini, *Influência: a psicologia da persuasão*, Lisboa, Sinais de Fogo, 2008.

58 Angela Southall, 3 Reason Why You Should Focus on Referral Marketing in 2018, *Social Media Today*, 18 nov. 2017. Disponível em: https://www.socialmediatoday.com/news/3-reason-why-you-should-focus-on-referral-marketing-in-2018/511050/. Acesso em: 24 fev. 2021.

A consequência desse viés cognitivo é que agimos de maneiras que são coerentes com nossa ação ou pensamento inicial, de forma que, quando nos comprometemos com algo ou alguém, nós o cumprimos. No caso do programa de indicação, ao indicar algo para alguém, você passa a ser defensor daquela marca para ter coerência com a sua ação. Afinal, também tentamos nos comportar de maneira consistente com a imagem que mostramos aos outros e com a imagem pública que eles têm de nós. Se usamos e indicamos uma marca, é incoerente perante os outros falarmos mal dela.

As pessoas gostam de compartilhar informações úteis e, portanto, dão indicações de produtos sempre que podem. Na maioria das vezes, isso acontece de forma espontânea, mas nós podemos fomentar essas indicações com benefícios.

Como desenvolver um programa de indicação de sucesso

O meu objetivo não é discorrer sobre todas as possibilidades de um programa de indicação, pois isso, por si só, daria um livro. Portanto, veremos o que eu considero essencial você saber dentro da metodologia do Unbound Marketing.

Você provavelmente já viu e até participou de um programa de indicação. Embora seja possível criar algo simples internamente e gerenciar de forma manual tudo via e-mail e outros sistemas básicos, as empresas mais bem-sucedidas automatizam o processo usando uma plataforma para rastrear, gerenciar e recompensar seus participantes. Somente assim é possível ter ganhos em escala exponencial.

Outra observação importante: os programas de indicação mais bem-sucedidos operam em um contexto em que seus maiores fãs, clientes, parceiros e influenciadores já estão falando sobre a sua marca. Portanto, o programa passa a aproveitar o efeito de rede natural existente e insere um turbo para acelerar o boca a boca. Isso torna o programa parte do motor de vendas do negócio, criando uma receita previsível.

Daí a importância de aplicar o programa de indicação na última etapa da jornada e do framework estratégico do Unbound Marketing. Assim, você já terá criado esse efeito de rede natural através das ações nas etapas anteriores. Portanto, não tente criar um programa de indicação antes da hora.

Lembre-se de que nenhuma estratégia terá sucesso se o seu produto for ruim. Fornecer produtos e serviços excepcionais é o primeiro passo para construir um programa de indicação. Caso contrário, mesmo o melhor programa de indicação pode nunca decolar. A etapa da experiência própria vai ajudá-lo muito a entender o que precisa ser melhorado em seu produto.

Para implementar um programa de indicação, você precisa definir pelo menos três elementos: recompensa, mecânica e campanha.

Recompensa

O que fará um cliente gastar tempo e esforço para indicar outras pessoas para sua marca? A resposta a essa pergunta geralmente ajuda a identificar o incentivo de que os clientes precisam para fazer uma indicação.

O primeiro passo é determinar quem receberá a recompensa. Você oferecerá incentivos para o cliente existente (o indicador), o novo cliente (o indicado) ou ambos?

- Incentivos unilaterais: esse tipo de incentivo recompensa o cliente existente ou o cliente referido — não ambos. Se você escolher recompensar seu cliente existente, isso pode aumentar sua motivação para compartilhar, mas também fazer com que a indicação pareça egoísta. Se a recompensa for apenas para o cliente indicado, há uma boa chance de que isso conduza a uma venda, embora você possa não ver tantas indicações.

- Incentivos bilaterais: esse tipo de incentivo geralmente tem o maior engajamento, pois recompensa o cliente existente e o cliente indicado. A recompensa pode ser a mesma para ambas as partes, por exemplo, "Dê R$ 10 em crédito e receba R$ 10", ou diferente, como "Dê R$ 20 em crédito para seus amigos e receba um produto grátis em troca".

- Sem incentivo: conforme esperado, não oferecer incentivos torna difícil conseguir que alguém participe. Mesmo se sua marca e produto forem excelentes, um incentivo — ou a falta de um — pode fazer toda a diferença. Quando se trata de qualquer transação comercial, as pessoas geralmente assumem um pensamento crítico: "O que eu ganho com isso?".

Na maioria dos casos, é melhor que os programas de indicação recompensem tanto o cliente existente quanto o novo. Se você recompensar apenas o cliente existente, a pessoa indicada não ficará muito motivada para comprar imediatamente, deixando ambas as partes — você e seu cliente — sem um benefício.

Figura 97 — Exemplo de e-mail-marketing da Philips com a recompensa ganha-ganha

O segundo passo é descobrir qual valor de recompensa funcionará melhor. Considere como seu limite de valor o CAC atual e o que seus clientes mais valorizam. Por exemplo, uma marca muito conhecida e amada pelos clientes pode dar mais valor a bons brindes exclusivos do que a descontos em produtos. Assim como marcas pouco conhecidas precisam lançar mão de cupons de desconto para os produtos que os clientes mais compram. Por outro lado, uma empresa de software B2B pode se sair melhor dando crédito na conta ou acesso gratuito a um recurso pago.

Algumas perguntas podem ajudá-lo a determinar sua recompensa por indicação:

- Qual é o meu custo de aquisição de clientes atual?
- Qual é o meu NPS? Já tenho muitos promotores?
- Que tipo de recompensa meus clientes mais apreciariam? Monetárias ou não monetárias?
- Quem é o meu cliente? O que ele mais gostaria de ganhar como presente?
- Eu já perguntei para os meus clientes quais benefícios eles gostariam de ter em um programa de indicação?

Recompensas monetárias tendem a ser as mais atraentes, mas não são a única maneira de incentivar seus clientes. Na verdade, eles podem ficar ainda mais felizes recebendo "presentes" que tenham uma percepção de valor alto, em vez de dinheiro. Com um pouco de criatividade, você descobrirá que existem muitos tipos de incentivos de recompensa:

- Cupons
- Crédito ou pontos
- Upgrade
- Brindes
- Reconhecimento e status (por exemplo, ter acesso a um grupo VIP)
- Cartões-presente em algum lugar (por exemplo: na Amazon ou na AppStore)
- Doações para caridade

Há muitas maneiras de recompensar seus clientes por suas indicações, apenas se certifique de que o incentivo que você escolher seja aquele em que eles vejam os maiores benefícios limitado ao seu CAC atual.

Mecânica

O segundo elemento fundamental do programa de indicação é a mecânica: a forma como as pessoas poderão fazer a indicação, o prazo e todas as regras do programa. Principalmente: como será sua estrutura de recompensa. Quando e como você dará a recompensa aos clientes? Veja as estruturas mais comuns:

- Estrutura de recompensa padrão: é a mais simples de todas as estruturas. Você oferece a mesma recompensa para cada indicação bem-sucedida, que é enviada automaticamente para seus clientes assim que o indicado fizer uma compra. Uma estrutura de recompensa padrão não exige que você acompanhe de perto as indicações de um cliente, mas tende a perder seu fator de motivação com o tempo. Não torna a indicação algo a ser perseguido pelo cliente recorrentemente.

- Estrutura de recompensa em camadas: oferece diferentes níveis de recompensas e incentivos por indicação, geralmente com base no número de referências. Por exemplo, um cliente indicado pode ganhar R$ 15,00 para as três primeiras referências e, então, R$ 25,00 para cada indicação subsequente. Alternativamente, você também pode começar com os R$ 25,00 e, então, oferecer R$ 15,00 após um certo número de indicações ter sido feito.

- Estrutura de recompensa em várias etapas ou estágios: divide todo o processo de indicação em etapas e recompensa os clientes por cada uma que for realizada. Por exemplo, para um SaaS com um CAC de R$ 20,00, um cliente pode ganhar R$ 2,00 quando um indicado vira um lead, outros R$ 5,00 se aquele indicado passou a usar o serviço e, em seguida, R$ 10,00 finais quando a indicação paga sua fatura.

Há várias ferramentas que facilitam a configuração de um programa de indicação. Mas vale observar que existem diferentes tipos de softwares com esse viés de indicação. Ferramentas para programas de afiliados e programas de fidelidade podem ser úteis para impulsionar negócios, mas não são necessariamente programas de indicação.

Procure ferramentas dedicadas a agilizar as indicações de clientes e aumentar o boca a boca sobre sua marca, principalmente nas mídias sociais.

Campanha

O terceiro elemento fundamental do programa de indicação é a campanha de divulgação, para fazer o chamado para a base de clientes.

No planejamento da campanha, recomendo a você focar somente em quem já é um promotor, com base no resultado da pesquisa NPS. Vale a mesma boa prática de que falamos no programa de nanoinfluenciadores.

É importante definir um conceito criativo e escolher um nome para a campanha. E comunicar a base de clientes promotores por e-mail ou notificações pelo canal de relacionamento mais usado por eles, usando a recompensa como oferta da comunicação.

Mantenha sua mensagem clara e fácil de entender e certifique-se de que os elementos — identidade visual, sensação e tom de voz — estejam de acordo com o seu negócio.

Acesse o QR Code para ver alguns dos melhores softwares de marketing de indicação

Devemos incentivar o cliente, mas de forma que ele sinta real desejo de promover ainda mais a marca, afinal, ele já a conhece e está muito satisfeito com a experiência. Você pode usar os gatilhos de escassez e reciprocidade para ajudar nisso.

Um bom título deve fornecer a essência do programa em uma única frase. Ele também deve compartilhar o que é o programa de indicação e explicar os benefícios de participar. Aqui estão alguns exemplos de títulos que funcionam:

- Dê R$ 20, ganhe R$ 20
- Indique um amigo e ganhe R$ 15
- Indique e ganhe o presente X

Entre as opções de compartilhamento — e-mail, código em nome do cliente, link parametrizado, link para WhatsApp —, forneça a eles as mensagens de referência também. Mensagens pré-preenchidas e prontas para enviar facilitam aos clientes compartilharem sua empresa com os conhecidos. Isso traz melhores resultados. Dito isso, é bom dar aos clientes a opção de editar a mensagem existente, para que eles possam personalizá-la.

Embora seu cliente já conheça sua empresa, o indicado talvez não. Portanto, essa mensagem de referência pode ser o primeiro ponto de contato com a sua marca. A mensagem deve abranger algumas coisas:

- Explicar os benefícios do seu negócio desde o início.
- Fazer um CTA claro (qual é o próximo passo).
- Ser pessoal. Peça o nome da pessoa no campo de indicação, assim você pode personalizar a mensagem.

Apesar de o programa de indicação ser algo constante, a campanha precisa ter um ciclo: planejamento, criação, lançamento e otimização. Esse ciclo pode ser mensal ou trimestral. Assim, por mais que a oferta seja a mesma, você terá uma nova forma de ativar os clientes, além de chamar os novos promotores que acabaram de chegar.

Na fase de otimização da campanha, apure os dados, avalie as métricas, tire insights, crie hipóteses, faça testes e aprenda constantemente com esse processo — lembre-se da pirâmide do conhecimento.

Plano de implementação

O plano de implementação é o processo de definir como dar vida à estratégia. O que vimos até agora no passo tático foram técnicas que eu considero importantes você conhecer na hora da execução da estratégia e que têm total correlação com a missão do Unbound Marketing. Mas, dentro do passo tático, você precisa transformar todas as iniciativas de conteúdo, sites, apps, landing pages e mídias em projetos ou processos e determinar como eles serão executados, por quem, em qual prazo e com quais recursos.

Portanto, sem um plano de implementação da estratégia, pode ser difícil identificar como alcançar cada um dos objetivos declarados.

Com um plano de implementação em mãos, a execução se tornará mais fácil. A execução é a atividade de completar as tarefas do plano de implementação por meio dos recursos disponíveis.

Portanto, não existe um único processo de implementação para qualquer projeto, processo ou iniciativa. As etapas reais de implementação dependerão do seu momento, verba disponível, time, tempo e metas a cumprir.

O plano de implementação da estratégia é um documento que descreve recursos, premissas, resultados esperados de curto e longo prazos, responsabilidades e orçamento. Esse plano é integrado a um cronograma macro de execução.

O plano de implementação descreve as atividades e decisões necessárias para transformar os objetivos estratégicos em realidade. Já o cronograma macro de execução é um cronograma de ações e atividades para atingir os objetivos e impulsionar o sucesso.

A seguir, são listados os principais componentes e questões que formam um plano de implementação:

- **Meta em tempo**: tem que ser realizado no curto, médio ou longo prazo? A resposta deve ser obtida usando os dados da planilha de ideação que fizemos no passo dos objetivos, pois lá você tem as ideias que passaram pelo último filtro. Liste o que é de curto prazo levando em consideração o tempo de execução baixo e o grau de investimento baixo. Faça o mesmo para o que é de médio prazo (tempo médio e investimento baixo/tempo baixo e investimento médio) e longo prazo (tempo médio e investimento médio). Isso determinará a prioridade e o tamanho do seu esforço, e ajudará no cronograma macro de execução.

- **Objetivo do projeto ou processo**: o que você deseja realizar?

- **Etapa da jornada do cliente**: em que etapa essa iniciativa deve ser alocada?

- **Marcos do cronograma**: embora os prazos das tarefas e cronogramas do projeto sejam formalmente definidos no plano de execução de cada iniciativa, é uma boa ideia delinear o seu cronograma macro na fase de implementação.

- **Recursos alocados**: um dos objetivos principais de um plano de implementação é garantir que você tenha os recursos adequados (tempo, dinheiro e pessoal) para uma execução bem-sucedida. Portanto, reúna todos os dados e informações de que precisa para determinar se existem ou não recursos suficientes e decida como irá viabilizar o que está faltando.

- **Responsabilidade**: designar um responsável para o projeto ou processo. Ele deve definir quem responderá por cada tarefa individualmente no plano de execução.

- **Métricas para o sucesso**: como você determinará se terá ou não sucesso na implementação? Que dados (quantitativos ou qualitativos) você usará para saber se o projeto ou o processo foram implementados conforme o esperado? Por exemplo, a implementação de uma landing page para baixar um e-book não pode ser considerada bem-sucedida se não estiver devidamente integrada com algum software de automação para administrar o contato e sua régua de relacionamento de inbound. Assim como o e-book também precisa estar pronto e disponível para download.

- **O que pode dar errado**: faça uma lista do que pode não funcionar na implementação e como você vai se adaptar, se necessário, às mudanças em seu plano. Certifique-se de considerar fatores fora de seu controle capazes de alterar significativamente o cronograma ou o sucesso de seu projeto, e criar estratégias com antecedência, para que você não se perca no caminho — isso ajuda a construir uma cultura de flexibilidade, agilidade e ação rápida.

- **Frequência de status**: decida com que frequência você avaliará o progresso — semanal, mensal, bimestral, trimestral.

Use esses elementos para montar um documento para cada iniciativa listada no seu framework do Unbound Marketing.

Boas práticas para o plano de implementação

Embora você deva incluir todos os aspectos listados em seu plano de implementação, simplesmente ter todos esses elementos não garantirá o sucesso da execução. Além disso, você deve prezar os seguintes comportamentos em sua equipe:

- **Criar um comitê de implementação**: um comitê é a equipe responsável por garantir que a implementação seja bem-sucedida e ajuda a viabilizar o que for preciso para fazer acontecer. Embora seja possível viabilizar a implementação sem criar um comitê específico para a supervisão dos projetos e processos, isso aumenta suas chances de sucesso.

- **Criar uma visão compartilhada entre todos os membros da equipe**: estabeleça por que você está fazendo mudanças estratégicas para que os membros da equipe tenham uma compreensão maior da causa-raiz e uma conexão mais profunda com seu trabalho. Durante o processo, envolva as pessoas para garantir o comprometimento individual, de forma que elas não sintam que suas vozes foram ignoradas. Idealmente, elas tinham que ter participado do passo 2 dos objetivos.

- **Escolher um líder forte**: cada iniciativa precisa de uma liderança, alguém que seja o responsável final por fazer as coisas, que busque ajudar a equipe a superar quaisquer bloqueios que possam existir.

Cronograma macro de execução

Você reuniu informações fundamentais, e agora é hora de construir seu cronograma macro de execução.

O cronograma deve incluir todas as suas ações de iniciação como contratação de pessoas, fornecedores e softwares.

Você vai querer ter certeza de que as decisões de alocação de projetos e processo no cronograma levam à implementação mais rápida, econômica, de acordo com o que traz mais retorno para o negócio. Portanto, separe todas as iniciativas em três conjuntos de acordo com a meta que você definiu — de curto, médio e longo prazos — e por etapa da jornada do cliente. Veja como fica na Figura 98.

CRONOGRAMA MACRO DE EXECUÇÃO

ESFORÇO	30%	35%	20%	5%	10%
ETAPA	DESCOBERTA	CONSIDERAÇÃO	CONVERSÃO	XP PRÓPRIA	XP COMPARTILHADA
CURTO Q1 / Q2 ANO 1	• Plano de conteúdo • Criação da pesquisa de mercado	• Contratação de coordenadora de inbound • Cobranding com a marca x • Novo blog • Adoção de ferramenta de inbound • Campanha no Google Ads	• Webinários • Pacote de cases de sucesso • Campanha de remarketing	• Grupo no Facebook • Plano de conteúdo exclusivo • Monitoramento de mídias sociais • Implantação de NPS	• Grupo no Telegram • Ações de UGC
MÉDIO Q3 / Q4 ANO 1	• Landing pages de apoio à imprensa • Sampling com QR Code • Mídia OOH • Ação com influenciador X	• Contratação de parceiro para SEO • Revisão do SEO • Ferramentas grátis • Ação com influenciador especialista X • Cobranding com a startup X	• Novo website • E-commerce • Contratação de growth hacker	• App mobile • Adoção de CRM • Chatbot de atendimento 24x7 • Ações com microinfluenciadores • Projeto de treinamento on-line para clientes	• Comunidade em torno da marca • Programa de afiliados
LONGO Q1 / Q2 ANO 2	• Microssite de estatísticas • Publicidade nativa	• Ação com o influenciador especialista Y • Patrocínio do evento X • Integração com a startup X	• Adoção de um business intelligence • Mídia geolocalizada • Chatbot de vendas	• SaaS • Programa de fidelidade • Campanha de up-selling • Campanha de cross-selling • Evento próprio Y	• Programa de Indicação • Programa com nanoinfluenciadores • Ambiente de ideação com clientes
EXPERIÊNCIA	IDENTIFICAÇÃO	ENCANTAMENTO	VALIDAÇÃO	IMPRESSÃO	EXPRESSÃO

Figura 98 – Exemplo de cronograma macro de execução por meta em prazo

Vale observar que você pode alocar projetos e processos classificados como tempo de execução médio e grau de investimento médio no curto prazo, mas o grau de retorno tem que ser alto. Relembre os filtros na Figura 18 do capítulo de ideação no passo 2 dos objetivos.

Embora o plano de implementação em si possa ser um documento de Word ou planilha de Excel, para montar o cronograma detalhado de cada projeto ou implementação de processo há ferramentas que podem ajudá-lo a quebrar as atividades em marcos e gerenciar seu progresso. O Gantt é um exemplo.

O gráfico de Gantt é um gráfico de barras que você pode usar como um cronograma do projeto. Existem muitos programas de software que permitem criar esses gráficos on-line. Conforme você passa da implementação para a execução, um gráfico de Gantt pode ajudá-lo a rastrear o progresso da tarefa individual, ver as relações entre as tarefas e identificar tarefas críticas ou em risco.

Uma dica importante em relação a cronogramas detalhados por atividade é criar atividades de respiro. Não descarte a possibilidade de aumento do escopo em seu cronograma. Certifique-se de planejar respiros para levar em conta os tempos de processo subestimados também.

PASSO 5
CONTROLE

Por fim, entramos no quinto e último passo do Unbound Marketing. Agora é o momento de transformarmos as iniciativas do framework estratégico em projetos e processos que possam ser medidos.

Aquilo que for recorrente se torna processo, mas o que tiver início, meio e fim deve se tornar um projeto. Por exemplo, um site é um projeto, e o monitoramento de mídias sociais, um processo.

Tanto para processos quanto para projetos, devemos definir as métricas de acompanhamento e os indicadores-chave de performance (KPIs), assim como para cada etapa da jornada do cliente.

Temos que criar uma linha de base para o que deverá ser executado e quando. Devemos ainda fazer uma projeção da análise SWOT que montamos no diagnóstico, de modo que cada apontamento corresponda aos projetos ou processos definidos, garantindo, assim, que estamos no caminho certo.

Esse passo é importante porque aumenta muito a probabilidade de a estratégia ser um sucesso. Quem não controla a execução da estratégia, acaba tendo iniciativas isoladas, não consegue fazer um alinhamento estratégico entre as agências, fornecedores e pessoas que estão trabalhando para a marca; enfim, muita gente fica perdida sem saber o que fazer, para onde ir e, principalmente, se o sucesso está sendo obtido.

Portanto, para montarmos o controle, passaremos por:

- Análise SWOT projetada com as iniciativas;
- Definição das métricas de acompanhamento e KPIs das etapas da jornada do cliente.

Análise SWOT projetada

Vamos usar como base a tabela dos critérios norteadores que elencamos no passo dos objetivos. A partir dela, podemos listar as iniciativas. Veja a Tabela 11.

Tabela 11 – Exemplo de SWOT projetada com as iniciativas definidas na estratégia

ORGANIZAÇÃO	Potencialidades – P □ Marca líder de mercado □ Base de clientes grande □ Distribuição	Fraquezas – F □ NPS baixo □ Presença fraca nas redes sociais □ Site não é mobile friendly □ Suporte on-line
Oportunidades – O □ Marcas não concorrentes são citadas com frequência nas mídias sociais □ Novas startups no setor com tecnologias complementares □ Novos mercados □ Amadurecimento digital das personas	**(PO) Critérios norteadores** Aproveitar as forças para maximizar as oportunidades = **iniciativas de ataque** □ Programa de indicação □ Programa de nanoinfluenciadores □ Cobranding com startups □ Cobranding com marcas □ Integração com a startup X para penetração na base □ Projeto de conteúdo com depoimentos e cases de sucesso	**(FO) Critérios norteadores** Combater as fraquezas através da exploração de oportunidades = **iniciativas de construção de forças para a estratégia de ataque** □ Plano de conteúdo nas redes sociais por flights □ Projeto do novo site □ Projeto de chatbot e WhatsApp para atendimento □ Processo de monitoramento de mídias sociais □ Projeto de e-commerce
Ameaças – A □ Novos entrantes □ Novos produtos alternativos □ Mudança de política do parceiro □ Maior concorrência nos anúncios on-line (CPM mais caro)	**(PA) Critérios norteadores** Alavancar as forças para minimizar as ameaças = **iniciativas de defesa** □ Projeto de cocriação com o influenciador especialista X □ Programa de fidelidade □ Realizar uma pesquisa de mercado e distribuir via imprensa e inbound □ Microssite de estatísticas do setor □ Amostra grátis ou projeto de teste grátis □ Ativação no evento X □ Contratação de growth hacker □ Projetos de ferramentas grátis □ Programa de afiliados	**(FA) Critérios norteadores** Combater as fraquezas e ameaças = **iniciativas de construção de forças para a estratégia de defesa** □ Projeto de comunidade própria fora das redes □ Projeto de treinamento on-line para clientes □ Contratação de parceiro para fortalecer SEO do blog □ Contratação de coordenadora de inbound marketing □ Implantação de CRM □ Projeto de site de ideação com clientes

Essa matriz da SWOT projetada é uma maneira eficiente de enxergar se, após todos os passos do Unbound Marketing, estamos alinhados à direção estratégica definida no começo. Muitas vezes, vemos que está faltando algo em função de uma ameaça ou fraqueza.

Feita a matriz SWOT projetada, é hora de inserir cada iniciativa em uma planilha de acordo com as perspectivas do BSC (balanced scorecard) e o status de cada uma. Essa planilha deverá ser atualizada ao longo do tempo e compartilhada com os stakeholders. Veja a Tabela 12.

Tabela 12 – Exemplo de planilha de iniciativas de acordo com as perspectivas do BSC

PERSPECTIVA DO BSC	CÓDIGO	PROJETO OU PROCESSO	STATUS
Financeiro	FID1	Programa de afiliados	20%
	FID2	Projeto de e-commerce	50%
	FID3	Projeto de cocriação de produto com o influenciador especialista X	10%
	FID4	Integração com a startup X para penetração na base	15%
Cliente	CID1	Plano de conteúdo nas redes sociais por flights	100%
	CID2	Projeto de conteúdo com depoimentos e cases de sucesso	75%
	CID3	Programa de nanoinfluenciadores	5%
	CID4	Projeto de comunidade própria fora das redes	98%
Processos internos	PID1	Implantação de CRM	40%
	PID2	Programa de fidelidade	20%
	PID3	Programa de indicação	36%
	PID4	Projeto de treinamento on-line para clientes	87%
Aprendizado e crescimento	AID1	Contratação de coordenadora de inbound marketing	100%
	AID2	Contratação de parceiro para fortalecer SEO do blog	50%
	AID3	Contratação de growth hacker	100%
	AID4	Projeto de chatbot e WhatsApp para atendimento	100%

Essa planilha é uma forma simplificada de acompanhar o status de cada iniciativa. Conforme a metodologia do BSC, a execução deve ser de baixo para cima, pois assim você estará cada vez mais preparado para executar as iniciativas de cima.

É claro que você pode iniciar alguns projetos e processos em paralelo, mas certifique-se de estar priorizando os esforços de baixo para cima.

Observe que a coluna "Código" serve para identificar mais facilmente uma iniciativa, caso você tenha muitas e use qualquer outro método para controlar ou reportar o status. Fica a seu critério usar isso.

A coluna de "Status" também é flexível em seu formato. Você pode trabalhar com porcentagens, texto corrido ou um indicador visual como dashboard.

No próximo tópico, veremos sobre métricas e KPIs, e acrescentaremos mais duas colunas a essa planilha de iniciativas do BSC.

Veja que esse é um controle gerencial da estratégia. Cada projeto tem seu próprio cronograma na hora da execução e deve ser acompanhando separadamente.

Métricas de acompanhamento e KPIs

Agora vamos ver como posicionar todas as métricas e KPIs dentro do Unbound Marketing de acordo com cada etapa da jornada do cliente. Mas, antes, precisamos alinhar esses conceitos e terminologias.

Os KPIs são os indicadores críticos de progresso em direção a um resultado pretendido. Fornecem um foco para a melhoria estratégica, dão uma base analítica para tomadas de decisão e ajudam a concentrar a atenção no que é mais importante para o negócio.

O gerenciamento com o uso de KPIs inclui a definição de metas e o rastreamento do progresso em relação a essa meta. Gerenciar com KPIs geralmente significa trabalhar para melhorar as principais métricas de acompanhamento, que, por sua vez, dão uma fotografia do passado.

Portanto, os KPIs são precursores do sucesso futuro; as métricas de acompanhamento mostram quão bem-sucedidos foram os resultados do negócio alcançados no passado.

Na metodologia do Unbound Marketing, um KPI é composto pelo cruzamento de uma ou mais métricas de acompanhamento com uma meta no tempo.

> **VEJAMOS O EXEMPLO:**
>
> métrica 1 = leads qualificados
>
> métrica 2 = leads convertidos em clientes
>
> indicador = $\dfrac{\text{métrica 2}}{\text{métrica 1}} \times 100$ = taxa de conversão de leads para clientes
>
> indicador-chave de performance (KPI) = indicador + meta de atingir 20% em 30 dias

O valor relativo do passo de controle é dar inteligência aos negócios, mostrando que a probabilidade de sucesso é maior quando a organização entende como várias métricas e KPIs devem ser usados e como diferentes tipos de medidas contribuem para a imagem de como o negócio está se saindo na execução da sua estratégia. Na metodologia do Unbound Marketing, as medidas são categorizadas em três tipos diferentes:

- Processos: as medidas de processo focam em como está a eficiência, a qualidade ou a consistência de processos específicos usados para produzir um KPI. Eles também podem medir o status da implantação do processo;

- Projetos: as medidas do projeto respondem a perguntas sobre o status das entregas e o progresso dos marcos relacionados;

- Resultados: concentram-se em realizações ou impactos e são classificados como resultados intermediários das etapas da jornada do cliente, como reconhecimento de marca, ou resultados finais através de KPIs como LTV, que são impulsionados pelo cumprimento dos resultados intermediários.

Veja na Figura 99 como fica a distribuição de métricas de acompanhamento e KPIs ao longo da jornada do cliente e os resultados intermediários esperados.

ETAPA	DESCOBERTA	CONSIDERAÇÃO	CONVERSÃO	XP PRÓPRIA	XP COMPARTILHADA
RESULTADO INTERMEDIÁRIO	CRIAR AWARENESS DE MARCA	AUMENTAR LEMBRANÇA DE MARCA	AUMENTAR INTENÇÃO DE COMPRA	AUMENTAR RETENÇÃO DE CLIENTES	AUMENTAR NÚMERO DE CLIENTES
MÉTRICAS	• Alcance • Impressões • Visualizações	• Alcance • Frequência • Sessões no site • Visualizações • Cliques • Tempo no site • Seguidores no IG • Seguidores no FB • Inscritos em canal no YouTube	• Downloads • Instalações • Cadastros • Testes • Leads • Vendas • Assinaturas	• Usuários engajados • Interações • Ocorrências e sentimento • NPS • Score Reclame Aqui • Tempo de resposta	• Menções positivas diretas • Recomendações • Indicações do programa • Receita
KPIS	• CPM • Brand lift • Taxa de penetração no público • Taxa de visualização	• Taxa de abertura de e-mail • Taxa de crescimento de canal • CPC • CTR • Índice de relevância do anúncio • Taxa de rejeição • Taxa de visualização	• ROAS • CAC • Ticket médio • CPA / CPL • Taxa de conversão • Intenção de compra	• LTV • ROI • Taxa de engajamento • Reputação da marca • Reputação por persona • Receita recorrente • Share of voice • Taxa de cancelamento (churn)	• Receita média por indicação • Share of engagement • CAC por indicação • Taxa de crescimento de receita
EXPERIÊNCIA	IDENTIFICAÇÃO	ENCANTAMENTO	VALIDAÇÃO	IMPRESSÃO	EXPRESSÃO

Figura 99 – Exemplos de métricas e KPIs do framework do Unbound Marketing

Toda organização precisa de medidas estratégicas e operacionais. Geralmente, as métricas de acompanhamento são medidas operacionais, assim como alguns KPIs, que, na maioria das vezes, estão mais posicionados nas etapas de descoberta e consideração, como CPM, taxa de visualização e CPC. Já as medidas estratégicas são, via de regra, KPIs das etapas de conversão, experiência própria e experiência compartilhada, assim como algumas métricas de acompanhamento, como vendas, NPS e receita. Você irá identificar quando fizer o seu modelo em cima do framework.

As medidas estratégicas acompanham o progresso em direção aos objetivos estratégicos, com foco nos resultados intermediários e finais almejados. No BSC, essas medidas estratégicas são usadas para avaliar o progresso da organização em atingir seus objetivos estratégicos descritos em cada uma das quatro perspectivas.

As medidas estratégicas precisam ser reportadas e compartilhadas com todos da organização; já as medidas operacionais, não, pois servem mais como painel tático para o time operacional acompanhar e otimizar o processo constantemente.

Em todas as etapas do framework do Unbound Marketing, há métricas e KPIs cujas entrelinhas demandam experiência para ser lidas.

Na etapa de descoberta, por exemplo, o CPM é o custo que qualquer mídia paga vai ter como referência. Se o custo está alto em relação ao histórico, você pode inferir que não estamos sendo eficientes na entrega da mídia. Mas, ao olhar em conjunto o índice de relevância dos anúncios, você será capaz de entender se isso é real. Caso o CPM e o índice de relevância estejam altos, significa que você está sendo eficiente em se comunicar com uma audiência mais qualificada que antes. Da mesma forma, o CPM pode ficar mais baixo, pois o algoritmo é capaz de beneficiar um anúncio em função da sua relevância.

Por isso, analisar o conjunto de medida operacional (métrica CPM + KPI índice de relevância) é importante para a tomada de decisão de troca de criativos e/ou otimização da segmentação do público-alvo.

Mas nunca olhe um conjunto de medidas operacionais sem acrescentar um KPI de resultado final no contexto. No exemplo do CPM, caso ele esteja mais baixo que o histórico e o índice de relevância esteja alto, mas a taxa de conversão (KPI de resultado final) em queda, isso pode significar que você está alcançando um público desqualificado, que, no entanto, está reagindo positivamente aos anúncios. Portanto, seria melhor otimizar a segmentação, mesmo que o CPM fique maior, e obter uma taxa de conversão também maior, dentro do limite do custo de aquisição do cliente (CAC).

Vale destacar alguns outros KPIs como o ROAS (Return on Advertising Spend) ou retorno sobre o investimento em mídia paga, que se refere a gastos exclusivos com propaganda. Esse cálculo é bem simples e direto:

$$ROAS = \frac{Retorno\ em\ faturamento}{Total\ investido\ em\ mídia\ paga} \times 100$$

Nessa conta, não se incluem os custos administrativos e operacionais, somente os custos referentes às campanhas com mídia paga. Se investimos R$ 1.000,00 em campanhas e faturamos R$ 2.500,00 em vendas, o ROAS foi de 2,5x, 250%, ou a empresa conseguiu um retorno de R$ 2,50 para cada R$ 1,00 investido.

Outro KPI importante concomitante ao ROAS é o ROI (retorno sobre investimento). O ROI considera todos os custos do negócio versus o retorno obtido. No caso de um modelo de serviços ou SaaS, é necessário considerar todos os custos para manter o cliente em seu ciclo médio de vida, e o retorno deve ser calculado usando o *lifetime value* (LTV) — receita que o cliente deixa na casa ao longo do seu ciclo de vida.

$$ROI \text{ de SaaS} = \frac{LTV}{\text{Custos totais}} \times 100$$

O custo por aquisição de cliente (CAC) considera os custos totais para se conseguir um cliente, incluindo os custos administrativos, operacionais, de mídia paga, hospedagem de servidores etc., até o momento da conversão do lead em cliente. Esse indicador deve ficar dentro do limite saudável para o crescimento do negócio, pois toda a operação e a verba de mídia em um planejamento orçamentário podem estar atreladas ao CAC. Se o CAC aumentar, as projeções de crescimento do negócio serão menores, assim como a receita, impactando a verba disponível para executar os passos de descoberta e consideração, principalmente. Por isso, o CAC é um KPI de resultado final; quanto menor, melhor, desde que você consiga manter um ritmo de crescimento sustentável para o negócio.

A reputação da marca é um KPI decorrente do monitoramento das mídias sociais. Ela mede se o sentimento com relação à marca no mercado é mais positivo ou negativo. É um indicador vivo que muda constantemente à medida que novas ocorrências nas mídias sociais são classificadas e polarizadas conforme vimos no capítulo sobre monitoramento de mídias sociais.

O cálculo é o seguinte:

$$IS = \frac{\text{ocorrências positivas} + \text{ocorrências neutras}}{\text{total de ocorrências}} \times 100$$

Caso o resultado fique abaixo de 70%, você estará diante de uma possível crise nas mídias sociais, pois um índice bom de reputação é acima de 80%. Entre 70% e 80%, fica a zona de alerta.

O share of voice é o quanto estão falando da marca versus o quanto estão falando dos concorrentes nas mídias sociais. Esse indicador é alimentado pelo monitoramento das mídias sociais, incluindo as menções diretas aos concorrentes. É um KPI que pode trazer uma visão de correlação com o share de mercado, ainda mais se você conseguir classificar as regiões do país, caso você atue nacionalmente.

O share of engagement é semelhante ao share of voice, porém contabiliza o número de ações de engajamento dos concorrentes e compara com o número da própria marca. Você pode até ter um share of voice maior, mas sem estar conseguindo engajar o público tanto quanto um concorrente. Isso pode ser um sinal de que o concorrente está crescendo mais rapidamente que você nas mídias sociais, e, na maioria dos casos, isso pode ser um reflexo do que está acontecendo no mercado.

Após a compreensão sobre as medidas operacionais e estratégicas, você pode criar suas próprias métricas de acompanhamento e KPIs e acrescentá-los na planilha de BSC. Veja a Tabela 13.

Tabela 13 – Planilha do BSC com as colunas de métricas e KPIs

PERSPECTIVA DO BSC	PROJETO OU PROCESSO	MÉTRICAS	KPIs
Financeiro	Programa de afiliados	<ul><li>Cadastros</li><li>Afiliados</li><li>Vendas</li><li>Cancelamentos</li></ul>	<ul><li>Taxa de aprovação</li><li>Ticket médio por afiliado</li><li>LTV de clientes dos afiliados</li><li>Churn dos clientes dos afiliados</li></ul>
Cliente			
Processos internos			
Aprendizado e crescimento			

Assim, finalizamos o modelo de controle da metodologia do Unbound Marketing. Esse modelo foi projetado para você fazer uma avaliação rápida de onde sua empresa está em termos de gestão da execução da estratégia, para monitorar o progresso na melhoria da maturidade do negócio em ambiente digital e para permitir que todo o time se empenhe na execução e faça as correções de rota para a direção certa.

Há duas perguntas básicas em relação ao controle: estamos fazendo as coisas certas e da maneira esperada? A gestão operacional se concentra em fazer as coisas da maneira esperada, e a gestão estratégica em fazer as coisas certas. Em qualquer organização, é a estratégia, impulsionada pela visão da liderança, que define o que é certo. Isso foi feito no passo 2 dos objetivos e no passo 3 da estratégia. As definições táticas dos processos, projetos e melhorias contínuas que vimos no passo 4 da tática garantem que a empresa cumprirá sua missão. Esses dois aspectos do controle — estratégico e operacional — se complementam e devem ser reportados periodicamente dentro do seu critério.

CONCLUSÃO

O Unbound Marketing opera no contexto da vida *on-life*, ou seja, parte do princípio de que somos feitos de carne e osso, presentes no mundo físico, mas conectados à internet o tempo todo através dos dispositivos móveis em função da nossa natureza social. Somos seres "cíbridos".

O "cibridismo" (ciber + hibridismo) é o elo entre os mundos on e off em nossas vidas. Hoje, já somos cíbridos, pois a interdependência entre esses dois universos já torna difícil, se não impossível, viver em apenas um deles.

Em 2012, a visionária Martha Gabriel publicou um artigo sobre como éramos predominantemente off na década de 1990 e passamos a nos tornar on em 2000 — mas ainda com uma separação física entre o on e o off, pois precisávamos ir até um computador para nos conectar. Hoje, somos on e off (o que eu chamo de *on-life*): as barreiras se dissolveram conforme a tecnologia mobile avançou e conforme a IoT avança.

A internet, hoje, é onipresente, tal como o ar que respiramos: não percebemos que ele existe, mas o usamos o tempo todo para continuar vivendo e evoluindo. Já as mídias sociais se tornaram algo como o nosso alimento, num nível próximo ao de dependência química.

Assim, para criar estratégias nesse cenário, é importante saber como as pessoas vivem e em que momento da sua jornada elas estão mais abertas a receber mensagens e se relacionar com as marcas.

À medida que entendemos o comportamento do nosso público-alvo, a forma como ele vive seus micromomentos ao longo do dia, quais são suas necessidades e desejos, podemos criar produtos, serviços e experiências em torno da marca.

Durante muito tempo, o marketing foi orientado à indústria e à sua capacidade produtiva. A ordem era produzir a todo vapor, inventando produtos com base no maquinário e empurrando-os para o mercado consumidor. O objetivo se resumia a ganhar dinheiro. Mas as coisas mudaram. A tecnologia impactou o nosso estilo de vida, os hábitos e o comportamento das pessoas.

Antes, tínhamos limitações e poucos canais para divulgar produtos. Agora, temos múltiplos canais e está tudo pulverizado e *on demand* para o consumidor. As pessoas querem mais do que comprar produtos: querem experiências para continuar vivendo em circunstância das forças psicológicas, principalmente em torno daquilo que aumenta seu capital social.

Uma marca que pretende ser forte e existir daqui em diante na mente das pessoas precisa comunicar com clareza o seu propósito e a mudança que promove na vida dos seus clientes.

O Unbound Marketing foi desenvolvido com base nesse pensamento *on-life*. A metodologia vem para chamar a atenção dos profissionais de marketing e líderes de empresas. Assim como nós somos tanto on quanto off, uma estratégia em ambiente digital não pode ser uma coisa ou outra, inbound ou outbound, limitar-se a performance ou branding, a funil de vendas ou megafone, ter macroinfluenciador ou microinfluenciador, conteúdo curto ou longo, vídeo ou gif, mídia tradicional ou digital, site ou redes sociais, e por aí vai.

Portanto, o Unbound Marketing não é a substituição de algo que já conhecemos por outra coisa, mas, sim, a orquestração de uma estratégia que utiliza o melhor de cada elemento, plataformas, tecnologias, estratégias e metodologias em um único framework, numa ordem lógica alinhada às demandas do mundo de hoje. Veja a Figura 100.

FRAMEWORK ESTRATÉGICO DO UNBOUND MARKETING

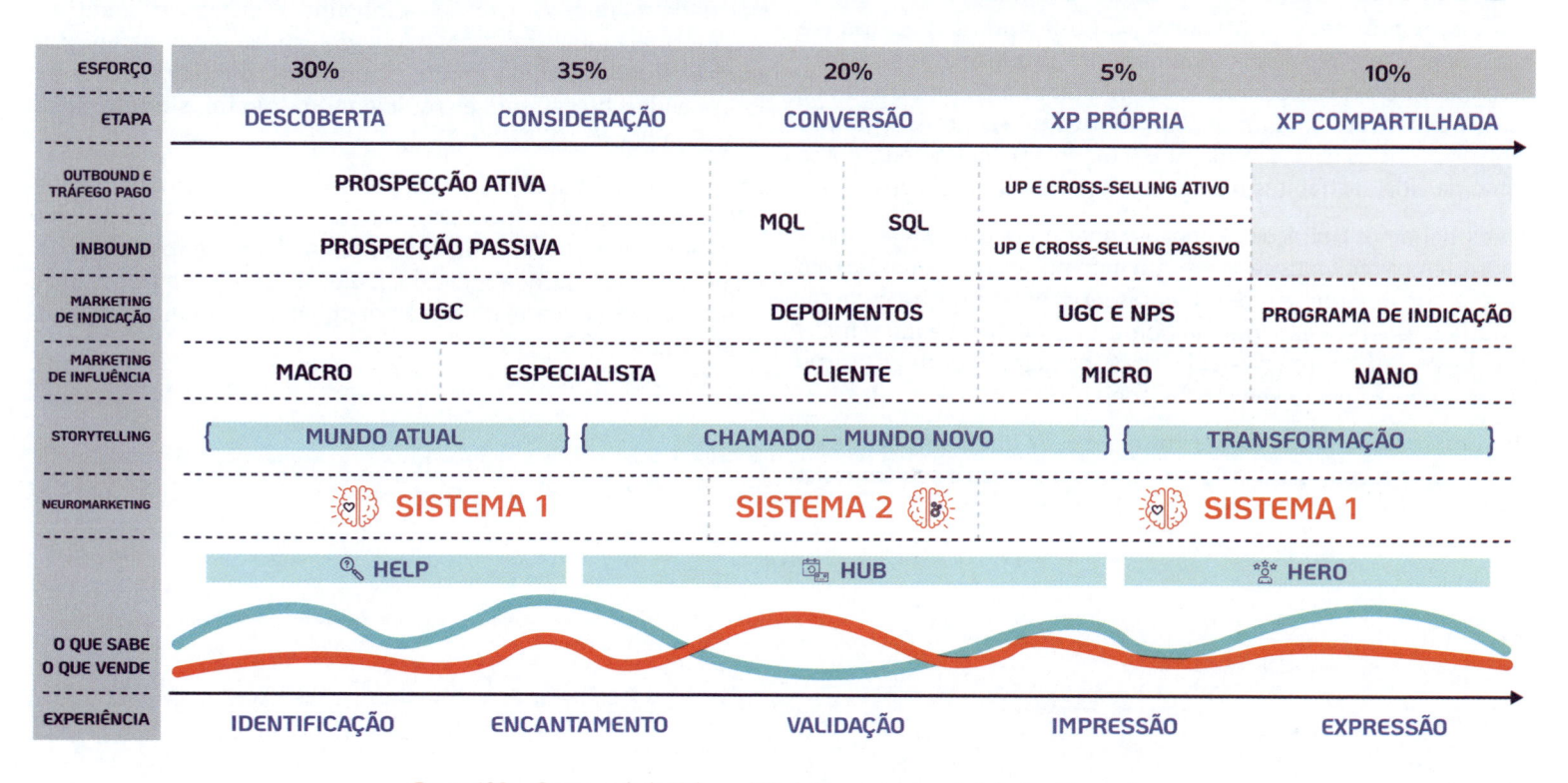

ESFORÇO	30%	35%	20%		5%	10%
ETAPA	DESCOBERTA	CONSIDERAÇÃO	CONVERSÃO		XP PRÓPRIA	XP COMPARTILHADA
OUTBOUND E TRÁFEGO PAGO	PROSPECÇÃO ATIVA		MQL	SQL	UP E CROSS-SELLING ATIVO	
INBOUND	PROSPECÇÃO PASSIVA				UP E CROSS-SELLING PASSIVO	
MARKETING DE INDICAÇÃO	UGC		DEPOIMENTOS		UGC E NPS	PROGRAMA DE INDICAÇÃO
MARKETING DE INFLUÊNCIA	MACRO	ESPECIALISTA	CLIENTE		MICRO	NANO
STORYTELLING	MUNDO ATUAL		CHAMADO – MUNDO NOVO		TRANSFORMAÇÃO	
NEUROMARKETING	SISTEMA 1		SISTEMA 2		SISTEMA 1	
	HELP		HUB		HERO	
O QUE SABE / O QUE VENDE						
EXPERIÊNCIA	IDENTIFICAÇÃO	ENCANTAMENTO	VALIDAÇÃO		IMPRESSÃO	EXPRESSÃO

Figura 100 – Framework do Unbound Marketing com as metodologias integradas

O Unbound Marketing integra diversos conceitos para ir além do funil de vendas, numa missão de transformar o funil de vendas em um megafone, focado na experiência do cliente para criar promotores de marca em prol de obter resultados exponenciais e duradouros. É levar o cliente do ponto A ao ponto X.

LOOP DE INFLUÊNCIA

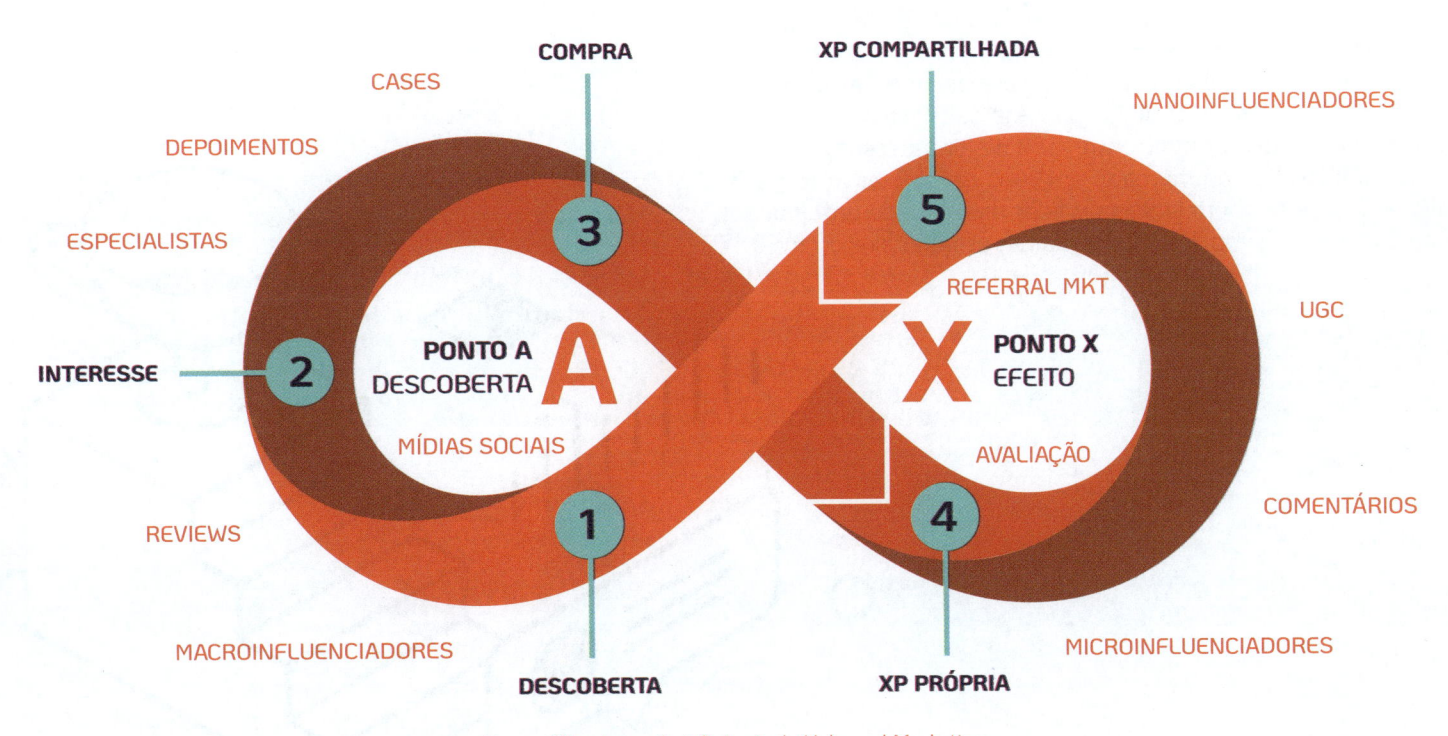

COMPRA — 3
XP COMPARTILHADA — 5

CASES
NANOINFLUENCIADORES
DEPOIMENTOS
ESPECIALISTAS
REFERRAL MKT
UGC
INTERESSE — 2
PONTO A — **A** — DESCOBERTA
X — **PONTO X** — EFEITO
MÍDIAS SOCIAIS
AVALIAÇÃO
COMENTÁRIOS
REVIEWS — 1
4
MACROINFLUENCIADORES
MICROINFLUENCIADORES
DESCOBERTA
XP PRÓPRIA

Figura 101 – Loop de influência do Unbound Marketing

A metodologia faz a jornada do cliente acontecer dentro de um funil dinâmico de marketing, ajudando-o de forma útil e relevante, ampliando a experiência dele com a marca.

É preciso muito entendimento e comprometimento para criar estratégias de alto impacto como propostas no Unbound Marketing. Mas, invariavelmente, tudo o que dá mais trabalho também traz mais resultados.

Se tudo no marketing em ambiente digital é sobre testes, a metodologia do Unbound Marketing é resultado do aprendizado de mais de duas décadas de experiências em planejamento e execução de estratégias em ambiente digital para marcas nacionais e internacionais por meio da Focusnetworks. A maioria dessas marcas assumiu a liderança de mercado em suas categorias. Não por acaso, a mLabs também se tornou líder de mercado em pouco tempo, superando a casa das 200 mil marcas usuárias e recorrentes.

É esse tipo de resultado exponencial que eu quero para você e para o seu negócio.

Mal posso esperar para ver o que você irá construir a partir do Unbound Marketing!

Não deixe de me contar! Sucesso em sua jornada! 🚀

AGRADECIMENTOS

Não havia como este livro existir sem o apoio da minha querida esposa, Malu, e dos meus filhos, Lucas e Catarina. Eles me deram as condições mentais para eu ter felicidade, tranquilidade e foco para me dedicar a esta obra.

Como você já sabe, o Unbound Marketing é um acumulado da minha experiência nas últimas duas décadas. Essa experiência só foi possível em função dos aprendizados junto ao meu time nesses anos em que fiquei à frente da Focusnetworks. Por isso, quero fazer um agradecimento especial a cada pessoa que esteve comigo nessa jornada, em especial a Daniele Mazzei, que foi meu braço direito e me acompanhou em toda essa trajetória. Hoje, ela é sócia da agência e assumiu a direção de planejamento.

Agradeço imensamente ao meu sócio William Kiso, que sempre acreditou, investiu em mim e me deu condições para eu exercer o meu melhor dentro da agência. Não por acaso, a mLabs nasceu dentro da Focusnetworks.

Falando da mLabs, quero agradecer aos meus sócios Caio Rigoldi e Marcos Santos, por terem transformado o sonho da mLabs em um sonho nosso. Foi nela que eu pude aplicar toda a metodologia do Unbound Marketing e ter a certeza de que precisava compartilhar esse conhecimento com o mundo.

Em minha vida, sempre fui cercado de pessoas incríveis que ajudaram a evoluir meu pensamento crítico.

Na mLabs, essa pessoa é Mariana Cabral, meu braço direito no marketing e na execução do Unbound Marketing atualmente. A metodologia evoluiu muito nos últimos anos em função da nossa troca no dia a dia.

Na jornada de conhecimento, a vida me presenteou com a Martha Gabriel, com quem pude viver diversos momentos únicos de aprendizado e troca. Ela foi minha professora no MBA e, hoje, é minha sócia na comunidade Marketing na Era Digital, onde somos professores e eternos aprendizes.

Muito obrigado! 💙

REFERÊNCIAS BIBLIOGRÁFICAS

ABUNDANCE of Information Narrows Our Collective Attention. *Science News*, 15 abr. 2019. Disponível em: https://www.sciencedaily.com/releases/2019/04/190415081959.htm. Acesso em: 22 fev. 2021.

ASPIREIQ. The State of Influencer Marketing 2019: an Analysis of the Social Media Ecosystem. 2019. Disponível em: https://learn.aspireiq.com/state-of-industry-report-2019. Acesso em: 24 fev. 2021.

BERGER, Jonah. *Contágio*: por que as coisas pegam. São Paulo: Alta Books, 2020.

CIALDINI, Robert B. *Influência*: a psicologia da persuasão. Lisboa: Sinais de Fogo, 2008.

CIALDINI, Robert B. *As armas da persuasão*: como influenciar e não se deixar influenciar. Rio de Janeiro: Sextante, 2012.

FACEBOOK IQ. Effective Frequency: Reaching Full Campaign Potential. 21 jul. 2016. Disponível em: https://www.facebook.com/business/news/insights/effective-frequency-reaching-full-campaign-potential. Acesso em: 23 fev. 2021.

GABRIEL, Martha; KISO, Rafael. *Marketing na era digital*: conceitos, plataformas e estratégias. 2. ed. São Paulo: Atlas, 2020.

GARTNER. 2020 Hype Cycle for Digital Advertising. 14 jul. 2020. Disponível em: https://www.gartner.com/en/marketing/research/2020-hype-cycle-for-digital-advertising. Acesso em: 11 fev. 2021.

GARTNER. 2020 Hype Cycle for Digital Marketing. 15 jul. 2020. Disponível em: https://www.gartner.com/en/marketing/research/2020-hype-cycle-for-digital-marketing. Acesso em: 11 fev. 2021.

HOW Do We Determine the Optimum Mix of Reach vs. Frequency? *News America*, 22 abr. 2019.

HUMAN Brain Can Recognize Objects Much Faster Than Some Have Thought. *Science News*, 4 maio 2009. Disponível em: https://www.sciencedaily.com/releases/2009/04/090429132231.htm. Acesso em: 22 fev. 2021.

INSTITUTO QUALIBEST. Quem são os maiores influenciadores digitais do Brasil? 4 out. 2018. Disponível em: https://www.institutoqualibest.com/blog/comunicacao-e-midia/os-maiores-influenciadores-digitais/. Acesso em: 23 fev. 2021.

JONES, Bruce. The Difference between Purpose and Mission. *Harvard Business Review*, 2 fev. 2016. Disponível em: https://hbr.org/sponsored/2016/02/the-difference-between-purpose-and-mission. Acesso em: 12 jul. 2020.

KAHNEMAN, Daniel. *Rápido e devagar*: duas formas de pensar. Trad. Cássio de Arantes Leite. Rio de Janeiro: Objetiva, 2012.

MENTION. Instagram Engagement Report 2018. 2018. Disponível em: https://info.mention.com/instagram-report/thank-you. Acesso em: 23 fev. 2021.

MICROSOFT CANADA. Attention Spans. 2015. Disponível em: http://dl.motamem.org/microsoft-attention-spans-research-report.pdf. Acesso em: 22 fev. 2021.

NEFF, Jack. What's the Frequency? Advertisers Deal with Conflicting Data. *AdAge*, 7 nov. 2018. Disponível em: https://adage.com/article/cmo-strategy/frequency-advertisers-deal-conflicting-data/315496. Acesso em: 11 fev. 2021.

NIELSEN. Global Trust in Advertising: Winning Strategies for an Evolving Media Landscape. set. 2015. Disponível em: https://www.nielsen.com/wp-content/uploads/sites/3/2019/04/global-trust-in-advertising-report-sept-2015-1.pdf. Acesso em: 24 fev. 2021.

NIELSEN. When It Comes to Advertising Effectiveness, What Is Key? 9 out. 2017. Disponível em: https://www.nielsen.com/us/en/insights/article/2017/when-it-comes-to-advertising-effectiveness-what-is-key/. Acesso em: 23 fev. 2021.

OKADAR, Gabrijela. How Frequency of Exposure Can Maximise the Resonance of Your Digital Campaigns. *Nielsen*, 30 jul. 2017. Disponível em: https://www.nielsen.com/au/en/insights/article/2017/how-frequency-of-exposure-can-maximise-the-resonance-of-your-digital-campaigns/. Acesso em: 11 fev. 2021.

QUESTIONPRO. 30 NPS Benchmarks for Leading Industries. [s.d.]. Disponível em: https://www.questionpro.com/blog/nps-benchmarks/#:~:text=NPS%20benchmarks%20are%20the%20average,consistent%20with%20a%20good%20score. Acesso em: 24 fev. 2021.

REIMAN, Joey. *Propósito*: por que ele engaja colaboradores, constrói marcas fortes e empresas poderosas. São Paulo: Alta Books, 2018.

SOLIS, Brian. X: The Experience When Business Meets Design (English Edition). 2015.

SOUTHALL, Angela. 3 Reason Why You Should Focus on Referral Marketing in 2018. *Social Media Today*, 18 nov. 2017. Disponível em: https://www.socialmediatoday.com/news/3-reason-why-you-should-focus-on-referral-marketing-in-2018/511050/. Acesso em: 24 fev. 2021.

STACKLA. Bridging the Gap: Consumer & Marketing Perspectives on Content in the Digital Age. [s.d.]. Disponível em: https://stackla.com/resources/reports/bridging-the-gap-consumer-marketing-perspectives-on-content-in-the-digital-age/. Acesso em: 24 fev. 2021.

TRAFTON, Anne. In the Blink of an Eye. *MIT News*, 16 jan. 2014. Disponível em: https://news.mit.edu/2014/in-the-blink-of-an-eye-0116. Acesso em: 22 fev. 2021.

TUTTLE, Kate. Infographic: 7 Benefits of Customer Journey Mapping. *Perficient Blog*, 9 jun. 2016. Disponível em: https://blogs.perficient.com/2016/06/09/infographic-7-benefits-of-customer-journey-mapping/. Acesso em: 9 fev. 2021.

DVS EDITORA

www.dvseditora.com.br

Impressão e Acabamento | Gráfica Viena
Todo papel desta obra possui certificação FSC® do fabricante.
Produzido conforme melhores práticas de gestão ambiental (ISO 14001)
www.graficaviena.com.br